耕林 Just Novel

就是小說

耕林 Just Novel
就是小說

Vampire Academy

吸血鬼學院

4・血之盟 Blood Promise

蕾夏爾・米德 Richelle Mead 著
吳雪 譯

本書謹獻給美國南部最有活力的淑女——我的祖母，她是我認識的最好的廚師。

致謝

謝謝所有支持我、幫助我在寫書過程中保持頭腦清醒的朋友和家人，你們是我的全部，非常感謝你們容忍我翹班一段時間。特別感謝傑伊寬慰我，說這本書是他的摯愛（甚至在書還沒有寫完的情況下）；還要特別謝謝傑西・麥家瑟幫我搜集關於煉金術士的資料，以及我的經紀人吉姆・麥卡錫，他一直照顧我，將所有事都安排得井井有條；還有兩位編輯大人，潔西卡・羅森伯格和班・斯蘭克，他們編輯原稿時的一絲不苟令人敬佩；感謝I.A.戈登幫我翻譯了書裡的俄文；最後，要感謝出版人凱瑟・麥英泰，感謝她的大力幫助。

最最後，也感謝寫信告訴我你們有多愛這套書和書裡人物的可愛讀者，你們是我繼續寫下去的動力！

序幕

我上九年級的時候，曾經交過一篇關於詩歌的論文。上課時，老師提到這樣一首短詩：「如果你一直閉著眼睛，則無所謂夢境與現實。」當時，這首詩並沒有帶給我太大的震撼，畢竟，我那時只一心想著班上那個我暗戀的男生，怎麼可能費心去做文學分析呢？可是在三年之後的今天，我突然完全明白了這首詩的含義。

因爲最近，我的生活中那眞實與夢境的界線眞的模糊了。有好幾天，我自認爲是清醒的，但是後來卻發現，那些覺得是眞實經歷過的事情，其實根本沒有發生過。當然，在那個令人癡迷的夢裡，我毫無疑問地扮演了一名公主，而現在的每一天，現在的這場夢——不，應該說是惡夢，馬上就會結束，我會找到自己的王子，迎來一個幸福快樂的圓滿結局。

可是，我始終找不到那個圓滿的大結局，至少在可以預見的將來裡，我找不到。至於我的王子嘛，哦，那是一個說來話長的故事了。我的王子已經變成了一名吸血鬼，確切地說，是一名血族。

在我的世界裡，對人類來說充滿神祕色彩的吸血鬼可以分成兩類：莫里族是活著的吸血鬼，是擁有自然元素魔法、不會透過主動攻擊來獲取必須的血液的良善吸血鬼；而血族，是永生不死的吸血鬼，擁有永恆的生命，但是心理變態，會殺死自己的獵物。莫里族是通過代代的薪火相傳，不斷繁衍的一族；而血族成員則是通過邪惡的方法刻意製造出來的，有的是被迫的，有的則是自願的。

至於迪米特里，我的愛人，則是被迫成爲血族的。他是在一場同血族的戰鬥中被轉變的，那次可以稱爲史詩一般的救援行動，我也參與了。血族從我的學校裡綁走了幾名莫里族和拜爾族，我們集合了其他人一起去救他們。拜爾族就是人類和莫里族的混血，既有人類的力量和耐力，又有莫里族的敏銳感官。莫里族訓練拜爾族成爲他們的守護者，也就是可以貼身保護莫里族的守衛菁英。我就是其中的一員，當然迪米特里曾經也是。

在他變成血族之後，其他人都一致認爲他已經死了。從某種意義上來說，確實如此。那些變成血族的人，會喪失掉自己曾經擁有的良知，哪怕他是被迫成爲血族，也不例外。他們還是會變成殘酷的惡魔，如同別的血族那樣，曾經的他們已經不復存在。

老實說，比起想到他們在深夜裡徘徊，等著奪人性命，想像他們去了天堂或者投胎轉世要更容易一點，可我還是忘不了迪米特里，也不能接受他這種意義上的死亡。他還是我深愛的男人，與我完全融爲一體、不分你我的人。我的內心拒絕忘掉他，哪怕他實際上已經變成了魔鬼，藏身在學校外的某個地方。我也忘不掉他和我說過的每一句話，我們曾經就變成血族這件事達成過共識——與其從此行走在血族的世界，不如死去，眞正地死去。

在悼念了他死去的良知之後，我決定遵循他的願望，哪怕現在他可能已經改變了想法。我必須去找到他，必須親手殺死他，將他的靈魂從黑暗、墮落的深淵解救出來。我知道這是我愛過的那個迪米特里心底所渴望的。但是，殺死血族並不是一件容易的事，他們有非凡的速度和力氣，而且鐵石心腸。我曾經幹掉過幾個血族，這對一個年僅十八歲的菜鳥來說是件非常不可思議的事。我知道殺死迪米特里，對我來說是最難的挑戰，無論是在技術上還是感情上。

但事實上，情感的糾結在我下定決心之後就不再是個問題。追殺迪米特里意味著我的生活軌跡要被改變（這還不包含我去找他算帳，極有可能賠上小命的後果），當時我還在上學，離畢業成爲一名正式的守護者還有幾個月。但，我每在聖弗拉米爾學院閒逛一天，就意味著迪米特里在外頭的某處多待一天，多在他不喜歡的深淵裡多存留一天。順道一提，這是一間遠離都市、爲了保護未成年莫里族和拜爾族而設的寄宿學校，所以我決定提前離開學校，闖進人類的世界，放棄我從小到大所生活的世界。

離開，同時也意味著要放棄其他的事，或者說，是放棄其他的人，比如說我最好的朋友莉莎。她的全名叫瓦西莉莎・德拉格米爾。莉莎是一名莫里皇室，也是她家族唯一的倖存者。本來已經安排好我畢業之後便去擔任她的守護者，但我要去追殺迪米特里的決定，同於也毀了她的將來。可我除了離開她，別無選擇。

拋開我們的友誼不談，我們兩人之間還有種獨一無二的羈絆。每個莫里族都擁有一種自己擅長的魔法元素，通常是土、氣、水、火中的一種，可是直到最近，我們才知道除了這四種元素，還有第五種——精神元素。

莉莎擅長的就是這種元素，可因爲精神元素的使用者非常稀少，所以我們對此可以說是一無所知。此種能力最主要的表現，就是在心靈意志方面的力量。莉莎有超強的催眠能力，她幾乎可以替任何人進行催眠。她還有治癒能力，而就是這點令我們之間的聯繫變得與眾不同。

如你所知，在那場令她失去所有親人的車禍中，我其實也已經死了，是莉莎在不經意間把我從死神的世界裡拉了回來。此後，我們之間便有了心電感應，我經常可以感應到她的位置和想法，能說出她的所思所想，還知道她什麼時候有麻煩。也是直到最近，我們才發現我有通靈的能力，可以看見還留戀在這個世界上的鬼魂。這種能力常常令我驚慌失措，有時候還非常排斥。我們稱這整個情況爲「影吻者效應」。

我們之間這種關係，令我變成保護莉莎的不二人選，因爲一旦她遇到危險，我幾乎可以馬上知道。我答應過她，要用我的一生來保護她，但是後來，迪米特里，高大的、迷人的、熱情的迪米特里改變了這一切。我必須面對這種可怕的選擇：要嘛留下來，繼續保護莉莎；要嘛離開，去解救迪米特里的靈魂。要在他們兩個人當中做出選擇，我的心都碎了，覺得胸膛像被劃開一個大洞，眼淚也禁不住地往下流。

想要選擇留下的心情令我苦惱。自從幼稚園時代，我們就是最好的朋友，我的離開對我們兩個來說都是非常令人震驚的事情。為了公平起見，我決定永遠不讓她知道這件事。我和迪米特里的事一直都沒有告訴過她，因為他是我的老師，比我大七歲，而且同時也被指派給莉莎，成為她的守護者。有鑑於此，我們兩個都試圖抵抗彼此的吸引，因為我們都知道，莉莎的安危得擺在第一位，而且我們也不想被捲入師生戀這種敏感的話題當中。

但是與迪米特里保持距離這件事，哪怕是我所默許的，仍導致我有許多事情不能對莉莎開口。我其實不該對她有所保留，應將我遇到的脫離人生規畫的苦惱告訴她。但是，這似乎也不公平，因為莉莎可以無所顧忌地去享受她自己的人生，去愛她所愛，可我卻不得不犧牲自己的幸福，來確保她的安全。她是我最好的朋友，我無法允許自己生她的氣，加上莉莎特別脆弱，因為精神能力也有副作用，可以令人發瘋。於是我一直壓抑著自己的不滿，直到最終火山爆發的一刻，我找了一個很好的藉口，離開了學校，離開了她。

我見過的其中一個鬼魂，梅森，他是我的一個好朋友，結果被血族殺害了。他告訴我，迪米特里已經回到了他的老家，西伯利亞。梅森的靈魂找到了內心的寧靜，不久就離開了這個世界，再也沒有給我其他的線索，比如迪米特里到底在西伯利亞的什麼地方。於是我只能盲目地上路，鼓起勇氣進入人類的世界，去一個我語言不通的地方，只為了履行我對自己許下的諾言。

我獨自上路，幾個星期以後，終於到了聖彼德堡。

我仍然在尋找，內心仍然在掙扎——既想馬上見到他，又害怕馬上見到他。因為如果我真的完成了這個瘋狂的計畫，如果我真的設法殺死了我心愛的人，這就意味著迪米特里真的要從這個世上永遠消失了。老實說，我眞的不知道在一個沒有了他的世界裡，我還能不能活下去。

這些事情，似乎沒有一件是眞實的。誰知道呢？也許全都是假的，也許這些不過是發生在別人的身上，也許這些全都是我想像出來的，也許很快我就會醒過來，發現周圍一切如昔，莉莎和迪米特里都在我身邊。我們會在一起，他會站在那裡朝我微笑，抱著我，告訴我已經沒事了。也許所有的這些眞的都只是一場夢。

可我現在不這麼認爲。

1

我被人跟蹤了。

這眞是莫大的諷刺，要知道，前幾個星期可都是我在跟蹤別人。幸好跟蹤我的不是血族，如果是的話，我會知道的。影吻者效應對我最新的影響，是我可以感應到位在附近的血族，而它通知我的方法，便是我會感到噁心反胃。不過，我還是對於這種身體預警心存感激，同時也爲今晚尾隨我的不是速度驚人、冷酷無情的吸血鬼而慶幸。我最近和血族的戰鬥太頻繁，希望今天晚上會是例外。

我猜跟著我的這個人也是拜爾族，可能是在我去過的一個酒吧裡盯上我的。老實說，這個人的跟蹤技巧比一般的拜爾族要稍差一點，我能聽見身後有腳步聲從暗處傳來，而且還瞥見過有人影一閃而過。鑑於我今晚莽撞的舉動，認定此人是拜爾族也不爲過。

所有的一切都要從早前在奈廷格爾酒吧發生的事情說起。其實那間酒吧並不叫這個名字，這是翻譯過來的叫法，它眞正的名字是一個俄文的單字，但是那個音我不會唸。在美國的時候，這間酒吧在莫里族的富豪中有很高的知名度，現在我明白爲什麼了。無論幾點，出入這間酒吧的人，都穿得像是去參加皇家舞會，而且，呃，裡面的整個裝潢也和從前俄羅斯的皇宮非常相像。酒吧的牆全都漆成乳白色，上面用金線畫出雲紋和花邊，這令我想起冬宮，那是沙皇統治俄羅斯時的行宮。我抵達聖彼德堡的第一天，就去遊覽過了。

奈廷格爾酒吧的天花板上有一個水晶吊燈，上面擺放著蠟燭，燭光在半空中閃動，投射在牆上的金絲上，所有的東西看上去都泛著微光，整個酒吧因而閃閃發光。酒吧的用餐區非常大，有著鋪著天鵝絨桌布的桌子和包廂，面積和其相當的沙發區和酒吧區亦是高朋滿座，到了晚上，還有駐場樂隊在這裡演出，人們可以兩兩一對的在舞池裡熱舞。

幾星期前，我剛到這裡的時候，並沒有特別在這間酒吧裡下工夫。當時我天眞地以爲，我馬上就能找到一個認識迪米特里老家的莫里族。由於找不到迪米特里在西伯利亞的行蹤，去他成長的地方成了我最好的選擇。只是，我不知道那是什麼地方，這就是我想找莫里族幫忙的初衷。

俄羅斯有許多拜爾族聚居的城鎭和社區，但是在西伯利亞，這種地方少之又少，所以我才對有知情的莫里族存在這件事深信不疑。可是我非常倒楣，事實告訴我，能在人類的城市中居住的莫里族，非常善於隱藏自己的行蹤，我找遍了每一個我認爲會有莫里族居住的地方，結果總是人去樓空。找不到這些莫里族，我的問題就得不到解決。

於是，我開始頻繁出入奈廷格爾，但這也不是件容易的事。對一個十八歲的女生來說，混跡於一個城市裡最高檔的酒吧，會遇到很多難題，很快我就發現，名牌衣服和高額的消費，並不能幫我達成尋求幫助的目的。服務生已經認識我了，就算他們認爲我的形跡很可疑，也什麼都沒有說，只是很高興地將我經常坐的那張角落裡的桌子留給我。我猜，他們可能以爲我是哪個將軍或者政要的女兒。不管我是什麼背景，只要我有錢，這對他們來說就足夠了。

可是，就算是這樣，起初的幾個晚上，我過得也並不怎麼樣。這間酒吧對於莫里來說，算是赫赫有名的高級場所，對人類來講也不例外，所以慕名前來的人也很多。一開始，零零星星的人類似乎是這裡的唯一主顧，隨著華燈初上，客人越來越多，但是在桌子間穿梭，以及在吧台前流連的人群中，還是沒有莫里族的身影。

唯一一件值得一提的事，是我看見一個有著淡金色長髮的女人，這個女人背對著我，背影像極了莉莎，牢牢地牽住了我的目光。最奇怪的是，我不知道該覺得高興還是害怕。我非常、非常地想念莉莎，可同時，我也不願她捲入我這趟危險的旅途中。這時，那個女人轉過身。不是莉莎，她甚至連莫里都不是，只是一名普通的人類。慢慢地，我的呼吸恢復了正常。

終於，過了差不多一個星期，我等來了第一個目標。一群莫里族女人在午飯後走了進來，她們身後跟著兩名守護者，一個男的，一個女的。他們本分地坐在一旁，靜靜地聽主人一邊享用午後香檳，一邊高談闊論地聊著八卦。

避開守護者是最難的部分。對於一個目的明確的人來說，莫里族是很容易被認出來的，他們比普通人要高，膚色蒼白，身材削瘦，而且笑的方式非常特別，總是抿著嘴唇，這是爲了藏起他們的尖牙。而拜爾族，因爲有人類的血統，所以在外表上……嗯，也很人類。

我在未經過訓練的人類眼中，就是這副樣子。我的身高大概在五英尺七左右，雖然莫里族天生像個衣服架子，有一副模特兒身材，我的身材則是健康結實，凹凸有致。而從我那未曾謀面的父親身上繼承下來的土耳其人基因，以及長時間日曬的緣故，讓我擁有了小麥色的皮膚，和一頭近乎全黑的長髮，外加一雙同樣顏色的眼睛。但，如果是在莫里世界裡生活過的人，走近我身邊細看的話，一定會發現我是拜爾族。我不知道這裡面的具體原因，有可能是本能，令我們這些同類互相吸引，辨別出彼此身上的莫里族血統。

無論如何，我一定要讓那些守護者認爲我是人類，這樣才不會引起他們的懷疑。我坐在離他們遠遠的角落裡，漫不經心地挑著面前的魚子醬，假裝在看書。

附帶一提，我對魚子醬的痛恨之情是記錄在案的，可是這種東西在俄羅斯似乎無處不在，特別是在高檔的地方，當然還有羅宋湯——就是一種甜菜湯。在奈廷格爾，我幾乎從沒有吃光過盤子裡的食物，總是在出去之後再去麥當勞裡吃一頓，雖然俄羅斯的麥當勞和美國麥當勞的味道也不一樣。即使我是一名女生，但飯還是要吃的。

回歸主題，基於上述的原因，我的觀察技巧因而面臨考驗，我要趁守護者不注意的時候，仔細研究那幾個莫里。老實講，守護者的神經在大白天不需要繃得太緊，因爲血族在光天化日之下是不會出沒的，但是四處觀察這件事已經融入了守護者的血液，他們的目光總是不斷地掃視過整個房間。我也受過同樣的訓練，知道他們的方法，所以想法設法避開他們，偷偷進行監視。

這幾個女人經常光顧這裡，一般都是在下午。聖弗拉米爾採用的是夜間時刻表，但是生活在人類世界的莫里和拜爾，既可以選擇在日間行動，也可以在兩者中來回切換。有一陣子，我考慮過要不要接近她們，哪怕是她們的守護者也可以。但我後來還是忍住了。如果說，有人知道哪裡有拜爾族的聚集地，這個人肯定也是個男性的莫里，因爲他們會經常過去，希望釣幾個容易哄上手的拜爾族少女。所以，我和自己約定再等一個星期，看看是不是會碰到一個男性的莫里，如果到時候還沒有，我再看看能從這些女人身上挖到什麼消息。

最後，也就是在幾天前，有兩名莫里族的男生開始出現。他們一般都是在晚上前來，是眞正的派對動物。他們倆看上去比我大十歲的樣子，非常帥，身上穿的是訂製西服，打著絲綢領帶。他們擺出一副權力在握的成功人士模樣，而我可以押重金，賭他們是皇室成員，主要原因就是他們每人身後都跟著一名守護者。守護者的模樣都一樣，身穿制服的年輕男性混在人群中，但是仍然以守護者特有的機敏感官仔細觀察著整間酒吧。

他們身邊還帶著女伴，當然，一定會有女伴。這兩個莫里非常花心，不斷地尋找目標，跟周圍能釣到的每一個女人調情，哪怕她是個人類。但是他們從不會帶人類女人回家，這是我們的世界裡至今仍恪守的一條禁律。莫里遠離人類而居已經有好幾百年了，他們害怕這個不斷壯大、不斷進步的族群。

不過，這不意味著這兩個人就要空手而歸。有的晚上，拜爾族的女性也會在這裡出現，只不過每次出現的都不是同一個人。她們穿著低胸的裙子，濃妝豔抹，喝得爛醉，不管男孩子說什麼，哪怕是那些並不好笑的話，都能逗得她們笑得花枝亂顫。這些女人一般都留著披肩長髮，但是沒過一會兒，她們都會轉頭露出脖子，上面全是慘不忍睹的咬痕。這些女人是吸血妓女，就是那些允許莫里在做愛過程中吸血的拜爾族。這是另外一個禁忌，但是總會悄悄地被打破。

我一直在等機會，找這兩個人單獨的時候下手，同時還要避開守護者的目光，這樣我才能好好地問問題。但這幾乎就是在作白日夢，守護者永遠不會留莫里一個人單獨行動。我甚至打算要跟蹤他們，但是這群人每次一離開酒吧，幾乎都會立刻就跳進一台加長的高級轎車裡，我連追著他們腳印的機會都沒有。這真是件令人懊惱的事。

終於，我決定今天晚上必須接近這兩個人，哪怕要冒著被拜爾族認出來的危險。我不知道美國那邊是不是發出了尋人啓事，也不知道面前的這一群是不是在乎我是誰。也許我太過高估了自己，畢竟沒有人會眞的在意一個學生輟學以後的生活。但是如果眞的有尋人啓事，我的照片毫無疑問已經在守護者的世界裡流傳開來。就算我已經滿十八歲，是個成年人，也不會忽略那些想把我拽回去美國的人的存在，在我沒有找到迪米特里之前想讓我回去，門都沒有。

就在我考慮要不要走過去找莫里的時候，一個拜爾女生從桌旁站起來，來到吧台前。守護者目不轉睛地看著她，這是毫無疑問的，當守護者確定她沒有威脅，便將注意力又放回到莫里的身上。這期間，我一直在想莫里的男生絕對是打聽拜爾聚居地和吸血妓女消息的不二人選，但是想要眞的找到這個地方的話，有什麼比跟著一個貨眞價實的吸血妓女還要好的辦法呢？

我裝作漫不經心地離開桌子，走到吧台前，好像我也想喝一杯的樣子。我站在那個拜爾女生旁邊，她正等著酒保調酒，眼睛不時地瞄著我的胸部。她有一頭金髮，穿著綴滿了銀色亮片的長裙。我不知道她的這身裝扮，是令我身上的這襲黑色緞質緊身裙顯得更加有品味，還是更加無趣。她的一舉一動，包括她的站姿，都優雅得像一名舞者。酒保正在爲其他人服務，我知道機不可失，於是便湊過去。

「妳會說英語嗎？」

她驚訝得差點跳起來，轉頭看著我。這個人的年紀比我想的要大，她的妝容讓她的實際年齡看起來少了幾年，她的藍色眼睛飛快地評估了一下我，認出我是一名拜爾。

「會。」她謹慎地回答。雖然只說了一個字，仍然無法掩飾她濃重的俄羅斯口音。

「我在找一個地方……一個拜爾族聚居的地方，就在西伯利亞。妳知道我說的是什麼吧？我必須要到那裡去。」

她再一次細細地打量我，我不太理解她的表情代表的是什麼意思。從她的表情來看，她可能也是一個守護者，或許曾經受過一段時期的守護者訓練。

「別去，」她艱澀地說，「算了吧。」說完，她回過頭，看著酒保正在用櫻桃點綴一杯藍色的雞尾酒。

我撫上她的手臂。「我必須去那裡，有一個人……」我咽下了剩下的話。

冷靜的調查到此爲止，只要一想起迪米特里，我的心就快要從喉嚨裡跳出來，還怎麼對眼前這個女人解釋詳細情況呢？我要不要簡短扼要地告訴她，我正在找一個自己深愛的男人，這個世界上我最愛的人就是他，而他被變成了血族，我必須殺死他？哪怕到了現在，我還能清晰地想起他溫暖的棕眸，和他撫摸我的樣子。我要怎麼才能達成自己翻山越嶺、橫跨大洋而來的目的呢？

回神，蘿絲，回神。

拜爾女人重新轉過頭來看著我。「他不配。」她完全誤解了我的意思。毫無疑問，她認爲我是一個癡情少女，跋山涉水地來追自己的男朋友。從某種意義上來說，我是。

「妳太年輕了……現在回頭還來得及。」她的表情雖然冷冷的，但是聲音充滿了悲傷。「重新去找一個好男人，離這裡遠遠的。」

「妳知道那個地方！」我大喊，不願意再費力解釋我不是來這裡當吸血妓女的。「拜託，求妳告訴我。我必須要去那裡！」

「這裡有什麼問題嗎？」

我們兩個人同時回頭，看見一張守護者面無表情的臉。該死。拜爾女人也許不是他們要優先保護的對象，但是他們肯定也不能容忍有人騷擾她。這個守護者只比我大一點，我朝他甜甜地一笑。也許我不能讓我的裙子變得和這個女人一樣火辣，但是我知道短裙確實完美地襯托出我的一雙長腿。你確定守護者會吃你這套？呃，很明顯他沒有。他冷漠的表情告訴我，我的魅力對他絲毫不起作用，但是我仍然想碰碰運氣。

「我在找一個位於西伯利亞的鎮子，裡面住的全都是拜爾。你知道那個地方嗎？」

他的眼睛眨都沒眨一下。「不知道。」

好極了，兩個都這麼固執。「呃，好吧，也許你的老闆有可能知道？」我假裝淑女地問，希望自己聽起來不像一個飢渴的吸血妓女。如果拜爾族不願意說，也許莫里會有一個肯。「可能他正好想找個伴，願意和我聊聊。」

「他已經有伴了。」守護者冷冷地說，「不需要另外一個。」

我仍然掛著笑容。「你確定嗎？也許我們可以去問問他本人。」

「不必了。」守護者回答。

從這短短的三個字裡，我聽出了挑釁和命令。撤退吧！只要是他認定會對主人構成威脅的人，出手絕不會有一絲猶豫，哪怕對方只是一個下賤的拜爾女生。我考慮了一下要不要再堅持一會，但最後還是迅速決定見好就收。

我蠻不在乎地聳聳肩。「這是他的損失。」

我沒有再廢話，緩步走回自己的桌子，好像被人拒絕並不是什麼了不起的事。回來的一路上，我都屏住呼吸，暗暗地想，也許這個守護者可能會揪住我的頭髮，把我扔出酒吧。但是什麼都沒有發生。可是當我拿起大衣，將現金放在桌子上的時候，卻發現他正警惕地看著我，心下不知有什麼算計。

我一直保持著這種漫不經心的狀態走出酒吧，朝繁華的大街走去。今天正好是週六的晚上，附近有很多酒吧和飯店，熱衷於派對的人們擠滿了大街，有的和奈廷格爾的客人一樣穿得異常華麗，而那些和我同年紀的女孩們則穿得比較隨意。酒吧門口排起長隊，音響中傳來高聲舞曲，重低音咚咚地敲著人們的心臟。落地窗門簾的飯店裡，人們舉止優雅地享用著豐盛的晚餐。我走在人群中，周圍的人一串一串講的都是俄語。我拒絕回頭去看，如果那個拜爾真的在監視我，我不能引起一絲懷疑。

當我轉到一條安靜點的街道上，打算抄近路回住宿的酒店時，聽見身後傳來輕輕的腳步聲。我的心中警鈴大作，馬上想到是那個守護者在跟蹤我。好呀，想要跟蹤我，你就試試看！我的歲數可能比他小，而且還穿著裙子和高跟鞋，但是我有很多戰鬥經驗，包括和血族的。我可以對付這個人，特別是我可以偷襲的時候。這條路我每天都走，對它什麼時候轉彎，哪裡有小路都非常熟悉。我加快腳步，連續拐了好幾個條子，其中一條是通往一條黑黑的、荒廢的小巷。很可怕，沒錯，但是裡面的門廊是我最佳的伏擊地點。我脫掉高跟鞋，悄悄地躲進去。這是一雙很漂亮的黑色綁帶皮鞋，但是在戰鬥中毫無用處，除非我打算用鞋跟摳出那個人的眼珠子。事實上，這個主意也不賴，但是我還沒到要使出這招的地步。我光著腳，踩在地上，很冰冷，因爲今天早上才下過雨。

我並沒有等太久，沒過多久，我就聽見腳步聲響起，看見我的對手長長的身影出現在地上。一旁街上的路燈剛好幫了我這個忙。跟蹤狂停了下來，肯定是在找我。我不禁暗自想道，這個人太粗心了，眞的。

對手又向前走了幾步，該輪到我出場了。

我身子向前，握緊了拳頭。「好了，」我喊道，「我只想問幾個問題，退後，不然我就——」

我愣住了，站在那裡的根本不是酒吧裡的守護者。

而是一個人類。

這是一個女孩，和我差不多大，身高也和我差不多，一頭金黃色的捲髮，身上穿著一件海藍色的雙排釦風衣，似乎價格不菲，大衣下面是一件做工不錯的褲裙，腳上踩著一雙皮靴，看起來同樣很貴。更令人吃驚的是，這個人我認得，我在奈廷格爾見過她兩次，她一直在和莫里族的男生聊天。我以爲她不過是他們調情的消遣品之一，因此沒怎麼注意過。畢竟，一個人類對我有什麼用呢？

她的臉有一部分被陰影擋住，但即使是在光線條件這麼差的地方，我還是能看出她臉上的不屑。這可眞是大大地出乎我的意料。

「就是妳，對吧？」她問道。又一個意外，她和我一樣有著道地的美國口音。「妳就是那個把血族的屍體扔在城郊的人。今天晚上我看見妳走進酒吧了，我知道那個人肯定是妳。」

「我……」除此以外，我吐不出一個字，我不知道該怎麼回答。一個人類蠻不在乎地談論血族？眞是聞所未聞的稀罕事。這比眞的碰見血族還要令人吃驚，我這輩子從來沒想過還會有這種事發生。她似乎一點都不在乎我傻乎乎的回答。

「拜託，妳不能這麼做，好嗎？妳知道這給我添了多少麻煩嗎？我得爲妳收爛攤子。我的實習過程已經夠糟了，不用妳再來添亂。員警已經發現妳在公園裡留下的屍體了，妳知道嗎？妳根本沒辦法想像，我要幫妳掩蓋掉多少線索。」

「妳……妳是誰？」我最後終於問出了口。她說的是眞的，我確實在公園裡留下了一個血族的屍體，可是話說回來，除此之外我又能怎麼做呢？把他扛到我的酒店，然後對櫃檯說我這是我朋友，他喝多了？

「雪梨，」女孩疲憊不堪地說，「我叫雪梨。我是這裡的煉金術士。」

「這裡的什麼？」

她大聲地嘆了一口氣，我十分肯定她在翻白眼。「懂了，這下就能說得通了。」

「不，其實還不懂。」我終於找回了自己的沉著，「事實上，我想該好好解釋的人是妳。」

「還有妳的態度。妳是他們派來測試我的嗎？哦，天哪，肯定是這樣。」

我眞的被惹毛了。我一點都不喜歡被打敗的感覺，尤其不喜歡被一個認爲我殺死血族是在幹壞事的人類打敗。

「聽著，我不知道妳是誰，也不知道妳是怎麼知道這一切的，但是我不想站在這裡，然後——」一陣噁心感湧上來，我立刻繃緊了神經，飛快地掏出了放在大衣口袋裡的銀樁。

雪梨仍然是那副蠻不在乎的表情，但是看到我的動作，神情微微加上了疑惑。

她既然想看，我就給她這個機會。

「怎麼了？」她問。

「妳有另外一具屍體要處理了。」

我的話音剛落，一個血族便向她撲過來。

站在血族的角度來說，捨我而捉雪梨，是很不明智的選擇。我才是他最大的威脅，他應該一開始就把我解決掉才對。不過，我們兩個人站的位置也沒有給他留下太多選擇餘地就是了。他抓住雪梨的肩膀，猛地將她帶向自己，速度還是一如既往地驚人。不過，我才是今天晚上這場遊戲的贏家。

我飛起一腳將他踢開，從他手裡奪回雪梨。這個血族先是撞上了旁邊建築物的牆，發出一聲悶哼，隨後便重重地摔到地上，頭暈目眩之餘又顯得很驚詫。踢飛一名速度如閃電般的血族，可不是件容易的事。他不再理會雪梨，準備全力以赴收拾我。

他血紅的眼睛噴出怒火，咧著嘴，露出一副尖牙。眨眼之間，他從地上一個挺身站起來，朝我直衝而來。我往旁邊一閃，打算回他一拳，結果也被他躲開了。緊接著，他下一擊打算箝住我的手臂，我用力甩開，晃了幾晃才勉強站穩。銀樁仍然握在我的右手，可我需要等到他露出破綻，好直刺他的心臟。這傢伙也屬於三腳貓，如果我拖延的時間夠長，肯定能夠找到機會的。

就在這時，雪梨從後面衝過來，朝著他的背後就是一拳。這一拳的力道不大，可是已經令他分神。天賜良機！我用最快的速度衝過去，用盡所有力氣往前一撲，銀樁貫穿了他的心臟，因爲慣性的關係，我們倆一起向他後面的牆上撞去。戰鬥就此結束，生命……或者說是不死的生命，隨便什麼的吧，從他的身體裡消失。血族一動不動，我在確認他死掉之後，猛地將銀樁拔出來，看著他的屍體癱倒在地上。

如同最近我每殺死一個血族之後那樣，我心裡又生出一種不真實感，雖然這種感覺只是一閃而過。如果這個人是迪米特里怎麼辦？我試著將迪米特里的臉孔安在這個血族身上，想像他在我面前癱倒在地上。我的心絞痛起來。這種畫面只持續了半秒，隨後就不見了，地上躺著的還是這個偶然出現的血族。

我甩了甩頭，將這種混亂不清的感覺甩掉，提醒自己這裡還有更加要緊的事情需要我擔心。我必須去檢查一下雪梨的情況。哪怕面對的是一名人類，我天生的保護慾也不能避免地被激發出來。

「妳沒事吧？」

她點點頭，雖然身子不住地發抖，但好在沒有真的受傷。「幹得漂亮。」她說，強撐出一副自信滿滿的樣子。「之前……之前我還沒有機會親眼看見血族被人幹掉……」

我不明白爲什麼她說得好像一定會有這個機會一樣，不過，這件事在此刻來說不是最重要的。她看起來像是驚嚇過度，所以我扶著她的手臂，帶著她往外走。「來吧，我們離開這裡，去個人多的地方。」

我越想越覺得，奈廷格爾酒吧附近有血族埋伏，不是件讓人無法接受的事。畢竟，比起一個人到處瞎找，爲什麼不找個像奈廷格爾這麼好的地方守株待兔呢？但願那群守護者也能保持足夠的清醒，讓他們的主子離這種小巷遠一點。

可是，提議離開讓雪梨瞪圓了眼睛。

「什麼？」她喊道，「妳又打算把它扔在這裡不管嗎？」

我甩開手。「那妳希望我怎麼做？把它拖到垃圾桶後面藏起來，等明天的陽光直接把它曬融化了嗎？平常我倒是經常這麼做。」

「好吧，可是如果有人來撿垃圾怎麼辦？或者有人從後門出來呢？」

「呃，好吧，那我可以把它藏得隱蔽點，或者直接用火燒了。不過烤吸血鬼可能會引起別人注意，妳說呢？」

雪梨搖搖頭，怒氣沖沖地走到屍體旁邊。她朝血族扮了個鬼臉，把手伸進她的大包包中，從裡面掏出一個小藥瓶，熟練地把藥瓶裡的液體滴了幾滴在屍體上，然後迅速後退。藥液滴在屍體上，冒出一陣黃煙，煙霧逐漸散開，將血族的屍體逐漸吞噬，最後煙霧一點一點散去，地上除了拳頭大小的一個球以外，什麼都沒有，又過幾秒，煙霧已經完全退盡，只留下薄薄一層灰。

「不用謝。」雪梨冷冷地說，眼神中充滿了責備。

「這他媽的到底是什麼玩意兒？」我喊道。

「我的工作。下次再有這種事發生的時候，拜託妳打個電話給我好嗎？」她說完便轉身要走。

「等一下！我沒辦法打電話給妳，我根本就不認識妳。」

她回頭看了我一眼，將擋在臉上的金髮撥開。「眞的？妳不是在開玩笑，對吧？我以爲你們畢業的時候，已經把該學的都學會了呢！」

「呃，好吧，有意思的是……我從某種意義上來說，呃，沒有畢業。」

雪梨難以置信地張大眼睛。「妳可以打倒這些……東西，卻沒辦法畢業？」

我聳了聳肩，她仍然處於震驚中，愣了一會兒。

最後，她嘆了口氣，說：「我認爲我們需要好好聊一聊。」

確實應該。自從我來到俄國，遇見她是我碰到過最奇怪的事了。我想知道爲什麼她認爲我應該聯繫她，還有她用來毀屍滅跡的東西是什麼玩意兒。所以，我們回到人頭攢動的大街，前往她最喜歡的一家咖啡館，這時我忽然想起她是不是也瞭解莫里的世界，可能她碰巧也知道迪米特里成長的村莊所在。

迪米特里！又來了，這個名字又從我腦海裡蹦出來。我不知道他是不是真的會藏在他的老家，可除此以外，我別無選擇。我又將迪米特里的臉和剛剛殺死的血族重疊在一起：蒼白的皮膚，紅色的眼圈……

不行，我警告自己，現在想還太早了，別害怕。在我沒有親眼見到血族迪米特里之前，我仍是從我愛的那個迪米特里身上汲取能量，他那雙深棕色的眼眸、溫暖的大手、熱情的擁抱……

「妳還好嗎……呃，妳到底叫什麼？」雪梨奇怪地看著我。

我這才發現我們兩個已經站在了一間餐廳前面。我不知道自己此刻是什麼表情，但是肯定很難看，才會引起她的注意。到目前爲止，這一路我都沒記起她想和我聊天的願望。

「嗯，嗯，沒事。」我口氣粗魯地回答，戴上守護者的面具。「我叫蘿絲，就是這裡嗎？」

正是這間。這間餐廳的裝潢風格明亮而歡快，雖然奢華的程度遠遠及不上奈廷格爾。我們鑽進黑色的皮沙發——其實是假的塑膠皮——包廂，而我很高興這裡的菜單上除了俄國菜，還有美國菜。菜單上的文字有英文翻譯，我看見炸雞的時候幾乎高興得要跳起來。酒吧裡那點東西根本就吃不飽，在連著吃了好幾個星期的大白菜和所謂的麥當勞之後，能吃到炸透了的肉餅絕對是奢侈的事。

女侍者走過來，雪梨用流利的俄語點了菜，可我只能用手在菜單上指指點點。哈，這下雪梨吃驚得下巴都快掉下來了。考慮到她惡劣的態度，我以爲她馬上會開始對我進行盤問，可是女侍者離開之後，她仍然沉默著，只是玩弄著手裡的餐巾，避免和我有眼神的接觸。

氣氛很尷尬。她和我在一起似乎很不自在，哪怕中間隔著桌子，可她還是一副離我不夠遠的樣子。她初時的怒氣似乎還沒有消，似乎很堅持我得照她的規矩做，不管那些規矩究竟是什麼。

好吧，她盡可以扮演害羞的嬌娃，但我可沒有耐心在這些令人不舒服的話題上糾纏不清。事實上，不耐煩已經成爲我的招牌表情了。

「好吧，妳打算告訴我妳是誰，還有這到底是怎麼一回事了嗎？」

雪梨抬起頭，現在我們坐在光線明亮的地方，我終於看清她的眼睛是棕色的。同時，我也注意到她的左臉下方有一個很有意思的紋身。紋身的墨水似乎是金色的，這種東西我從來沒有見到過，紋身的圖案很精美，是一簇由綠葉襯托的花叢。這個圖案，只有她抬頭抬到某種角度，有光照在金色墨水上的時候，才能看出來。

「我已經說過了，」她說，「我是一個煉金術士。」

「我也說過了，我不知道那是什麼鬼東西。這是一個俄文單字嗎？」聽起來不太像。

她扯出一抹似笑非笑的笑容。「不是。看來，妳也從來沒有聽說過煉金術囉？」

我搖搖頭，她把下巴支在一隻手上，眼睛盯著桌子。

她吞了口唾沫，好像是在給自己打氣，然後開始滔滔不絕起來：「在中世紀，有一群人聲稱自己找到了正確的配方，或者說是魔法，可以點石成金。可實際上，根本就辦不到。可是這並不能阻止他們繼續追尋各種與魔法有關的東西，或者超自然的東西。最後，他們眞的找到了某種魔力事物。」她皺起眉頭，「那就是吸血鬼。」

我回想了一下學過的莫里族歷史。在中世紀的時候，莫里們確實開始遠離人群，盡量將自己的行蹤藏匿起來。就是那時，吸血鬼才和其他的東西一起眞正成爲了神祕的事物，甚至連莫里族都被認爲是値得一獵的怪物。

雪梨證實了我的想法。「就是那時候，莫里族開始隱居。他們雖然會魔法，但是人類開始大規模繁衍，在數量上超過了他們。直到今天仍然是如此。」說到這裡，她幾乎要溢出一絲笑容。生孩子對莫里來說是件很難的事，但是對人類來說似乎又太過容易了。「後來莫里和煉金術士達成了一個協定，如果煉金術士能夠幫助莫里和拜爾，對人類保守祕密，莫里就會把這些送給我們。」她說著，摸了摸自己金色的紋身。

「那是什麼？」我問，「我指的是，除了表面上能看出來的東西。」

她輕輕地用指尖戳了戳，一點都不介意把它露出來。「我的守護天使。這是用眞金——」她微微一笑，放下手，「和莫里的血液製成的墨水，莫里族在裡面加入了水魔法和土魔法。」

「什麼？」我的聲音可能太大了，餐廳裡的客人都轉頭看著我。

雪梨繼續講著她的故事，聲音壓得低低的，還帶有一點痛苦：「我不是嚇唬妳，但這就是我們幫助別人的『回報』。水魔法和土魔法滲進我們的皮膚裡，賦予了我們等同於莫里的能力——呃，至少有其中幾樣。我永遠都不會生病，而且活的時間也比一般人類要長很多。」

「聽上去還不錯。」我不是很確定地說道。

「有些地方可能還不錯。我們沒有選擇，這種『職業』是家族世襲的，可以一代一代傳下去。我們這種人必須學習和莫里、拜爾相關的事情，我們成年之後，就開始工作。我們的任務是混在人類當中，掩護你們。爲此，我們還特意學習了各種追蹤技巧，以及處理血族屍體的技能，例如妳看見的那種藥水。不過，同樣的，我們也盡可能躲你們遠遠的，這就是爲什麼大部分的拜爾直到畢業，才知道有我們的存在，而莫里對此事幾乎一無所知。」說到這裡，她就此停住。我猜補課到此爲止。

我的腦子裡一片混亂。我從來、從來沒有想過會有這種事——等一下，眞的沒有嗎？我所受的教育，大部分都在強調作爲一名守護者所需要具備的生理能力，比如保持警惕、格鬥技巧之類的。不過，偶爾也會聽見有人講起，在人類的世界裡，有一群很神祕的人也在幫助隱瞞莫里的事情，或者是把莫里從各種奇怪而危險的境遇當中救出來。可我從來沒有深入去想，也不知道這群人叫做煉金術士，而如果我現在還在學校，應該已經學到了吧！

也許這問題我不應該問，可我直來直往的性格還是忍不住將它說出口：「你們為什麼要把煉金術據為己有呢？為什麼不將它公之於眾，告訴其他的人類呢？」

「因為這種能力還有副作用，可以防止我們令你們陷於危險的處境，或者是出賣你們。」

能防止他們出賣……聽起來很像是催眠術。所有的莫里都會使一點催眠術，而且多數人還可以把魔法施加在某個特定的東西上，賦予它們特定的屬性。莫里的魔法可以延續很多年，而催眠術被認為是禁忌的能力。我打賭，煉金術士身上這種紋身，肯定是一種非常、非常古老的詛咒，一直流傳到今天。

我又重新回想了一遍雪梨的話，腦海中浮現出更多的疑問。「為什麼……為什麼你們要躲開我們？我的意思是，我不是在做那種難民局的調查什麼的……」

「因為我們的職責是替上帝保護他的人類子民，不讓他們被行走在黑夜裡的惡魔所害。」她不自覺地又伸手向脖子摸去，掛在那上頭的鏈墜大部分都被她的衣服遮住了，只有一小部分金色的十字架從領子露出來。

聽完這句話，我差點吐了出來，看起來我還眞是不虔誠。事實上，每當我和那些極端虔誠的基督徒在一起，從來沒有感覺自在過。大概過了半分鐘，我才弄懂那句話裡的另外一層意思。

「等一下，」我生氣地喊起來，「妳是指所有的吸血鬼嗎？包括拜爾和莫里？意思是我們全都是行走在黑夜裡的惡魔!?」

她的手從十字架上放下來，沒有說話。

「我們和血族不一樣！」我猛地一拍桌子。

她仍然面無表情。「莫里族也吸人血，拜爾族是他們和人類生出來的不正常後代。」之前從來沒有人這麼說過我，除了我在墨西哥玉米卷裡加番茄醬那次。可是，說眞的，當時辣椒醬用完了，我還能怎麼辦？

「莫里和拜爾不是魔鬼，」我義正言辭地對雪梨說，「和血族完全不一樣。」

「這倒是，」她接過話，「血族更邪惡。」

「嘿，我說的不是那——」

這時，我們點的東西送了上來。炸雞幾乎讓我忘了剛剛被和血族相提並論的憤怒，所以我沒有立刻對她的說法提出抗議。我咬了一口金黃的酥皮，感覺幸福得幾乎快要融化了。雪梨點了一份起司堡和炸薯條，優雅地一點一點吃著。

我解決掉一整隻雞腿後，終於想起要繼續爭論：「我們和血族完全不一樣。莫里從來不殺人，你們人類沒有理由害怕我們。」再一次，我沒打算討好人類。我們吸血鬼沒人會這麼做，特別是對那些時刻準備扣動扳機，興高采烈地準備體驗他們完全不明白的事情的愚蠢人類。

「所有知道你們的人類，都不可避免地會知道血族。」說著，她拿起一根薯條，放在手裡玩了一會兒，沒有馬上送進嘴裡。

「知道血族的存在，倒是可以令人類知道怎麼保護自己。」我究竟爲什麼要在這裡替那些惡魔辯護？

她停下手裡的動作，將薯條扔回盤子裡。「也許吧。但是有很多人可能會受到長生不老的誘惑，哪怕代價是聽命於血族，變成從地獄裡爬出來的魔鬼。如果妳知道究竟有多少人在知道了吸血鬼的事情之後，會產生這種想法，肯定會嚇一跳。能夠長生不老是很大的誘餌，但是他們不知道在誘餌的後面還有一個惡魔，許多知道血族的人都打算去試試，希望終有一天自己也可以變成吸血鬼。」

「這些人瘋了吧——」我閉上了嘴。去年，我們已經找到了人類幫助血族的證據。血族不能碰銀樁，但是人類可以，而且有人用銀樁破壞了莫里設的結界。那些人是因爲得到血族的承諾，可以把他們變成吸血鬼嗎？

「所以，」雪梨說，「這就是爲什麼我們不讓任何人知道你們存在的原因。只要你們不出現——所有的吸血族群——就不會有這些事情發生。你們自己想辦法和血族對抗，我們自己想辦法拯救其餘的同胞。」

我一邊啃著雞翅，隱隱約約聽明白，她的話裡暗示著她也從我這樣的人手裡救出過他們的人。從某種意義上來說，她的說法有點道理。我們不可能永遠在人類世界活動時不被人發現，而且沒錯，我必須承認，有人來負責處理血族的屍體是很有必要的。人類和莫里的協定是個不錯的選擇，這些人可以來去自如，特別是當他們有了某些任務，而且有祕密要守護的時候。

我啃到一半停了下來，想起我第一次見到雪梨時的想法。我強迫自己吞下嘴裡的食物，拿起杯子狂灌一氣。「還有個問題，妳是負責整個俄羅斯地區嗎？」

「非常不幸的是。」她說，「當煉金術士年滿十八歲，才能進入實習期，在實踐中獲得第一手經歷，然後才能參與各種行動。我寧願待在猶他州。」

這比她告訴我的所有事都要瘋狂，可我沒再問下去。「什麼樣的活動？」

她聳聳肩。「我們掌握了許多莫里和拜爾的行蹤，其中還有很多是高層的政要，不管是生活在人類世界裡的，還是生活在莫里族世界裡的。如果有吸血鬼在人類世界中出現，我們通常都會找到某個重要的人，用錢或者別的東西把他打發走……這些都是在暗中進行的。」

掌握了許多莫里和拜爾的行蹤。中大獎了！所有事在此刻似乎都被連在了一起。

我湊過去，壓低了嗓音問：「我正在找一個村子……一個住滿了拜爾的村子，就在西伯利亞。可我不知道那個村子的名字。」迪米特里只提起過一次，我已經記不清了。「可能是在……歐姆附近？」

「歐姆斯克。」她更正道。

我坐直了身子。「妳知道這個地方？」

她沒有正面回答，可是她的眼睛卻出賣了她。「也許吧。」

「妳肯定知道。」我喊道，「妳必須告訴我它在哪裡，我必須要找到那裡。」

她扮了個鬼臉。「妳打算……成爲她們的一員嗎？」

這麼看來，煉金術士也知道吸血妓女的事。一點都不奇怪。如果雪梨和她的同類知道吸血鬼世界的所有事，這件事當然也不例外。

「不，」我擺出蔑視的神情，「只是去找個人。」

「誰？」

「一個人。」

這句話似乎令她覺得很好笑。她又往嘴裡送進一根薯條，棕色的眼眸裡若有所思。起司堡她只咬了兩口，馬上就冷掉了。我差點本能地拿過來，自己解決掉。

「我馬上就回來。」她突然說道。說完，她站起來，向咖啡館一個安靜的角落走去。

我看見她從那個神奇的包包裡掏出一支手機，背過身打了個電話。

我掃光自己盤子裡的炸雞，又不客氣地拿了點她的薯條。我一邊吃，一邊考慮著擺在面前這件事的眞實性，不敢相信居然這麼容易就找到了迪米特里住過的小村子。一旦我到了那裡……眞的會這麼容易嗎？他會待在那裡，躲在陰影下，祈禱著被人追殺嗎？等到親眼看見他，我眞的可以將銀椿插進他的心臟嗎？那個令人討厭的畫面又出現在我的腦海裡，迪米特里長著紅眼圈和——

「蘿絲？」

我眨了眨眼。在我剛剛神遊太虛的時候，雪梨已經回來了。

她坐回到我對面。「所以，就是說——」她停下來低頭看。「妳偷吃了我的薯條？」

我不知道她是怎麼知道的，看起來似乎還剩很高一堆，我只吃掉了尖端上的一點點。想到如果被她發現是我偷吃的，可能會進一步印證我是行走在黑夜中的惡魔，我淡淡地回答她：「沒有。」

她皺著眉頭看了一會兒，想了想，最後說：「我確實知道那個村子，因爲我以前曾經在那住過一陣。」

我又坐直了身子。我的天哪，終於找到了！在經過幾個星期的苦苦搜尋之後。雪梨可以告訴我這個地方在哪兒，我可以去那裡，結束掉自己生命裡最可怕的一個篇章。

「謝謝，太感謝了——」

她舉起一隻手，阻止我繼續說下去，而我注意到她的表情看起來很難看。

「我不會告訴妳的。」

我張大了嘴巴。「爲什麼？」

「因爲我要親自帶妳去。」

3

「等等——妳說什麼!?」我失口喊出聲。

原本的計畫不是這樣的，這根本就不在我的計畫範圍之內。我本來打算，在俄國的行動要盡量做到人不知鬼不覺。再說，我眞的很不喜歡身後黏著個跟屁蟲，特別是這個跟屁蟲對我也沒什麼好感。我不知道去西伯利亞要多久，反正總要花上幾天吧，而我完全無法想像在這幾天當中，要一直忍受雪梨滔滔不絕地講述我是一種多麼不正常、多麼邪惡的生物。

我壓下心中的怒火，試著表現出一副通情達理的樣子。畢竟，我來這裡是爲了尋求幫助的。「哦，完全沒有那個必要。」我勉強擠出一絲笑容，「謝謝妳的提議，但是我可不想給妳添麻煩。」

「哦，」她澀澀地回應道。「妳沒必要這麼想。我可沒有這份善心，但我沒有得選擇，這是我老闆的命令。」

「反正聽起來，這個主意對妳也很殘酷，爲什麼不乾脆告訴我那個地方在哪兒，然後把這個倒楣的主意忘掉呢?」

「很顯然，妳不瞭解我老闆的脾氣。」

「沒那個必要，我從來都不把那種人放在心上，一旦習慣了這點，不去理會他們的建議並不難。」

「是嗎？要是這個人能幫妳找到那個村子呢？」她嘲諷地問我，「聽著，如果妳想找到那裡，這是唯一的辦法。」

好吧——如果我打算採用雪梨的情報，這就是唯一的辦法。其實我也可以再回到奈廷格爾繼續窩下去……但要找到像眼前這樣現成的嚮導，恐怕又得等好長一段時間了。話說回來，我眼前的這個人就有我想知道的情報啊！

「爲什麼？」我問，「有什麼理由必須讓妳跟我一起去？」

「這個我不能說，我唯一能說的是，這是上級的吩咐。」

好極了。我盯著她，想要釐清眼前這種情況究竟是怎麼一回事。到底是什麼人會那麼在意一個拜爾少女的行蹤，並且還派出手裡的人類進入到莫里的世界裡？我不覺得雪梨自己有什麼不可告人的動機，除非她是一名非常、非常優秀的演員。目前爲止，最明顯的可能，是等待她答覆的那個人，有自己的盤算，而我可不喜歡當別人棋盤上的棋子。可與此同時，我又有點想要答應，因爲每過去一天，就意味著我要多等一天才能找到迪米特里。

「最快什麼時候出發？」我終於下定了決心。根據我的判斷，雪梨並不是個狠角色，雖然之前她跟蹤我的時候並沒有使出全部的本領。不過，在我們到達迪米特里居住的村子之前，再甩掉她也不是什麼難事。

她對我的回答似乎有些失望，似乎以爲我會拒絕，這樣她這個誘餌就能被從魚鉤上摘下來了。看來她心裡對和我一起上路這件事的抵抗，並不比我少。雪梨又打開包包，拿出手機，嗶嗶嗶嗶地按了幾分鐘，終於制定好了一份需要坐火車的行程安排。她將手機遞給我，讓我看了一下明天的行程。

「有問題嗎？」

我仔細地看著手機螢幕想了一會兒，點了點頭。「我知道那個車站，應該可以找得到。」

「好吧。」她站起來，在桌子上放下幾張鈔票。「明天見。」她說完，剛打算離開，突然又轉身看著我。「哦，對了，妳可以把我剩下的薯條都吃完。」

我第一次到俄羅斯的時候，住的是青年旅店。當然，我手裡擁有的錢其實可以住好一點的酒店，但我不想太過招搖，還是保持低調比較好，而且奢華的享受並不是我優先考量的事。可是，等我開始頻繁出入奈廷格爾後，再穿著訂制的高級禮服回去和一群背包客窮學生擠通鋪，就變得不太可能了。

所以，我現在返回的是一家非常豪華的酒店。我往站在門邊、時刻準備爲你開門的門童手裡塞了小費，走進鋪滿了大理石地板的大廳。這個大廳已經大到可以在上面再蓋起一座青年旅店，兩個也不是沒有可能。我的房間也大得離譜，當我走進房間時，幾乎要感謝主的保佑，總算可以脫下這身衣服和鞋子，換身舒服的衣服了。

想到這裡，我心中偷偷升起一絲罪惡感，因爲我不得不把這些在聖彼德堡買的禮服全都留下來。在我四處遊走的時候，最好是輕裝上陣，儘管我的背包不算小，可是要帶的東西同樣也很多。毫無疑問，清潔女工們將把發現這些裙子的那天，定義爲「清潔女工節」。我唯一眞正需要的飾品是我的「魔眼」，一個長得像藍色眼睛的小吊墜。這是媽媽送我的聖誕禮物，起初是我爸爸送給她的。我一直把它戴在脖子上。

我們的計畫是搭明天早上九點之後開往莫斯科的火車，然後改搭橫貫全國、前往西伯利亞的火車。我需要好好休息，爲旅行做充分的準備，所以，一換好睡衣，我就鑽進床上厚厚的鴨絨被裡，等著睡神快快降臨。可是，我的腦子卻不停地轉著最近發生的這些事情。

雪梨的出現令事情發生了奇怪的轉折，但是一切都還在我的掌控範圍之內。一旦我們坐上了火車，她就很難替那個神祕的老闆監控我了。就她制定的旅行計畫來看，到那個村子的路程，如我所想確實只需要花一、兩天的時間。

也就是說，過不了多久我就會找到迪米特里，正式和他面對面了……然後呢？我忍心下手嗎？我眞的是爲了殺他才來的嗎？就算我眞的有這個決心，我有那個本事嗎？同樣的問題，這兩個星期以來我都在反反覆覆地問自己。我會的所有東西都是迪米特里教的，如果不是因爲我對血族的出現會有反應，他就是我開玩笑時常說的「神」。最後眞正死掉的人，很可能是我自己。

但是現在擔心也於事無補，我看著房間裡的掛鐘，這才發現自己已經躺了差不多一個小時了。這可不是個好現象，明天我需要保持在最佳狀態。可是即使是這樣，我還是做了一件明知不該做的事，這件事唯一的好處就是能讓我不再想起擔心的那些事，因爲我要潛進另一個人的意識當中。

要溜進莉莎的意識裡，只需要集中一小部分注意力就夠了。我不知道我們現在離得這麼遠，這件事還行不行得通，但是馬上我就發現，在這裡就和在她身邊沒什麼兩樣。

蒙大拿現在是上午時分，莉莎今天不用上課，因爲今天是星期六。自從我離開之後，我一直非常努力地在我們兩個的心電感應之間建立起一道牆，基本上可以將她的感受和想法全都拒之在外。而現在，我在她的意識裡，所有的隔閡都消失了，她的情感衝擊著我，像潮水拍岸。她很生氣，非常非常生氣。

「爲什麼她會覺得，只要她招招手，我就能乖乖地聽命呢？」莉莎低聲咆哮著。

「因爲她是女王，還因爲妳和魔鬼做了個交易。」

莉莎和她的男朋友克里斯蒂安，正躺在學校教堂的閣樓裡。我一看清他們周圍的環境，幾乎立刻就想從她的意識裡退出來。這兩個人經常在這裡用各種方式來做那件「浪漫的事」，我可不想杵在這裡，等著一會兒兩個人把衣服一件一件扒掉。幸運的是——也可能不是——她的憤怒告訴我，今天這裡不會有兒童不宜的事情發生了，因爲她現在情緒很不好。

事實上，這也算某種諷刺吧。他們的角色互換了。莉莎變成了容易發火的人，而克里斯蒂安倒成了幫她冷靜分析的救火隊，想要平息她的怒火。他坐在地上，身子斜倚著牆，莉莎坐在他前面，他分開兩腿把她摟在懷裡，莉莎的頭枕著他的胸膛，嘆了一口氣。

「過去的幾個星期，她說的每件事我都照辦了！『瓦西莉莎，請妳帶這個愚蠢的皇親去逛一逛校園』、『瓦西莉莎，請妳在週末的時候抽出空，我好介紹幾個爲皇庭服務的長官給妳認識』、『瓦西莉莎，請妳抽出空，去做照顧學弟學妹的義工，這對妳有好處』。」

拋開莉莎的憤怒不談，我對她的話有點忍俊不禁。她模仿起塔蒂安娜女王的聲音，簡直是惟妙惟肖。

「可最後一件事妳可是很樂意去完成的。」克里斯蒂安一針見血指出。

「對……重點就是我得樂意。我討厭她最近總是干涉我的生活。」

克里斯蒂安湊過來，吻了吻她的臉頰。「我說過，妳是在和魔鬼打交道。妳現在已經成了她面前的紅人了，她想要妳替她掙點面子。」

莉莎一副愁眉苦臉的樣子。

雖然莫里居住在人類掌管的國家裡，也服從人類政府的治理，可是他們同時也要效忠自己的國王或者是女王，而國王（女王）是從莫里的十二個皇室家族裡面挑選出來的。塔蒂安娜女王——來自伊瓦什科夫家族——是現在的領導人，她對莉莎這個德拉格米爾家族中僅存的一員特別有興趣，所以親自和莉莎定了一個協議。如果莉莎從聖弗拉米爾學院畢業以後，同意搬到皇庭去住，她則安排莉莎進入賓夕法尼亞州的里海大學。

莉莎在經過深思熟慮之後，認為住在塔蒂安娜的地盤，來換取進入一個不算太大、但名聲在外的大學還算划得來，因為出於安全的考慮，莫里在高中畢業後，一般只能上一些毫不起眼的大學。不過，正如莉莎意識到的，這個協議現在已經開始生效了。

「所以我只能坐在那裡，忍受這一切，」莉莎說，「我只能面帶微笑地說：『是，陛下。好的，陛下。』」

「那就告訴她，協議作廢。再兩個月，妳就十八歲了，不管是不是皇室，都沒有人能夠再管妳。妳不用她幫忙，也可以去上好的大學。我們一起去，就妳和我兩個人，去上妳喜歡的學校，或者我們乾脆不去上學了，不如到巴黎或者別的地方，找個小咖啡館在裡面打工，也可以在大街上擺個攤，賣些難看的畫之類的。」

這一席話確實有效，莉莎被逗得哈哈大笑，她靠緊了克里斯蒂安。「好吧，不過我完全瞭解你對為別人服務這件事的耐心，你肯定會在上班的第一天就被解雇。看來，我們唯一的出路只剩下讓我去讀完大學，然後賺錢養家了。」

「妳知道的，要上大學還有很多種辦法。」

「對，但是都沒有這個辦法好。」她悶悶不樂地說，「至少，沒有這麼簡單。這是唯一的辦法。真希望我能改變這個局面，稍微佔一次上風。要是蘿絲，就肯定沒問題。」

「蘿絲肯定在塔蒂安娜第一次開口下命令的時候，就被以謀反的罪名逮捕了。」

莉莎難受地笑了笑。「說的對，肯定會這樣。」笑容變成了嘆氣。「我非常想她。」

克里斯蒂安又吻了吻她。「我知道。」這種對話在他們兩個人之間很常出現，而且永遠不會缺席，因爲莉莎對我的思念永遠不會消退。

「她很好，妳知道的。不管她在什麼地方，都會過得很好。」

莉莎迷茫地瞪著前方的黑暗。閣樓裡唯一的亮光就是彩色玻璃微微反射出的日光，這些彩色玻璃令這裡看起來像是一個童話世界。閣樓最近被清理了一次，事實上，是被我和迪米特里一起清理乾淨的。雖然才是一兩個月以前的事，但是這裡已經又落滿了灰塵，堆放的箱子甚至比之前更多了。這裡的神父是個好人，可是不太擅長收拾房間。可這一切，莉莎都沒有注意到，她的心思都放在我身上了。

「但願如此。眞希望我有辦法知道她現在在哪裡，隨便什麼辦法都行。我一直在想，她會不會遇到危險，如果她——」莉莎不敢再說下去，換了種說法，「好吧，我一直以爲自己多少可能會知道一點、能夠感覺到。我是說，我知道心電感應只能是單向的……這一點永遠都不會改變，可如果她眞的遇到了危險，我還是能夠感應到的，是這樣沒錯吧？」

「我不知道，」克里斯蒂安說，「有可能是，也有可能不是。」如果換做任何一個人，肯定都會說點甜言蜜語或者是安慰的話，會對她說，沒錯，沒錯，妳當然會知道。但是克里斯蒂安的本性，就是這麼殘忍的坦率，莉莎喜歡他這一點，我也是。雖然他並不是那種總是能討你歡心的朋友，可至少他不會令你感到噁心。

莉莎又嘆了一口氣：「艾德里安說她一切平安，因爲他去她的夢中看過了。我眞想不惜一切代價，來換取這種能力。我治癒的能力越來越強了，而且我的靈光也亮起來了，可是卻一個夢都沒有。」

得知莉莎如此地想念我，我的心比她完全忘掉我還要痛。我從來都不願意傷害她，就連當時因爲自覺人生被她所掌控而感到憤慨時，也從來沒有痛恨過她。我愛她，像愛自己的妹妹一樣，完全不能忍受她此刻這種受傷的感覺居然是我一手造成的。我們兩個之間，怎麼會演變到這個地步呢？

她和克里斯蒂安就這樣心神交會地坐了許久，從彼此的身上汲取力量和愛。他們之間的情感正如我和迪米特里之前一樣，有著那種獨一無二的親暱感，有時根本就不需要多餘的言語。克里斯蒂安的手指穿過她的頭髮，具體的情況我無法透過莉莎的眼睛看清楚，但我能想像到那頭淡金色的頭髮襯著彩色玻璃，一定會泛出彩虹色的光芒。克里斯蒂安將幾綹長髮纏繞在她的耳朵上，然後捧著她的頭往後仰，嘴唇輕輕地印了上去。這吻開始只是輕啄淺嘗，汲取著甜蜜，慢慢地，兩人繃緊了身體，熱情從他的嘴裡傳遞到莉莎的嘴裡。

哦，不。我暗想，也許是時候退出來了。但是莉莎在我退出之前，及時從這甜蜜的一吻裡抽出身來。

「時間到了，」她有些懊惱地說，「我們該走了。」

克里斯蒂安水晶般的藍眼睛裡卻透出了「但是」的意思。「也許這正是妳站起來反抗女王的絕佳時機。留下來——這是做妳自己最好的方式。」

莉莎輕輕地用手肘頂了他一下，然後在他的額頭上烙下一個吻，這才站起身來。「這才不是你要留下我的主要原因，別想瞞過我。」

他們倆走出教堂，克里斯蒂安嘴裡仍然嘰嘰咕咕地說著「其實還有更好的事情可以做」之類的話，結果又換來一下莉莎的手肘攻擊。他們朝著行政大樓走去，那裡在整個校園的中心。除了春天帶來的第一抹嫩綠，所有的一切都和我離開的時候沒什麼兩樣，石砌的建築物仍然高大、雄偉，那些高高的古樹仍然繼續在一旁看著一切。只是，學院裡老師和學生們的想法都已經變了，每個人身上都帶著上次那場劇變所留下的創傷。許多我們的人都被殺死了，當學校恢復了課程，一切又開始運轉起來的時候，人們仍然沉浸在悲痛當中。

莉莎和克里斯蒂安這時已經到達了他們的目的地——行政大樓。她不知道自己爲什麼要到這裡來，塔蒂安娜只說，希望她來見一見剛到學院裡的幾個皇親貴戚。想到最近塔蒂安娜沒事就介紹一大票皇族給她認識，莉莎並沒有對這件事多想。她和克里斯蒂安走進校長辦公室，看見奇洛娃校長正坐著和一個上了歲數的莫里聊天，旁邊還有一個與我們同齡的女孩。

「啊，德拉格米爾小姐，你們到了。」

我在當學生的時候，和奇洛娃結下過很多梁子，但是現在看見她仍然讓我覺得很親切。在課堂上惹是生非，和千辛萬苦到西伯利亞去找迪米特里，似乎已經是兩個世界的事了。奇洛娃還是一如既往地穿著那身讓她看起來像鳥一樣的衣服，鼻子上架著的還是原來那副眼鏡。那個老人和小女生站了起來，奇洛娃替他們互相引見了一下。

「這是尤金・樂澤，這是他的女兒，愛瑞。」奇洛娃轉身指著莉莎，「這是瓦西莉莎・德拉格米爾，和克里斯蒂安・歐澤拉。」

兩撥人彼此互相打量了一下。樂澤屬於十二個皇族之一，這也在情理之中，因爲這可是塔蒂安娜安排的會面。樂澤先生握著莉莎的手，微微一笑。他對於克里斯蒂安也在這件事有點吃驚，但是仍然能做到不失禮數。當然，這種反應對克里斯蒂安來說卻不常見。

不管是出於自願還是被迫，成爲血族只有兩種方法。一種是血族透過吸血，然後將吸食的血液反哺回去，將人類、莫里或是拜爾變成血族，迪米特里就是這樣變成血族的；還有一種只特別針對莫里，而且只能是出於自願。通常情況下，莫里只會從致力於做自願者的人類身上，吸食小劑量的血液，不會殺死餵食者。但是如果強迫性地大量從餵食者身上吸取足以致命的血液呢？哦，那這個莫里就會完全被邪惡所控制，身上使用魔法的能力將自動消失，變成一個心理扭曲的不死怪物。

這就是克里斯蒂安的父母所經歷的。他們自願殺死餵食者，變成血族，以獲得永生。克里斯蒂安雖然從來沒有打算變成血族的表現，可是每個人都覺得他遲早有一天會變（老實說，他的壞脾氣無助於改變別人的這種看法）。他們家的很多親戚，包括非皇室的，也都受到了這種不公平的對待。不過，上次血族來襲的時候，我們兩個倒是聯手幹掉很多血族，從那以後，經常能聽到人們談論這點，他的聲譽也明顯有了好轉。

奇洛娃從來不浪費時間在這些繁文縟節上，所以她直奔主題：「樂澤先生將成為這裡的新校長。」

莉莎仍然彬彬有禮、面帶微笑地看著他，但是聽完這句話，她猛地轉頭看著奇洛娃。「妳說什麼？」

「我要讓位了，」奇洛娃解釋道，她的聲音平靜，面無表情，完全像一個訓練有素的守護者。「不過我還是會留在學校裡，負責一些教學工作。」

「妳還會教課？」克里斯蒂安微帶嘲諷地問。

奇洛娃平靜地看著他。「當然，歐澤拉先生。我一開始來學校，做的就是老師的工作。我想如果我努力的話，仍然可以回憶起來如何做好一名老師。」

「可為什麼呢？」莉莎問，「妳當校長也非常盡責啊！」

這倒是事實。如果拋開我和奇洛娃之間的恩怨——通常都是因為我不守校規——我的內心還是很尊敬她的。莉莎也是。

「我考慮引退已經很久了，」奇洛娃對她解釋道，「現在這個時機最好不過，而且樂澤先生是一名非常不錯的繼任人選。」

莉莎很善於看穿人的想法，我想這多半也要歸功於精神能力，精神能力還可以令它的使用者變得非常、非常有魅力。莉莎認為奇洛娃沒說實話，我也是。如果我能夠讀取克里斯蒂安的想法，我猜他肯定也會這麼想。

上次血族對學院的襲擊，令許多人都陷入了恐慌，特別是那些皇室，而他們似乎沒有考慮到，襲擊所帶來的問題，是要花很長時間才能平復的。我猜這件事也是塔蒂安娜插手的結果，她強迫奇洛娃退位，找來另一名皇室接替她的位子，這樣才能安撫其他皇室的情緒。

莉莎並沒有將自己的想法表露出來，她轉身又看向樂澤先生。「哦，很榮幸認識您。我相信，您一定會是位非常稱職的校長。如果有需要我幫忙的地方，請一定要告訴我。」她成功地演出一名公主應有的表現。裝得彬彬有禮、甜美可人是她的眾多天賦之一。

「事實上，」樂澤先生說，「確實有一件事需要妳幫忙。」他的聲音低沉、富有磁性，非常符合這間辦公室的氣氛。他指了指自己的女兒，「我希望妳可以帶著愛瑞在校園裡轉一轉，幫她盡快熟悉這裡的環境。她去年剛剛畢業，以後會成為我的助手，幫我處理一些日常的雜事。不過，我相信她一定更願意和同齡的朋友在一起。」

愛瑞微微笑著，莉莎則首次好好地看著這個人。愛瑞很漂亮，非常漂亮。莉莎也很漂亮，繼承了父母的所有優點，有一頭動人的秀髮和碧綠的眼睛。我認為她比愛瑞漂亮一百倍，可是在這個大姊姊旁邊，莉莎的光芒卻沒有那麼耀眼了。愛瑞和大多數莫里一樣身材高挑，但是身材性感得多。她的胸部比普通的莫里要豐滿許多，這點和我一樣，而她一頭棕色的長髮和藍灰色的眼睛，搭配得恰到好處。

「我保證不會讓妳覺得這是一件苦差事，」愛瑞說，「如果妳願意，我還可以給妳一些關於皇庭生活的小建議，聽說妳要搬過去住。」

莉莎立刻警覺起來，她終於明白這是怎麼回事了。塔蒂安娜不只是攆走了奇洛娃，還派了個眼線在莉莎身邊。一個非常漂亮、完美的女伴，可以替她監視莉莎的一舉一動，同時還將負責教導莉莎，讓她達到能令塔蒂安娜覺得滿意的程度。思及此，莉莎後面說出的話雖然非常有禮貌，但有一種拒人於千里之外的冰冷。

「那太好了，」莉莎說，「雖然我最近事情眞的很多，不過相信還是可以抽出一會兒工夫的。」

無論是愛瑞的父親還是奇洛娃，好像都沒有發現這句話背後的涵義，但是愛瑞的眼神告訴莉莎，這個資訊她接收到了。

「謝謝妳，」愛瑞說。如果我沒有看錯，她的表情稍稍有一絲受傷。「我想我們肯定會有時間好好談一談的。」

「好極了，好極了。」樂澤先生說，完全不明白女生們之間的小把戲。「也許妳能先帶她去看一下房間？她要住在東邊的那棟樓裡。」

「當然。」莉莎說，但是心裡卻不願意。

她、克里斯蒂安和愛瑞起身準備離開，但就在這時，有兩個人走進了辦公室。其中一個是名莫里，比我們要小一點，另外一個是名二十出頭的拜爾，從他嚴肅、冷酷的神情來看，應該是一名守護者。

「啊，你們來了。」樂澤先生招手叫他們進來。他伸手摟著那名莫里的肩膀。「這是我的兒子李德，他才上國中，會轉來這裡上學。對此，他可是十分期待呢！」

事實上，李德的臉上找不到一絲期待的痕跡。他是我見過脾氣最差的人，如果我要演一個任性妄爲、滿臉不高興的孩子，只要照著李德的一舉一動去做就好。他和愛瑞一樣有非常養眼的外表，但是他那一副好像有人欠他錢的死樣子，絕對替他大大扣分。樂澤先生又把屋子裡的人介紹給李德，他只從鼻子裡哼了一聲道：「嘿。」

「這位是西蒙，愛瑞的守護者。」樂澤繼續介紹道，「當然了，在校園裡的時候，他不用全天跟著她。妳知道學校裡是有這種規矩的，不過，我想他可能還是會守在附近。」

我可不希望這樣。雖然他的那個一臉不高興和李德不太一樣，但是那種天生的陰鬱在守護者當中是少見的。突然間，我替愛瑞感到難過。如果這是她唯一的夥伴，我想她一定會十分願意跟莉莎這樣的人做朋友。不過莉莎很清楚，自己不會成爲塔蒂安娜的棋子就是了。

他們沒有再多說，莉莎和克里斯蒂安帶著愛瑞前去參觀宿舍，隨即便離去了。通常來說，莉莎會留下幫愛瑞安頓一切，然後再帶她去吃點東西，可是這一次，莉莎並沒有這麼做，她完全提不起興趣來。

我的意識回到自己的身體裡，回到酒店。我知道我不應該再關心學校的生活，也用不著替愛瑞感到難過，可是，躺在這裡瞪著黑漆漆的屋子同時，我還是情不自禁地感到一絲高興。我知道這很自私，但是這次「偷窺」確實滿足了我的虛榮心：莉莎一時半會兒還不會替新任的閨房密友買衣服。

4

換做另外任何一個時候到這裡，我都會很樂意在莫斯科到處走走看看。雪梨已經規畫好我們的行程，所以在下火車之後，我們只有幾個小時的時間，然後就要登上下一趟去往西伯利亞的火車。因此，我們有時間在火車站周圍逛一逛，吃個晚飯。不過雪梨認爲我們最好在天黑之前回到車站裡，這樣比較安全，雖然我一直信誓旦旦地說自己很厲害，還有那些閃電紋身可以作證，但是雪梨仍然不願意冒險。

對我來說，如何打發這幾個小時並不重要，唯一重要的是，我現在正離迪米特里越來越近。所以，我和雪梨只是漫無目的地溜達著，看看周圍的景色，偶有幾句交談。我從來沒有到過莫斯科，這是一個非常美麗的城市，繁華鼎盛，到處是人和商鋪，在這裡，光是購物和尋找各種美食，就足夠令人逗留好幾天的。那些我從來只是聽說過的皇宮現在唾手可得，比如克里姆林宮、紅場和波修瓦大劇院，這些古跡全都非常酷，但是我寧願暫時不去理會這些美麗的景色和周圍喧嘩的人聲，因爲這些都令我想起……嗯，迪米特里。

過去，他總是將俄國掛在嘴邊，反反覆覆地起誓說我一定會喜歡這裡。

「妳肯定會覺得那裡是一個童話世界。」有一次，他這麼對我說。那是去年秋天即將結束的時候，下第一場雪之前，我們在進行晨訓，當時霧濛濛的，所有的東西都沾了一層露水。

「很抱歉，夥伴。」我這麼回應道，伸手把頭髮攏成一個馬尾。迪米特里很愛我頭髮披散下來的樣子，可是在搏擊練習中，長頭髮是個累贅。「『羅孫湯』和落伍的音樂在我想像中的童話故事裡，從來都沒有出現過。」

他當時露出了罕見的微笑，這種輕輕的笑意也爬上了他的眼角。「是羅宋湯，不是羅孫湯。我見識過妳的大胃口，如果妳眞的餓了，肯定會吃的。」

「所以，只有在肚子餓的時候，那裡才是童話世界嘍？」我最喜歡的事情就是揶揄迪米特里。呃，除了吻他以外。

「我說的是那片土地、那裡的建築。妳去那些大城市瞧一瞧，肯定和妳見到過的不一樣。所有的美國人都喜歡把樓蓋得一模一樣，永遠都是又矮又胖的一個方塊，只講求效率和簡單。可是在俄羅斯，每棟建築都像是一件藝術品，哪怕只是一間普普通通的房子。還有，妳知道聖彼德堡的冬宮和聖三一大教堂嗎？妳看到它們，肯定會連呼吸都忘了。」

他面泛紅光，沉浸在曾經的回憶當中，那種愉悅的表情令他本就帥氣的外表變得更加迷人了。我猜，他能就這樣把所有的代表性建築物一個一個地說上一天。我就這麼看著他，覺得心臟似乎要燃燒起來。這時，如同往常一樣，我爲了怕自己露出花癡的樣子，或者表現得像個白癡，趕緊開了個玩笑轉移注意力，將自己的情感藏了起來。這也將他切換到公事公辦的模式當中，我們繼續訓練。

現在，和雪梨一起走在這個城市的大街上，我希望自己能夠收回那些玩笑，認眞地聽迪米特里多講一些有關他家鄉的事。如果能和原來的那個迪米特里一起走在這裡，我願意付出任何代價。關於建築的事情，他說的是對的。當然，大部分建築的樣子，你在美國或者世界上其他任何一個地方都能找到，但是有些建築確實相當精美——光鮮亮麗的塗漆、形狀奇怪但是非常漂亮的洋蔥頭形狀的屋頂。有時，這些建築看起來眞的像是只有童話世界裡才有。

在這裡的每時每刻，我都想像著迪米特里在我身旁，一一指著那些建築爲我作解說的情景。我們的私奔一定會非常浪漫，我和迪米特里可以在有異國情調的飯店享受美食，晚上一起去跳舞，我可以穿上一件做工精美的訂製禮服，雖然現在它們都被我留在了聖彼德堡的酒店裡。這才應該是我到這裡原本的樣子，而不是像現在這樣，身旁跟著一個對我怒目而視的人類。

「太不眞實了，嗯？好像是童話故事裡才會有的。」

雪梨的聲音嚇了我一跳，我發現我們停在了火車站的前面。莫斯科有許多火車站，她的說法正好與我和迪米特里的不謀而合，我的脊背升起一絲涼氣，有一大部分是因爲她說的沒錯。火車站雖然沒有洋蔥頭一樣的屋頂，但是看上去仍然很奇怪，像是童話故事裡才有的那種，比如說仙德瑞拉的城堡和薑汁小人裡的房子。它的上方是一個巨大的拱形屋頂，兩邊各有一個尖塔，雪白的牆壁上零散地點綴著棕色的磚塊和綠色的馬賽克，讓整個建築看起來像是長了條紋。在美國，有的人可能會說這很俗氣，但是對我來說，它美極了。

我一邊想著，如果是迪米特里會怎麼形容這個建築，同時眼睛濕潤了起來。如果他也愛這個建築，那也是因爲凡是這裡的東西他都愛。我這才想起雪梨還等著我回答，於是吞下了痛苦，強裝出一個輕率的年輕人的樣子。「也許這個童話是根據這個火車站編的呢！」

她揚起一條眉毛，很驚訝我前後的差異這麼大，可是並沒有多問。還能說什麼呢？也許，如果我一直用冷嘲熱諷的方式說話，她可能會漸漸習慣，然後不再理我。不過，我隱約想到自己可能沒有那麼幸運。我非常確定，她對老闆的敬畏，肯定不會讓她對我的看法有任何改變。

我們坐在火車的頭等廂裡，這裡比我想像的要小很多。車廂的兩邊都有一個放平就是床的折疊椅及窗戶，對面的牆上還掛著一台電視。我想這倒是消磨時間的好方法，可是看俄語節目對我來說還是很痛苦，不僅僅是因爲語言不通，還因爲電視上的節目實在很奇怪。我和雪梨仍然保持著井水不犯河水的相處方式，儘管這個包廂比我們想像的還要舒服一點。

車廂裡的顏色，令我想起在這個城市裡見到過的許多同樣夢幻的東西，就連月台外面的候車大廳，也都被塗上了明亮的顏色，鋪著紅黃相間的長絨地毯，中間是一條青黃相間的長氈。在我們的車廂裡，躺椅上放的坐墊是華麗的橘色天鵝絨材質，窗簾的顏色是金色和桃紅色，內裡是厚厚的粗布料，外面則是絲綢的材質。在屋子所有陳設的正中間，放著一張做工精美的桌子，這一切都像是坐在一個迷你皇宮裡去旅行。

火車離站的時候，天已經全都黑了。不知出於什麼原因，通往西伯利亞的火車永遠是在晚上從莫斯科出發。雖然還沒很晚，但是雪梨說她要睡覺了，因爲不想在她的怒火上再澆一勺油，所以我們關掉了燈，只留了我床頭的一盞小檯燈。我在火車站買了一本雜誌，雖然我實在看不懂上面寫的是什麼，但是有關化妝和衣服的圖片，消除了所有的文化差異。我盡可能不出聲地翻著雜誌，欣賞著夏季的新款上衣、裙子，同時在想不知道什麼時候我才能再爲這些事情操心，如果還有這種可能的話。

我躺下的時候並不睏，但是睡意悄無聲息地來了。我夢見去滑水，但是突然，周圍的海浪和陽光都不見了，變成一個周圍滿是書架的房間，架子上擺滿了書。此外，還有許多桌子上放滿最先進的電腦的小屋子，房間裡瀰漫著一片肅穆的氣氛。我在聖弗拉米爾學院的圖書館裡。

我呻吟了一聲。「哦，拜託，今天不行。」

「爲什麼今天不行？爲什麼？」

我轉過身，發現面前出現一張英俊的臉，是艾德里安・伊瓦什科夫。艾德里安是一名莫里，女王偉大的親侄子，也是我決定執行這個自殺任務後，被我拋棄在過去生活的人們其中之一。他有一雙漂亮的祖母綠色的眼睛，能迷倒一大票女生，特別是他還特意將一頭棕髮梳成一個非常時髦的亂糟糟的髮型。他算是我的追求者之一，也是資助我進行這趟豪華之旅的人，那這是我裝出甜蜜可人的樣子說服他得來的。

「眞的，」我老實說，「如果你能保持一個星期只出現一次的頻率的話，我會相當感激。」

他微微一笑，往後坐在一條木凳上。和大多數莫里一樣，他個子很高，身材練得很結實。莫里的男生從來都不會長得特別健壯。「久別勝新婚，蘿絲，我可不想強迫妳嫁給我。」

「我們不會有這種危險的，不用瞎操心。」

「我想妳也不會告訴我，妳在哪裡吧？」

「說的對。」

除了莉莎，艾德里安是唯一一個還活著的精神能力使用者，在他眾多的能力當中，有一個就是經常不請自來地出現在我夢裡，和我聊天。可他並不能在夢裡知道我身處的地點，這應該是上帝對我的眷顧吧！

「妳眞是快要把我折磨死了，蘿絲。」他誇張地說，「沒有妳的每一天都那麼無聊、空虛、寂寞。我爲妳憔悴，每天都在擔心妳是不是還活著。」

這種吊兒郎當的說話方式是他性格中的一部分。艾德里安很少會嚴肅認眞地看待什麼事情，但通常又能說得一針見血。精神能力的副作用可以令使用者變得脆弱，情緒反覆無常，對此他掙扎了許久，但還是沒能擺脫這種影響。不過，在這種誇張的語氣之下，我能感受到一絲眞實。不管他表現的有多麼膚淺，他都是眞正地在關心我。

我雙臂抱胸。「好吧，很明顯，我還活著。所以，我猜你可以放我回去睡覺了。」

「我什麼時候擁有過妳？妳不是正在睡覺嗎？」

「可我一和你聊天，就會莫名其妙地感到疲勞。」

這句話逗得他哈哈大笑。「哦，可我眞的很想妳。」他臉上的笑容逐漸退去，「她也很想妳。」

我的表情變得僵硬。她，他沒必要說出名字，毫無疑問他指的就是那個人。

莉莎。

我連在心裡說出她的名字都會覺得心痛，特別是在昨晚「見到」她之後。在莉莎和迪米特里之間做選擇，是我一生中最艱難的決定，而隨著時間的流逝，我的痛苦並沒有稍微減輕一些。也許我現在是選擇了迪米特里，但是離開她就像是砍掉了我的一條手臂，特別是心電感應時刻提醒我，我們從不曾眞正地分開過。

艾德里安狡詐地看了我一眼，好像可以猜出我的想法。「妳去見她了嗎？」

「沒有，」我說，拒絕承認昨天晚上剛剛看過她的事實。還是讓他以爲我已經完全放下了吧！「那裡已經不是我生活的一部分了。」

「沒錯，妳的生活只剩下執行危險的美國自衛隊任務。」

「除了抽煙喝酒泡妞，其他的事你都不會明白的。」

他搖了搖頭。「妳是我唯一想要的人，蘿絲。」

不幸的是，我相信他說的是眞的。如果他能去找別人，對我們兩個來說都是解脫。「好吧，你可以一直這麼想，但是你也要一直等下去了。」

「等多久？」

他一直問我這個問題，每次我都會特別強調，不管等多久他都是在浪費時間。但一想到雪梨這個很可靠的嚮導，今晚我猶豫了一下。「不知道。」

艾德里安臉上綻放出一線希望。「這是目前爲止，妳告訴我的最好的消息了。」

「別想得太多，『我不知道』有可能是指一天，也有可能是一年，或者是永遠。」

他那惡作劇的笑容又回來了，連我都不得不承認這笑容很可愛。「我希望是一天。」

想到雪莉，我想起了一個問題。「嘿，你聽說過煉金術士嗎？」

「當然了。」他回答說。

典型的艾德里安式回答。「我早就應該想到。」

「怎麼了？妳遇到他們了？」

「算是吧。」

「妳惹了什麼麻煩了？」

「為什麼這麼問？」

他大笑起來。「煉金術士只有在發生麻煩的時候才會出現，而有妳出現的地方，就一定會有麻煩出現。不過，我勸妳小心一點，他們都是虔誠的瘋子。」

「這麼說有點極端了吧！」我說。雪梨的宗教信仰看起來還沒到那個地步。

「別讓他們給妳洗腦就是了，」他眨了眨眼，「我還是喜歡墮落的妳。」

我本來打算告訴她，雪梨已經把我歸為最邪惡的那類了，但是他結束掉了這個夢，將我送回床上繼續睡覺。

可是，我沒有繼續睡覺，反而醒了。身下的火車正隆隆地載著我們，舒服地穿越過俄羅斯的鄉村。我的檯燈還亮著，燈光對我剛睡醒的眼睛而言有些太刺眼了。我伸手去關，卻發現雪梨的床是空的。她可能在洗手間，我這麼想。但是，這仍然令我不安，她和她的煉金術士集團對我來說仍然很神祕，我突然擔心起來，她可能還有別的陰謀要施行。她是偷偷溜出去，去做一些不可告人的事情了嗎？我決定下床去找她。

老實說，我不知道在空間只有這麼點大的火車上，她能去什麼地方，但是邏輯對我從來不是個問題。現在不是講道理的時候。謝天謝地，在我走進連接我們包廂的大廳時，我發現自己不用走太遠了。

走道有一整排的窗戶，所有的窗戶前都拉上了那些華麗的窗簾，雪梨背對著我，看著外面，身上披著一條毯子。她的頭髮因爲剛睡起來，亂糟糟的，在昏暗的燈光下，金色也暗淡了許多。

「嘿……」我猶豫地和她打招呼，「妳還好嗎？」

她微微轉頭看著我，一隻手拉著毯子，另一隻手摸了摸脖子上戴的十字架。我想起艾德里安說他們是虔誠的瘋子這個評語。

「我睡不著。」她生硬地說。

「是……是因爲我的關係嗎？」

她唯一的回答就是又轉回去，看著窗外。

「妳看，」我有點無助，「如果有我能做的……我是說，除了回去取消這趟旅行……」

「我自己會處理，」她說，「只不過，嗯，這一切對我來說眞的很奇怪。我一直在和你們打交道，但是其實並沒有在和妳打交道，妳明白嗎？」

「我們可以再爲妳單獨訂一個房間，如果這樣能幫上忙的話。我們可以再雇個隨從，我出錢。」

她搖了搖頭。「只有幾天，用不著。」

我不知道該說什麼好。雖然在我的宏偉藍圖中有她作伴是一件很不方便的事，可我也不願意她有受傷的感覺。看著她擺弄著手裡的十字架，我搜腸刮肚地想找點安慰人的話勸慰她一番。也許探討一下對上帝的看法可以拉近我們的距離，可不知怎麼，我還是不認爲告訴她我每天都和上帝打一架，而且最近還開始懷疑起祂是否存在，能幫助我擺脫「行走在夜間的惡魔」這個頭銜。

「好吧，」我最後開口說道，「如果妳改變了主意，記得告訴我。」

我回到自己的床上，出乎意料地馬上就睡著了，完全將對雪梨可能要在外面的走道站一整夜的擔心拋到了腦後。不過，當我第二天一早醒來的時候，她已經蜷在床上沉沉地睡著。很明顯，她已經到了極限，哪怕仍然非常怕我，也還是需要好好休息。我盡量輕輕地下了床，換上T恤和運動褲。我餓極了，要去吃早飯，如果雪梨醒來發現我不在的話，也許還能再睡會兒。

餐車在旁邊的那節車廂，裡面的陳設像是老電影裡會出現的場景。優雅的桌布鋪在餐桌上，深棕色的木牆上點綴著一些色彩鮮豔的玻璃畫，爲整節車廂增添了一絲古典的氣息。這裡比起火車上的餐車，看上去還比較像是我在聖彼德堡街頭去過的那些餐廳。我點了些比較像是法國吐司的東西，只不過這上面還有乳酪，端上來的時候，盤子裡還放了幾根香腸，和我之前吃慣的沒什麼區別。

當我吃得差不多的時候，雪梨走了進來。我第一次見到她的那個晚上，以爲她的穿著只是因爲要配合奈廷格爾的氣氛，但是後來我發現，那就是她的日常裝扮，我想她是那種衣櫃裡絕對不會有T恤和牛仔褲的人。昨天晚上，她站在走道裡的時候衣服皺巴巴的，但是現在身上穿了一間深綠色毛衣和一條非常乾淨的黑色褲子。我身上的灰色純棉長T和牛仔褲在她面前顯得有點邋遢。她的頭髮仔細地梳理過，但是仍然略顯凌亂，我想可能她的髮質天生就是這樣，不管她怎麼努力梳都不會服帖。至少我的馬尾辮今天看起來還是很清爽的。

她從我身邊走過，在我對面坐下來。服務生經過的時候，她點了一份歐姆來得早餐，說的是俄語。

「妳怎麼會的？」我問道。

「會什麼，俄語嗎？」她聳了聳肩，「我們上學的時候必須要學，同時還有幾門其他的外語。」

「哇哦，」我其實也學過幾門外語，但是沒有一個學會的。我那時沒有想這麼多，不管現在，因爲這趟旅行，因爲迪米特里，我眞心希望自己能學會俄語。不過可能有點晚了，我就是現學現賣，也只學會了幾個短語，反正……這也是一個不太可能完成的任務。

「爲了當好煉金術士，妳肯定也學了很多東西。」我喃喃地說道，同時心中暗想，這個神祕的組織肯定有一部分任務是要跨國界和各國政府打交道。突然，我想起了一件事。「妳用來處理血族的東西是什麼？它可以分解血族的屍體嗎？」

她笑了，幾乎令人不易察覺。「哦，我告訴過妳，煉金術士的始祖，是一群想要煉出丹藥的人，對吧？那是我們發明出來的一種化學製品，可以快速地處理掉血族的屍體。」

「這個東西可以用來殺人嗎？」我問。把血族泡進某個可以分解他們的藥水裡，要比常用的那些方法簡單得多，比如：斬首、銀樁和火燒。

「恐怕不行，只對屍體有用。」

「太遺憾了。」我說。我不知道她是不是還在袖子裡藏了其他的藥水，但是最後決定不要把所有的問題在一天裡全都問完。「我們到了歐姆以後要做什麼？」

「歐姆斯克，」她更正道，「我們租台車子，然後開過去。」

「妳到過那裡嗎？那個村子？」

她點點頭。「到過一次。」

「那村子是什麼樣的？」我問，驚訝地發現自己的聲音充滿了渴望。我除了想要找到迪米特里，心底還有一絲想要搜集所有與他有關的資訊的願望。我想知道之前所不知道的，關於他的所有事情。如果學校能把他的「遺物」留給我，我肯定每天晚上都會抱著它們入眠，可惜，他的房間馬上就被清理乾淨了。現在，我只能盡己所能地搜尋有關他的點點滴滴，然後將這些貯存在心裡，就好像他還和我在一起一樣。

「我想，應該和其他的拜爾村落差不多。」

「我一個都沒去過。」

服務生將雪梨的早餐端了上來，她舉著叉子的手停在半空。「眞的？我以爲你們所有人……呃，我也不知道該怎麼說了。」

我搖了搖頭。「我從小到大都是在學校長大的，差不多就是這樣吧。」那兩年在人類世界中的生活並不算在內。

雪梨一邊吃東西，一邊若有所思地想著，我打賭她肯定吃不完這一整份早餐。就我們認識的第一晚和昨天等火車時瞭解的情況來看，她幾乎都不怎麼吃東西，好像她只要靠呼吸空氣就能活下去的樣子。也許這是煉金術士的另外一個特點，不過最有可能地還是因爲雪梨的食量很小。

「那個地方人類和拜爾的數量是一半一半，只不過拜爾是後來遷過來的。他們有自己的一套地下生存法則，所以人類幾乎不知道他們的存在。」

我一直知道那裡肯定會有次文化的圈子，但是不知道它是怎麼和當地人融合在一起的。「還有呢？」我問，「那種次文化是什麼樣的？」

她放下手裡的叉子。「我想，這個問題的答案最好是妳自己去發現。」

5

後半段的旅途我們兩個相安無事，雖然雪梨在我身邊還是不能徹底放鬆下來，但是有時，她會替我解釋電視裡的俄語節目在表演什麼。這裡的電視節目和我家鄉的還是有很大的文化差異的，我們在這方面還算有共同語言，甚至有一次，在看到一個我們兩個都覺得很好笑的地方時，她還轉過頭來露出了一個微笑。我有種感覺，也許我們能夠成為很好的朋友。我知道永遠都不可能有人替代莉莎在我心中的位置，但是我內心裡還是期望有人可以塡補離開她以後我在友情方面的空白。

雪梨白天幾乎都在睡覺，我開始懷疑她可能會認床，所以晚上經常失眠。而且她也一如既往地保持著對食物的奇怪態度，幾乎不怎麼碰盤子裡的東西。她總是讓我替她把剩下的食物吃完，而且也開始大膽地點一些俄羅斯的食物。這是我到這裡以後，第一次覺得俄羅斯的食物還不錯，而且有一個嚮導的感覺很不錯，雖然她不是本地人，但是對這裡的瞭解好歹比我要多得多。

旅途的第三天，我們終於到達了歐姆斯克。這個地方比我想像中的西伯利亞要大很多，也美麗許多。迪米特里一直揶揄我，說我想像中的西伯利亞和南極洲差不多，錯得有多麼離譜。我現在不得不承認，他是對的，至少就目前我看到的西伯利亞的南部地區來說，他的說法是對的。這和今年在蒙大拿州看到的景色差不多，早春寒冷的空氣，經過陽光的照耀，偶爾也會變得比較溫暖。

雪梨告訴我，當我們到了那裡以後，她會開車帶我去見一個她的莫里朋友。這些莫里一開始是住在城裡的，後來大規模地搬遷到了這裡。但是，到了天快黑的時候，我們遇到了一個大問題。沒有莫里願意帶我們去那個村子，很顯然，那是一趟危險之旅。到了晚上，血族經常在這附近出沒，希望能逮住幾個在路上的莫里或是拜爾。

雪梨解釋得越多，我越開始擔心起自己的計畫來。事實就擺在眼前，在迪米特里的老家，肯定是沒有那麼多血族存在的，根據雪梨的說法，血族通常都徘徊在村子周圍，但沒有幾個是一直待在這裡的。如果是這種情況，我想要找到迪米特里的願望很可能會落空，而當雪梨再往下解釋，我覺得自己的希望就更加渺茫了。

「很多血族都會來這裡尋找獵物，那個村子是他們的必經之地，」她解釋道，「因爲路途很遠，所以血族都會待上一陣子，找點容易抓的獵物，飽餐一頓之後，他們再繼續上路。」

「在美國，血族一般都喜歡藏在大城市裡。」我不安地說。

「這裡也一樣，因爲他們可以很容易就找到獵物，同時又不會引起注意。」

沒錯，這對我的整個計畫是一個沉重的打擊。如果迪米特里不在這個鎭子，我要面對的就是一個很棘手的難題了。我知道血族很喜歡大城市，可是，我仍然安慰自己，迪米特里很有可能會回到這個他成長的地方。

可如果他不在這裡……嗯，突然間，我對這個幅員遼闊的西伯利亞產生了恐懼。我知道歐姆斯克在這個地方算不上大城市，可能連要找到一個血族都很困難。可是如果去那些比這裡大的城市找的話呢？如果我的預感都不靈，事情可能會變得非常、非常難看。

自從出發尋找迪米特里以來，我偶爾會有很脆弱的時候，希望自己永遠不要找到他。一想到他已經變成了血族，我的心就倍感痛苦。而且我還經常會浮想聯翩……想像我和他在一起的樣子，以及那些我們好像會永遠在一起的回憶。

那些寶貴的記憶永遠只到他變成血族之前。那時，我吸取了大量的精神能力，包括莉莎的負面情緒，經常控制不住自己的脾氣，變得不可理喻。我很害怕會變成一個怪物，害怕會像另外一個影吻者守護者那樣，以自殺結束這一切。

是迪米特里將我從崩潰的邊緣拉回來，他給了我可以依靠的力量。我那時才發現，連接在我們兩個之間的羈絆有多麼強烈，我們對彼此是多麼的瞭解。我過去一直懷疑靈魂伴侶的眞實性，但是在那一刻，我徹底相信了。後來，那種情感終於從精神過渡到了實質的肉體接觸，我和迪米特里陷入了愛河。我們曾經發誓，永遠維持在好朋友的位置，可是……我們之間的愛是那麼的濃，保持距離是那麼遙不可及的一件事，我們突破了底線，那是我的第一次。有時，我禁不住會想，也許那會是我此生唯一的一次。

那次的經驗是那麼美好，我沒辦法分清到底是肉體的歡愉還是精神的滿足。在那之後，我們躺在小木屋裡，盡可能把這甜蜜的一刻往後延長，那種感覺也很好。但是爲數不多的幾次裡，我認爲他完完全全是屬於我一個人的。

「你還記得維克多的情慾咒嗎？」我問，又往他的懷裡鑽了鑽。

迪米特里像看瘋子一樣看著我。「當然記得。」

維克多．達什科夫是一名皇室莫里，他曾經和莉莎一家是世交。可我們完全不知道，他已經祕密研究精神能力研究了好幾年，而且在莉莎發現眞相之前，就知道她是一名精神能力的使用者了。他用各種心理戰來折磨莉莎，終於讓她相信自己可能會精神失常，他的最終計畫是將莉莎綁架走，然後用酷刑逼迫她同意爲他治療他的絕症。

維克多現在已經被關進了監獄，罪名除了他對莉莎犯下的那些惡行之外，還包括他打算發起政變，推翻現在的莫里政府。他是少數幾個知道我和迪米特里之間關係的人，這一直是我心裡的隱憂，因爲不知道他什麼時候可能會說出去。他甚至用土魔法和催眠術在一條項鏈上施了情慾咒，打算將我和迪米特里之間的關係再往前推動一步，那個咒語是一種很危險的魔法，可以誘發出我和迪米特里之間最原始的慾望。我們在最後一刻恢復了清醒，直到在小木屋的那晚，我們之間的慾望才終於爆發，爬到了歡愉的頂點。

「我不知道現在的情況對我們兩個是不是都好。」在我們兩個發生關係之後，我對迪米特里這麼說。我總覺得有點羞於啓齒。「我一直在心裡反反覆覆地想……我們兩個到底算什麼。」

他轉身看著我，拉高了被子。小木屋裡十分寒冷，但是床上的毯子很暖和。我本來以爲我們可能會馬上就把衣服穿好，可那是我最不願意做的一件事，肌膚相親的感覺眞的很美妙。

「我也是。」

「你也是？」我有些驚訝，「我以爲……我不知道該怎麼說。我認爲你應該是很有原則的那種人，肯定會試著把這件事忘掉的。」

迪米特里放聲大笑，吻了吻我的脖子。「蘿絲，我怎麼會忘了曾經和妳這麼美麗的女孩共度良宵的事呢？有很多個晚上，我都睡不著，一直回想著當時的每個細節。我一遍又一遍對自己說，這麼想是不對的，可要忘了妳眞的很難。」他的唇在我的鎖骨上游移，手沿著腰部往下走。「妳的身影永遠烙印在我的心裡。在這世界上，絕對、絕對不會有事情能改變這一點。」

像這樣的記憶很難讓我下定決心殺了他，就算他是血族；可是……也是因爲有這樣的回憶，我才不得不去殺了他。我需要記住他愛我的樣子，記住我們在床上相擁的那一刻。我必須提醒自己，我的愛人說他不願意變成一個魔鬼……

當雪梨將找來的車子秀給我看的時候，我並不是特別的興奮，特別是我已經把租車的租金給了她以後。

「我們就開這種車？」我喊道，「這台破車能撐到那裡嗎？」這條路跑下來，差不多要花七個小時。

她驚訝地看了我一眼。「妳在開玩笑吧？妳知道這是什麼車子嗎？這可是一台一九七二年的雪鐵龍耶！很棒的車。妳知道上個世紀，還是蘇聯共產黨當權的時候，要弄到這樣一台車子有多困難嗎？我都不敢相信那個人眞的肯把車子賣給我們，他一定是腦子秀逗了。」

關於蘇聯執政的那段時期，我所知不多，對這種經典的車型的事知道的就更少了。可是雪梨好像一個熱戀中的人般撫摸著那台車的紅色外殼。誰能想到呢？她居然是一個汽車迷。也許這台車確實很値錢，可我眞的不懂得要怎麼欣賞它，我更喜歡那種流線型的、全新的跑車。但客觀來說，這台車沒有刮痕，也不是髒兮兮的，除了過時的外表，很顯然是經過精心保養的。

「它能跑嗎？」我問。

如果可能的話，她吃驚的表情可能還會更誇張。「當然了！」

確實可以。引擎發動的聲音非常響亮，當車子加速的時候，我開始明白她爲之著魔的原因了。雪梨對開車這件事非常躍躍欲試，我本來還想跟她說這可是我出錢買的車耶，但是看見她那麼興奮的表情，我最後決定還是主動退出比較好。

我很高興我們可以馬上上路，現在已經快傍晚了，如果這條路眞的像大家所說的那樣危險，我可不想天黑的時候還留在外面。雪梨也是這麼想，但是她說太陽下山之前，我們可以跑完大半的路程，然後在一個她認識的地方過夜，明天一早再繼續趕到目的地。

我們離歐姆斯克越遠，路上的人煙越稀少。我仔細地看著周圍，明白迪米特里爲什麼這麼熱愛這片土地。沒錯，這裡看起來是雜草叢生、荒涼一片，但是春天將這裡變得一片綠油油，看著這片無法觸及的荒原，心中不由縈繞起一種悲壯的美麗。這讓我想起蒙大拿，那裡其實多多少少也有和這裡類似的特點。

我忍不住在談話中提起雪梨對汽車的瘋狂熱愛。「妳對車很有研究嗎？」我問。

「有一點吧！」她說，「我爸爸是煉金術士，但是我媽媽是一個技師。」

「眞的？」我問，心裡有些驚訝，「這種情況比較……不尋常。」當然了，我也沒什麼資格討論性別角色這件事，一想到我自己的人生也要在複雜的打鬥和屠殺中度過，就不可能認眞地去責備那些有天賦的女性去做男性的工作。

「她確實很優秀，而且教了我很多，我甚至不介意繼承她的衣缽，以此爲生。當然，也不介意去上大學。」她的聲音中帶著一絲痛苦，「很多事我都不介意去嘗試。」

「那爲什麼不去做呢？」

「我必須成爲家裡的下一任煉金術士。我的姊姊……嗯，她是比我大啦，而且一般都應該是家裡的長子或者長女來繼承，但是，她有點……沒辦法勝任。」

「這太殘忍了。」

「嗯，也許吧，但是她確實沒有辦法掌控這種事。如果提起她收集的那些唇膏，她的話匣子一打開就停不下來，可是如果是做我們這種工作，而且還要和團隊合作的話呢？對不起，她永遠都不可能完成。爸爸說，我是家裡唯一可以接替他的人。」

「至少，這算是一種讚美。」

「嗯，差不多。」

雪梨的表情有些難過，我也覺得很不好意思提起她的傷心事。「如果妳打算念大學的話，會選修什麼？」

「希臘和羅馬建築。」

我現在開始慶幸開車的人不是我，不然我很可能會把車開下路基。「不是開玩笑吧？」

「妳對這個有瞭解嗎？」

「呃，沒有。」

「那很有意思。」她臉上悲傷的表情被一種嚮往的神情代替了，和她對汽車的迷戀差不多。我明白她爲什麼那麼喜歡莫斯科的火車站。「那時的建築設計風格……呃，看起來都很夢幻。如果這件事結束了以後，煉金術士協會不派我回美國，我希望可以分派我去希臘或者義大利。」

「要是那樣就太好了。」

「是啊。」她的笑容退去了，「但是這份工作，不可能是妳想去哪裡就能去哪裡的。」

這之後，她一直沉默不語，但我覺得能拉著她有這麼一次簡短的聊天，已經是我的勝利了。我任她沉浸在自己的世界裡，繼續想著那些經典汽車和建築方面的事，自己則繼續想著我所關心的事——血族、職責、迪米特里。永遠都是迪米特里……

好吧，其實是迪米特里和莉莎。如果有什麼能讓我感到痛苦的話，一定是這兩個人。今天，顚簸的汽車帶著我昏昏入睡，我又溜進莉莎的意識裡，眞是多謝艾德里安上次在我夢裡的多嘴。

俄羅斯的傍晚就是蒙大拿的清晨。當然，學院採用晨昏顚倒的作息時間，從技術上來說，他們的夜晚是從清晨的第一縷陽光開始算起的。現在差不多是快要熄燈的時間了，所有人都準備往宿舍走。

莉莎正和艾德里安在一起，待在他在宿舍的房間裡。艾德里安和愛瑞一樣，也有自己的守護者，但是作爲僅剩的另一名精神能力使用者，他申請在學校無限期地居住，和莉莎一起共同研究。

他們剛剛度過了一個精疲力竭的晚上，一起坐在地上，面對面研究怎麼在夢中自由地行走。莉莎嘆了一口氣，往後一仰，躺在地上，雙臂往後伸直，貼在耳邊。

「還是沒用，」她呻吟了一聲，「我可能永遠都學不會了。」

「永遠都不要放棄，堂妹。」艾德里安的聲音和平常一樣死不正經，可我打賭其實他也很著急。他們並不是血緣關係上的表親，只是皇室之間表示親暱的一種統稱。

「我還是不明白你是怎麼做到的。」

「我不知道該怎麼解釋，我只是用力去想，然後……呃，就成功了。」他聳聳肩膀，拿出他總喜歡隨身攜帶的香煙。「妳介意嗎？」

「介意。」莉莎回答說。令我驚訝的是，艾德里安居然把香煙收了起來。這是怎麼一回事？他從來沒有問過我介不介意他抽煙，答案是當然介意。事實上，我發誓有百分之五十的可能，他是故意無視我。這眞是令人費解，艾德里安已經過了那種用使壞來吸引女生注意的年紀了啊！

他試著想要解釋清楚整個過程：「我只是努力地想著我的目標對象，然後……我實在不知道該怎麼說了，有點像……將我自己的意念延伸到他們的意念裡去？」

莉莎坐起來，盤起腿。「和蘿絲讀取我意念的過程好像差不多。」

「也許原理是一樣的。聽著，妳學習看見靈光時，也下了一陣工夫呢！這兩者沒什麼區別，而且妳又不是唯一一個學習得很痛苦的人。我現在只能治好小擦傷，可妳能令人起死回生，而且妳救的那些人絕大部分可能還會說妳是個瘋子。」他停頓了一下，又說：「當然，有人肯定會說妳已經瘋了。」

提到靈光，莉莎仔細地看著他，努力集中起那種可以看清圍繞在所有活物周圍光圈的能力。他的靈光現在都集中在一起，圍在他周圍，像一個金環。在艾德里安眼裡，莉莎的靈光也是這樣的，而且再也沒有其他的莫里有同樣純正金色的靈光。莉莎和艾德里安討論過後認爲，這是精神能力使用者獨有的靈光。

他笑了，猜到了莉莎在做的事。「看起來怎麼樣？」

「還是原來那樣。」

「妳看，現在妳看靈光的能力已經很強了吧？夢境的事，只要耐心一點就好了。」

莉莎非常渴望能像他一樣可以在夢中行走。雖然莉莎很失望，但是我很高興。我已經受夠了艾德里安有事沒事就來我的夢裡轉一圈，如果在夢裡見到她……哦，我不是很確定，但是肯定會讓我到了俄羅斯之後努力裝出來的冷漠、無情模樣，變得更加難以維持。

「我只是想知道她在哪裡。」莉莎小聲說，「我不能忍受什麼都不知道。」她和克里斯蒂安的對話在此又重複了一遍。

「我前幾天去看她了。她過得不錯，過幾天我會再去一次。」

莉莎點點頭。「你說，她眞的能做到嗎？她眞的忍心下手殺了迪米特里？」

艾德里安沉默了很長一段時間，想著應該怎麼回答。「我覺得她可以。但問題是，也許還沒等她動手，她就先被他殺了。」

莉莎打了個冷顫，我也有點吃驚。這個回答聽起來，怎麼那麼像克里斯蒂安可能給出的答案呢？「上帝啊，我眞希望她從來沒有過這種想法。」

「現在希望已經晚了，蘿絲必須做到，這是我們唯一能把她帶回來的方法。」他停了一下，「也是她可以繼續活下去的唯一方法。」

艾德里安有時候總能給我帶來意外的「驚喜」，不過今天這次應該是正面意義上的眞正驚喜。

莉莎覺得去追殺迪米特里的行爲非常不明智，無異於去自殺。我知道如果我告訴雪梨這次旅行的眞正目的，她也會同意的。可是，艾德里安……這個愚蠢、膚淺的花花公子，怎麼會這麼明白我的感受呢？

我透過莉莎的眼睛，仔細地看著他，發現他是眞的明白。他很不喜歡這樣，我甚至能聽出他的話裡有心碎的聲音。他關心我，雖然我對別人濃烈的愛令他心痛，但是……他是眞的相信我在做的事情是對的，而且是我唯一能做的事。

莉莎抬頭看著錶。「我該走了，馬上就熄燈了。也許，我應該多少準備一下馬上要來臨的歷史考試。」

艾德里安笑著說：「念書多無聊，不如找個看上去很聰明的傢伙，抄他的就好。」

莉莎站起來，「你意思是我不夠聰明嗎？」

「當然不是。」他也站起來，打算去他經常把自己灌醉的酒吧喝一杯。自我麻醉是他用來抑制精神能力副作用的一種方法，如果他整晚都在使用精神能力，很可能需要用鉗子把自己夾到麻木。「妳是我見過最聰明的一個，不過這不代表妳需要去完成那些沒什麼用的功課。」

「如果不努力，這輩子都不會成功的。抄別人的答案，不能將知識變成你自己的。」

「隨妳便吧！」他又笑了笑，「反正我整個學生時期都是抄過來的，看我現在，不是也挺好的嗎？」

莉莎給了他一個白眼，和他淺淺地擁抱了一下，道了晚安，就離開了。一走出他的視線範圍，她臉上的笑容就不見了。事實上，她的情緒完全落入了黑暗的谷底。剛才關於我的對話，令她想起了所有不愉快的感覺。她很擔心我，非常擔心。她告訴過克里斯蒂安，她總是爲我們之間發生的事情感到很難過，但是我直到現在才深刻地瞭解到她到底難過到什麼地步。她總是有內疚感，同時又很迷惑，一直在責怪自己爲什麼不攔下我。總而言之，她很想念我，她和我一樣，有那種好像被切下身體某一部分的感覺。

艾德里安住在四樓，莉莎總喜歡從樓梯走下去，不太願意坐電梯。她現在滿腦子只有擔心的情緒，擔心她是不是能夠掌控住精神能力，擔心我，擔心她不能承受精神能力的副作用。她一度懷疑過是不是我替她吸收了那些負面能量，就像那個叫做安娜的守護者一樣。安娜是好幾百年以前，和聖人弗拉米爾有心電感應的守護者，我們學校就是以他的名字命名的。她吸收了他身上所有的負面能量，最後終於承受不住，瘋了。

走到二樓的時候，莉莎聽見有喊叫聲，雖然樓梯間和走道中間還隔了一扇門。雖然她知道這與她無關，可還是猶豫了一下，升起了強烈的好奇心。過了一會兒，她悄悄地推開門，走進走道。聲音是從角落裡傳來的，她小心地看過去——雖然她不必這麼做——馬上認出了這個聲音是誰。

愛瑞．樂澤站在走道裡，雙手扠腰瞪著自己的父親。他站的地方應該是自己的房門口，他們兩個正劍拔弩張地站著，彼此間瀰漫著火藥味。

「我要按自己的方式去做！」她大喊，「我又不是你的奴隸。」

「妳是我女兒，」他用冷靜但又高傲的聲音說，「雖然有時候，我真希望妳不是。」

喔喔。我和莉莎兩個人都愣了一下。

「那你幹嘛還讓我留在這個鬼地方？我要回皇庭去！」

「然後再繼續令我臉上蒙羞嗎？我們家族的人在外面時，通常都不會破壞家族的聲譽——尤其是那種非常嚴重的。妳想讓我送妳一個人回去，然後幹那些恬不知恥的事嗎？不可能！」

「那就把我送回媽媽那！瑞士也比這個鬼地方強很多。」

一陣沉默。「妳媽媽……很忙。」

「哦，好極了。」愛瑞說，語氣中帶著明顯的嘲諷，「這是表示她不想要我最婉轉的說法了。

不用驚訝，我只不過是打擾了她和她的那個床伴的幽會而已。」

「愛瑞！」樂澤先生提高了音調，非常生氣。莉莎打了個寒顫，往後退了一步。「今天就談到這裡。回妳自己的房間去，在有人撞見妳這副鬼樣子之前趕緊恢復清醒。我希望明天早餐的時候，能看到一個正常的妳，我們還有重要的客人要接待。」

「對，上帝才知道我們有多麼虛偽。」

「回房間去，」他重複了一遍，「在我喊西蒙過來把妳拖走之前。」

「遵命，先生。」她皮笑肉不笑地說，「馬上照辦，先生。謹遵您的吩咐，先生。」

聞言，他重重地關上了門。

莉莎一步一步地往後退，完全不敢相信他居然能對自己的女兒說出這種話來。過了一會兒，一切安靜下來。莉莎聽見有腳步聲向她這邊走來。愛瑞突然拐過來，站在莉莎面前，用她們初次見面時的表情看著她。

愛瑞穿著一件緊身的迷你裙，裙子的藍色和上面的銀線在燈光下一閃一閃，她的頭髮狂野地披散下來，眼淚啪嗒啪嗒地從藍色的眼睛裡掉下來，弄花了臉上的妝，身上還有一股濃濃的酒味。愛瑞猶豫了一下，伸手擦了擦眼睛，明顯覺得用這副樣子見人非常尷尬。

「呃，」她故作冷靜地說，「我想妳可能看到了我們家見不得人的一幕。」

莉莎偷聽被人逮了個正著，也覺得很尷尬。「對、對不起，我不是有意的，我只是路過……」

愛瑞生硬地笑了幾聲。「哦，沒關係。也許這棟大樓裡的每個人都聽見了。」

「我很抱歉。」莉莎又說了一遍。

「不用道歉，妳又沒做錯什麼。」

「不……我是說……他……對妳說了那麼過分的話。」

「這就是『幸福』家庭的其中一部分。所有人的衣櫃裡都有自己的祕密。」愛瑞抱著手臂靠在牆上。雖然她現在很生氣，臉上的妝也花了，可仍然很漂亮。「上帝啊，我有時候眞恨他。我無意冒犯，但是這個地方眞是他媽的無聊透頂了。本來今天晚上，我約了幾個二年級的學生出去，但是……他們也實在悶死人了，他們唯一感興趣的就是啤酒。」

「爲……爲什麼妳父親要帶妳一起來這裡？」莉莎問，「妳爲什麼不……我不知道該怎麼說，呃……不去上大學呢？」

愛瑞淒厲地放聲大笑。「他一點都不信任我。我們住在皇庭的時候，我和一個在那裡工作的可愛男生約了幾次會，當然，他不是皇室。父親害怕這件事被別人發現，所以當他接受了這份工作之後，就把我帶在身邊，以便監視我、折磨我。我猜他是怕我上大學之後，會跟某個人類私奔。」她嘆了一口氣，「我向上帝發誓，如果不是李德在這裡，我肯定找到機會就會逃跑，直到成功爲止。」

莉莎沉默不語了很長一段時間。她一直很小心地避免和愛瑞碰面，鑑於女王最近給莉莎下的一串指令，這似乎是莉莎唯一可以進行反抗的方式，不讓自己再任人隨便擺佈。但是現在，她正在反省自己是不是錯怪愛瑞了，愛瑞不太像是塔蒂安娜的眼線，也不像是要把莉莎改造成一個完美皇室的教師。從表面上來看，愛瑞更像是一個傷心難過的女生，因爲她的人生也一直在試圖擺脫別人的掌控。這個人和莉莎近期的情況一樣，總是被別人命令來、命令去的。

莉莎深吸了一口氣，將下面的話一古腦兒全都倒了出來：「明天妳願意和我跟克里斯蒂安一起吃午飯嗎？不會有人對這件事介意的。不過，嗯，我不能保證能如妳所願的不太無聊。」

愛瑞又揚起一抹微笑，但是這一次沒有那麼痛苦了。「哦，我本來還有一個計畫，是把自己關在房間裡喝個爛醉。」她從包包裡拿出一個應該是裝了威士忌的瓶子。「我找回了屬於自己的東西。」

莉莎不太明白這個回答是不是代表她同意了。「那麼……明天我們餐廳見？」

現在輪到愛瑞猶豫了。但是慢慢地，她的臉上露出一絲希望和感興趣的神情。莉莎集中注意力，像要看清楚她的靈光，一開始有點困難，可能是今天晚上和艾德里安的訓練透支了太多精力，但是最後她還是看到了愛瑞的靈光——好幾種顏色混在一起，有綠色，有藍色，有金色，並不特別。現在，她的靈光變成了紅色，一般人生氣的時候都會有這種靈光，但是這股紅色在莉莎眼前慢慢地褪去了。

「好吧。」愛瑞終於說道，「就這麼說定了。」

「今天我們可能只能開到這裡了。」

在另一世界裡，雪梨的聲音將我從莉莎的意識中拉了回來。我不知道自己這個白日夢作了多久，但是雪梨已經開下了高速公路，進了一個小村子，這和我想像中那個偏遠破敗的西伯利亞非常符合。事實上，說它是個「村子」，確實有點高抬了。這裡只有幾棟零星散佈的房子，一間商店和一間加油站，每棟房子之間都是一望無際的農場，農場上的馬比停著的汽車還要多，少數幾個人看見我們的車子，露出驚訝的表情。此時天空已經變成了濃豔的橘紅色，太陽正一點一點消失在地平線。雪梨說的對，現在已經臨近夜晚，我們不能再趕路了。

「我們只剩一、兩個小時的車程了，」她繼續說，「我們的時間抓得剛剛好，明天一早出發，用不了多久就能到了。」她將車子開到村子的另一邊——差不多，呃，只用了一分鐘——然後停在一棟白色房子前的空地上，房子旁邊有一個倉庫。「晚上我們住在這裡。」

我們兩個下了車，往房子走去。「這是妳朋友的房子嗎？」

「不是，我從來沒見過這家人，但是他們很願意見到我們。」

這讓我更加覺得煉金術士這個組織實在很神祕。

應聲來開門的是一個二十出頭的人類，她很熱情地招呼我們進屋。雖然她只會說幾句英語，但是有了雪梨在中間充當翻譯，我們還是相處愉快。自從我認識她以來，這是雪梨表現得最開朗活潑的時候，可能因為接待我們的主人不是可鄙的吸血族後代吧！

你肯定不覺得坐一天的汽車是件很累人的事，可我卻很累，而且還頗為焦慮，因為明天一大早就要出發。所以，在吃過晚飯之後，我們幾個湊在一起看了會電視，我和雪梨就回到了為我們準備的房間。這個房間四四方方的，面積不大，但是放了兩張床，每張床上都鋪了厚厚的長絨毯。我鑽進自己的被窩，對這股溫暖和舒適充滿感激，心裡想著我會不會在夢裡見到莉莎，但也有可能是艾德里安。

最後我沒有作夢，可是卻被一陣微微的反胃感折騰醒了——這代表附近有血族。

6

我翻個身，立刻坐了起來，身體裡的每一個細胞都醒了過來，充滿了警惕。窗戶外面沒有城市裡的霓虹燈燦燦發光，我等了一會兒才看清這個黑暗的房間。雪梨還蜷在她的床上睡著，臉上的表情非常平靜。

血族在哪兒？肯定不是在我們的房間。是在這棟房子裡嗎？每個人都說去迪米特里老家的路上非常危險，可我還是不太相信血族會追著莫里和拜爾，因爲人類也是他們美食清單上的一道大餐。想到這個家裡的兩夫婦人那麼好，那麼熱情招待我們，我就覺得胸口微微一緊。我絕對不能讓他們受到傷害。

我悄悄地下了地，緊緊抓住銀樁溜出房間，沒有叫醒雪梨。其他人都還睡著，我剛一踏進起居室，噁心的感覺便消失了。很好，血族不在屋子裡，這是個好消息。他就在門外，很顯然離我的房間比較近。我悄悄地穿過屋子，從前面出去，繞到屋角，和身邊的夜幕一樣靜悄悄。

我走到倉庫的時候，噁心的感覺變強了，禁不住有些自得。我會殺血族一個出其不意，他以爲自己可以藏在人類的小村子裡，好好地飽餐一頓。就在那裡，在倉庫門口附近，我看見一個高大的身影在動。抓到你了！我想。我舉起銀樁，向那個黑影撲過去——

在此同時，有什麼抓住了我的肩膀。

我摔倒在地，心下大駭，眼前出現了一張血族的臉。我用餘光瞥見穀倉門口的那個黑影越走越近，也將其血族的特徵看得更加清晰。我頓時慌了神，居然有兩個血族！我的祕密探測器分辨不出血族的人數，更慘的是，他們看著我流出了口水。

一個念頭瞬間閃過腦海：如果來的是迪米特里怎麼辦？

還好不是。至少我面前的這個不是，這是個女人。但是還沒有來得及看清第二個，他便從另一邊朝我奔過來，速度非常快。我必須解決掉眼前的麻煩，我的銀樁揮向女人，希望至少能刺傷她，但是她迅速地閃開了，我幾乎沒看清楚她的動作。她不經意地向我反撲過來，我反應的動作不夠快，直接被揍飛向另一個血族——是個男的，可不是迪米特里。

我迅速反應過來，盡量平衡身體一腳踢過去，並拿著銀樁擋在胸前，拉開我們兩個之間的距離，但是卻無法防備從後面衝上來的那個女血族，她猛地把我摟向她的懷裡。她箝住我的喉嚨，我只能發出悶哼，心想她下一步很可能是要擰斷我的脖子。這種技巧對血族來說，比拖著活獵物吸血要簡單、有效得多。

我掙扎著，微微地推開她的手，但是另一個血族向我們靠了過來。我知道掙扎已經是徒勞的了。他們打了我一個出其不意，沒想到他們有兩個人，還都這麼強大。

恐慌再次在我心中升起，已經壓倒了害怕和絕望。我每次和血族戰鬥的時候都會害怕，但是那種害怕總能讓我想到一擊制勝的突破口。這種恐慌是下意識的，完全不可控，我想這可能跟從莉莎身上吸收的負面情緒和能量有關，它在我體內爆開，我想在血族動手之前，我很可能就會被自己給嚇死了。我遇到前所未有的危險，處於眞正的生死關頭，而且雪梨和這家人都可能因此而喪命。這種想法帶來的憤怒和愁苦，令我透不過氣來。

突然之間，地球好像炸開了一樣，各種透明的幽靈，在黑暗中泛著微弱的光，從四面八方湧來。有的看起來和普通人一樣，有些長得很可怕，臉型瘦削，長得很像骷髏。是鬼，是幽靈。他們把我們包圍在中間，他們的出現令我毛髮直豎，頭骨裡那種鑽心的痛好像要把整顆頭撕裂開來。

幽靈們向我飄過來。我曾經經歷過這種情況，那是在飛機上，當時一大群鬼魅魍魎試圖把我捉走。我鼓起勇氣，竭盡全力地想要聚集起一股力量，來將自己的意識和那個幽靈的世界阻隔開來。這種技巧是我慢慢摸索出來的，原本我可以毫不費力地做到這一點，但是此刻的絕望和恐慌，令我失去了控制自己的能力。在這個血液幾乎要凝固的恐怖時刻，我有度曾自私地希望梅森沒有找到自己的平靜，仍然還留在這個世界上。有他在的話，我現在可能會感覺好一點。

但在這時，我發現他們的目標不是我。

幽靈們像一群暴徒，衝向兩名血族。幽靈們沒有眞實的形體，但是他們碰到的每個地方，或者穿過身體的時候，都有一種冰涼的感覺。女血族立刻揮舞著手臂，想要擺脫他們，她憤怒地咆哮著，但是聽起來更像是害怕。幽靈們好像沒有辦法眞正對血族造成傷害，但是他們的出現顯然令人十分惱怒，還害自己分心。

我刺中男性血族的時候，他甚至沒有發現我的接近。原本圍著他的幽靈，立刻轉身向女血族衝過去。既然她本領那麼高強，我當然要留著她好好享受一下現在的這種情況。只是，雖然她被眾多的幽靈困擾，卻依舊能夠非常漂亮地避開我的攻擊。

她歪打正著地一拳打中了我的臉，揍得我眼冒金星，飛向了倉庫的牆壁。因爲幽靈的關係，我的頭仍然很痛，即使撞在倉庫上也沒有變得好過一些。我頭暈目眩地掙扎著站起來，走到女血族身邊，繼續努力將我的銀樁刺向她的心臟。她總是能讓自己的胸部避開我的攻擊範圍——至少在那個特別可怕的幽靈抓住她，令她無法做出防備之前。她這一秒鐘的漏洞給了我機會，我的銀樁也刺中了她的心臟，她摔倒在地，眼前只剩下我和這些幽靈。

對於血族，幽靈們很顯然把他們當做攻擊的目標；可是對於我，他們的興趣好像和飛機上的那些差不多，幽靈們好像全都為我神魂顛倒，竭力地想要吸引我的注意。只是，周圍有這麼多幽靈圍繞，感覺起來也像是另外一種攻擊。

我被逼到絕路，再次試圖喚起腦中的那堵牆，希望能像上次那樣將它們阻隔在外。這種努力十分痛苦，感覺彷彿是我在情緒失控的時候，將那些幽靈召喚了出來，而當我現在冷靜下來，想要將它們轟走，卻沒有那麼容易。頭仍然嗡嗡作響，我咬緊牙關，努力將每一滴力量彙集在一起，嘗試將幽靈們阻擋在外。

「走開！」我嘶聲吶喊，「我不再需要你們了。」

有一度，我的努力看起來似乎沒有效果，但緊接著，它們便一個一個地、慢慢地開始消失。我覺得之前學會的、慢慢地將意識潛入一個地方的那種控制力又回來了。不久，整個農場裡只剩下我、黑暗、倉庫和——雪梨。

發現她的時候，我已經體力不支地癱倒在地上。她從屋子裡跑出來，身上穿著睡衣，臉色慘白。雪梨在我身邊單膝跪下，扶著我坐起來，臉上理所當然的是害怕的表情。「蘿絲！妳還好吧？」

我覺得身上、心裡的每一絲力量都流光了。我無法動彈，無法思考。

「不太好。」我對她說。

說完，我就昏了過去。

我又夢見了迪米特里，他的手臂摟著我，英俊的臉孔俯視著我，每當我生病的時候，他都是這樣照顧我的。過去的種種又湧了回來，我們兩個因爲某個好笑的笑話笑成一團。有時候，在這些夢裡，他會帶著我私奔；有時候，我們兩個共乘一車。偶爾，他的臉也會露出可怕的血族神情，爲此我飽受折磨。隨後，我很快地命令自己的意念，將這些不愉快的東西抹去。

有很多次，都是迪米特里在床邊照顧我，而每當我需要他的時候，他也都在。其實，這兩者可以歸類爲同一件事。我必須老實說，他和我一樣，似乎和醫院有著莫名的不解之緣。我是幸運的，可他受傷的時候，卻絕不肯承認。在我的夢境和幻想中，總會出現幾次可以輪到我去照顧他的情景。

就在學校遭受血族襲擊之前，迪米特里對我和我的實習生同學們進行了大規模的偷襲測驗，用來檢測我們在遭到突襲的時候反應如何。迪米特里非常厲害，幾乎沒有被打敗過，但是身上卻有很多擦傷。在測驗期間，我在體育館遇見過他一次，看見他臉上有一道劃傷，讓我非常驚訝。這幾乎是不可能的事情，但是他確實流了很多血。

「你知不知道自己會因爲失血過多死掉？」我喊道。這種說法雖然有些誇張，可也代表了某種事實。

他心不在焉地摸了摸臉，好像剛剛才發現自己受傷了。「我沒那麼容易死，這點傷不算什麼。」

「可萬一感染了，就會很嚴重啊！」

「妳知道沒那麼誇張。」他固執地說。

事實上也是如此。除了偶爾會患上罕見的疾病，比如維克多那樣，莫里一般幾乎不會生病。我們拜爾也繼承了這一點，就像雪梨的紋身也給了她相同的保護一樣。只不過，我不願意看見他繼續流血。

「跟我來。」我指著體育館裡那間小小的洗手間說。我的聲音很平靜，可是出乎我意料之外，他居然答應了。

我找來一塊毛巾，把它沾濕，輕輕地擦乾淨他的臉。迪米特里一開始還曾提出抗議，但是最後終於閉上了嘴。洗手間非常小，我們彼此之間只有幾英寸的距離，我能聞到他身上清爽、令人陶醉的味道，還能細細地看著他臉上的每一個細節和強壯的身體。我的心裡已經小鹿亂撞，可我們應該應該保持禮貌，不能僭越，所以我盡量表現得冷靜和收斂。他也繃著一張臉，可當我將他的頭髮撥到耳後，擦乾淨剩下的地方時，他顫抖了下身子。我的指尖碰到了他的皮膚，一股電流在身上竄過，他也感覺到了。迪米特里抓住我的手，將它推開。

「夠了，」他的聲音沙啞，「我沒事。」

「你確定?」我問道。他沒有放開我的手，我們離得這麼、這麼的近，小小的洗手間似乎已經做好了準備，等著我們之間的電流將它引爆。我明知這個姿勢不可能永遠保持下去，卻仍然痛恨他放開我的手這件事。上帝啊，有時候要保持理智眞的很困難。

「是的。」他說。他的聲音非常溫柔，我知道他不是在生我氣。他是害怕，害怕只要一點星星之火，就能徹底將我們壓抑的激情點燃。在他沉浸在自己的情緒裡的時候，我全身發燙，靜靜地感受著他手掌的溫度。能碰到他我已經覺得自己的人生完整了，就好像我一直羨慕的人生那樣。「謝謝妳，蘿莎。」

他放開我的手，我們離開體育館，各自繼續一天的事情。但是他皮膚和髮絲的觸感仍然在我的手中停留了好幾個小時……

我不知道爲什麼在倉庫被襲擊以後，我會夢到這些。夢見我去照顧迪米特里似乎變得很奇怪，因爲我才是需要照顧的那個人。但我猜，只要事情一牽扯到他，回憶起來的是什麼眞的不重要。迪米特里總能令我安心，甚至在夢裡，也能給予我力量讓我好起來。

但，當我躺在那裡胡言亂語，時而清醒時而昏迷的時候，他令人感到欣慰的臉有時也會出現可怕的紅眼圈和尖牙。我嗚咽著，用力將這種畫面逼出腦海。還有一些時候，他看起來完全不像是我認識的迪米特里。那個人的樣子變成了一個我不認識的男人，一個長著深色頭髮和狡猾眼睛的老年莫里，他的脖子上戴著金光閃閃的項鏈和耳環。我又開始大喊迪米特里的名字，慢慢地，他的臉又回來了，充滿安全感，令人迷戀。

不過，只有一瞬，他的樣子又變了，這回變成一個女人。很顯然，她不可能是迪米特里，但是她的棕色眼睛還是會令我想起他。她年紀比較長，大概四十歲左右，是名拜爾。她在我的額頭上放了一塊冰毛巾，我這才發現自己現在不是在作夢。我渾身都痛，躺在一張陌生的床上，處於一間陌生的房間裡。周圍沒有血族。難道那兩個也是我夢見的嗎？

「別動，」女人柔柔的嗓音帶著一絲俄國口音，「妳受了很嚴重的傷。」

我漸漸想起在倉庫發生的事情，張大了眼睛，還想起我召喚出的那些幽靈。那不是夢。「雪梨在哪兒？她還好嗎？」

「她很好，不用擔心。」女人的聲音裡有某種特質，讓我覺得她是可以相信的。

「這是哪裡？」

「拜亞。」

拜亞，拜亞。在腦海裡的最深處，這個名字聽起來似乎很熟悉。突然間，我想到了，在很久很久以前，迪米特里曾經說過這個名字。這個他出生的地方，他只提起過一次，可是後來不管我再怎麼努力，都沒能想起來。雪梨從來不告訴我我們要去的地方叫什麼名字，但是現在我們已經到了。迪米特里的家鄉。

「妳是誰?」我問。

「歐琳娜,」她說,「歐琳娜・貝里科夫。」

7

這像極了耶誕節的早上。

一般來說，我不是特別相信上帝或者命運這種事，不過現在，我真的開始認真考慮了。在我昏迷之後，雪梨肯定心慌意亂地打了好幾通電話，而一個她認識且住在拜亞的人，冒著走夜路的危險，開了車來載我們。她救了我們以後，將我們帶回到現在這個地方。毫無疑問地就是因爲這樣，我才會在迷迷糊糊的時候有一種在車內的感覺。看來，剛才也不完全是在作夢。

隨後，車子躲過了住在拜亞的所有拜爾族的目光，將我送到迪米特里的母親這兒。這種情況已經足以令我開始嚴肅地考慮，是不是冥冥之中，宇宙間確實有一隻力量在我之上的大手。沒有人詳細地告訴我這究竟是怎麼一回事，但是我馬上就意識到歐琳娜・貝里科夫擁有高超的醫術，而且她不是透過精神能力來治療的。她曾經學過醫，當拜爾受了傷又不願意驚動人類的時候，就會偷偷來找她，有時候就連莫里也會來求醫。可是這種莫名其妙的信任還是令人費解，我禁不住想，也許之後還會有我不明白的事情陸續發生。

至於現在，我對自己目前的處境以及要何去何從倒不怎麼擔心，光是忙著張大眼睛打量四周的環境和居民，就已經讓我忙不過來了。歐琳娜不是自己一個人住，和她同住的還有迪米特里的三個姊妹，以及她們的孩子。這一家人長得驚人的相似，雖然沒有人和迪米特里是一模一樣的，但是我從每張臉上都能找到迪米特里的影子。那眼睛、那笑容，甚至連那種幽默感都非常像。看見她們，我心裡那種自他失蹤之後所出現的空虛感，重新被塡滿了。可從另一方面來講，這又不算是什麼好事。不論我的末梢神經從哪個角度感知到她們，我都會誤以爲是迪米特里，就好像這座房子裡擺滿了鏡子，到處都能反射出他的身影。

就連這棟房子都讓我心跳加速。雖然這裡並沒有很明顯的迪米特里生活過的痕跡，可是我一直在想，這裡就是他長大的地方。他曾經走在這些地板上，摸過這些牆壁……我從一個房間走到另一個房間，心裡這樣想著，同時觸摸著那些牆面，想從上頭汲取他留下來的能量。我想像著他中午從學校回來，躺在沙發上午休時的樣子；想著他小時候會不會從樓梯的扶手上滑下來。那些畫面是如此生動、逼眞，讓我不得不一直提醒自己，他在可以做這些事情的那個歲數時，已經不住在這裡了。

「妳復原的速度眞是令人驚訝。」歐琳娜在我被送到這裡的第二天一早這樣說道。她看見我吃光了一盤布林尼餅，投來讚許的目光。布林尼餅是一種特薄的煎餅，上面塗了好幾層奶油和果醬。我向來都會吃很多東西，好讓我的身體保持在精力十足的狀態，而有鑑於我的嘴巴這麼久沒吞下過任何東西，吃光這麼一大盤食物也就沒必要感到罪惡了。「昨天，艾比和雪梨把妳送過來的時候，我以爲妳已經死了呢！」

「艾比是誰？」我在吃東西的中間騰出嘴巴的空檔問道。

雪梨坐在桌子旁，周圍是這家的其他人，她的食物一如既往沒什麼動過。雪梨明顯地因爲身處一個純拜爾家庭而感到不安，不過今早我第一次下樓的時候，確實從她眼中看見了放心。

「艾比．馬祖爾。」雪梨說。如果我沒有看錯的話，在座的其他人都交換了一個心照不宣的目光。「他是名莫里。我……我沒辦法確定昨晚妳的傷勢嚴重到什麼地步，所以打給他，他和他的守護者們一起開車過來，和其他人把妳帶到這裡。」

守護者，還是「們」。「他是皇室嗎？」馬祖爾並不是一個皇族的姓氏，但這不是評判一個人出身的唯一標誌。在我已經漸漸開始相信雪梨強大的社交能力，以及她與權貴們之間的關係之後，還是不能想像居然有一名皇室願意為我東奔西走。也許是他欠了煉金術士一個人情。

「不是。」雪梨訥訥地說。

我不由得皺起了眉頭，一個不是皇室的莫里居然有不只一名的守護者？怎麼可能！但很明顯，雪梨不想再透露更多的資訊——至少此刻不行。

我又咬了一大口布林尼餅，然後重新將注意力放在歐琳娜身上。「謝謝妳救了我。」

迪米特里的姊姊卡洛琳娜也在座，同座的還有她處於襁褓中的女兒和兒子保羅。保羅差不多十歲，似乎對我很著迷。迪米特里其中一個妹妹維多利亞也在，她的年紀比我要稍微小一點。貝里科夫姊妹中的老三叫索婭，在我醒來之前就去上班了。要見到她，還要再等等。

「妳真的一個人就殺死了兩名血族？」保羅問我。

「保羅，」卡洛琳娜阻止他，「這個問題很不禮貌。」

「但很有意思。」維多利亞微笑著說。她的棕髮微微泛著金光，而那深棕色的眼睛發出的光芒，像極了迪米特里每回興高采烈時會有的眼神，那讓我覺得好似有兩把利刃插入了心臟。再一次，我又產生了那種迪米特里魂在人不在的可笑錯覺。

「是真的，」雪梨說，「我親眼見過屍體，而且是經常見到。」

見她臉上露出非常滑稽的痛苦神情，我大笑了起來。「至少這次我把它們留在妳能找到的地方了。」突然間，我的幽默感弱了下去。「有沒有……被別的人類發現？或者走漏了風聲之類的？」

「我趕在被人發現之前就處理完了。」雪梨說，「要是有人類聽見什麼動靜的話……嗯，反正這種偏僻的地方總會有很多迷信的傳說和鬼故事。他們沒有切實的證據來證明吸血鬼的存在，也沒有吸血鬼標本，不過，從某種意義上來說，人們倒是相信空曠的野外會有超自然的事物和危險存在就是了。人類的所知非常有限，幾乎是零。」

她在說到「鬼故事」的時候情緒沒有任何波動，我忍不住揣測道，昨晚她有可能看見了那些幽靈，但是最後仍然判定她什麼都不知道。她昨天晚上出來的時候，戰鬥已經接近尾聲，如果那些證據什麼都證明不了，那也不會有人看見我見到的幽靈——當然，血族除外。

「那妳一定是身手不凡的人。」卡洛琳娜說著，將小女嬰往上抱了一些，讓她靠在自己的肩膀上。「可是妳看起來好像還在念書的樣子。」

「剛畢業。」我這麼答道，結果換來雪梨又一個意味深長的白眼。

「妳一個美國人，」歐琳娜用就事論事的口氣說，「究竟是爲了什麼跑到這種冰天雪地的地方來？」

「我……我來找人。」猶豫了一會兒之後，我勉強擠出答案。

我很怕她們會糾結在更多的細節上，或者懷疑我也是吸血妓女之類的人。不過，就在這時，廚房的門開了，迪米特里的祖母伊娃走了進來，她梳著古老的髮式，氣勢非常嚇人。迪米特里曾經對我說過，她學過巫術之類的，現在我相信了。她看上去就像活了好幾百年，瘦得不成樣子，可能被風一吹就倒了；身高站直了的話大概有五英尺，頭髮全都向後梳，編成一小股一小股的辮子。最嚇人的是她的眼睛。她身上的其他部分都顯得很虛弱，但惟獨這雙深棕色的眼睛，目光銳利、充滿警惕，似乎可以將人的靈魂洞穿。就算沒有迪米特里的話在前，我也會把她認作是一個女巫。而且，她還是這間屋子裡唯一一個不會講英語的人。

伊娃在桌旁的一張空椅子上坐下來，歐琳娜馬上跳起來，取了點布林尼餅過來。伊娃喃喃地用俄語說了幾句，只見旁人的臉色立刻變得非常難看。雪梨只能勉強擠出一絲微笑。伊娃在對旁人說話的時候，眼睛卻盯著我，我四處尋看，希望有人能爲我翻譯一下。

「怎麼了？」我問。

「祖母說，妳並沒有完全說實話。她還說，妳在這裡逗留的時間越長，情況可能越糟。」維多利亞爲我翻譯道，然後充滿歉意地看了雪梨一眼。「而且，她還想知道這個煉金術士什麼時候可以離開。」

「當然是越快越好。」雪梨澀澀地說。

「呃，至於我來這裡的原因……那可就說來話長了。」我還能說得再曖昧一點嗎？

伊娃又說了幾句，歐琳娜回了幾句嘴，似乎非常不滿。她轉過身，只簡短地說：「別理她，蘿絲，她又在鬧脾氣了。妳來這裡的原因是妳自己的隱私——雖然我肯定艾比也想找妳問個明白。」她輕蹙眉頭，我想起了之前她的表情。「妳應該去向他道謝，他好像非常關心妳呢！」

「正好我也想去見見他。」我小聲說，但是心裡仍然不解，爲什麼一個護衛森嚴的非皇室莫里願意來救我？而且這舉動似乎令其他人感到非常不安。不過，比起和她們繼續探究我來這裡的目的，我還是寧願換個話題。「而且，我也想好好參觀一下拜亞，我從來沒有來過這種地方呢！我是說，有大量拜爾聚居的地方。」

維多利亞眼睛一亮。「我可以替妳當嚮導，如果妳的身體確實無恙，又不急著馬上離開的話。」

她認爲我只是路過，這樣也好。老實說，我也不知道自己下一步要怎麼做了，從現在的情況來看，迪米特里似乎不在這裡。我瞥了一眼雪梨，詢問她的意見。

她聳了聳肩膀。「隨妳便，我哪都不去。」

我聽了微微有些尷尬。她之所以肯爲我領路，是因爲她的上司下了命令。可是現在呢？好吧，這點可以先放下，以後再說。

我吃完了自己盤子裡的食物，維多利亞就馬上把我拉了出去，好像我的出現成了這裡最能令人興奮的事情。伊娃的目光從來沒有離開過我，雖然她沒再說別的，可是那種懷疑的目光很明顯地在告訴我，她對我說的話一個字都不信。我邀請雪梨和我們一起出去，可她拒絕了，似乎寧可把自己鎖在房間裡，看一本有關希臘神殿的書，或者是做一些打長途電話之類她自己感興趣的事。

維多利亞告訴我，這裡離城中心並不遠，走一會兒就到了。天氣晴朗而涼爽，但充裕的日光令人待在戶外仍然能保持心情愉快。

「這個村子裡不常有客人來，」她解釋說，「莫里男人除外，不過他們待的時間也不長。」

她沒有再多說什麼，但我對她的言外之意很是好奇。這個村子裡，也會有莫里族男人來尋花問柳嗎？我一直以為這些自願放棄成為守護者的拜爾族吸血妓女，都是那種風塵味十足、骯髒不堪的人，而且在奈廷格爾看見的那幾個，也非常符合對吸血妓女的刻板印象。可是迪米特里也信誓旦旦地對我保證過，並非所有的拜爾族女性都是那樣，而在見過了貝里科夫家的成員之後，我相信他說的話。

我們到了城中心之後，很快就發現了神祕傳說拼圖的另一塊。人們總說吸血妓女是居住在一個營地或者某一個集中區域裡，但是這裡的情況並非如此。拜亞並不大，不要說聖彼德堡，連歐姆斯克都比不上，但卻是一個人口眾多、貨真價實的小鎮，幾乎看不見那種鄉間的營地或者農場。整個鎮子的建築出奇地普通，我們走到這裡的中心區，街道的兩邊是一排小商店和餐廳，和其他人類所居住生活的地方並沒有什麼不同。既時尚又平凡，就是一個小村莊的感覺。

「拜爾都去哪裡了？」我大聲地問著。雪梨說過，這裡有一個祕密的拜亞文化圈，可我完全看不出這種跡象。

維多利亞微微一笑。「哦，在那邊。我們有很多自己的生意，還有很多人類根本不知道的聚會地方。」拜爾族在大城市裡不願意引人注目，那麼在這裡當然也不會例外。「許多拜爾是和人類一起居住、一起生活的。」她向一旁的一間藥局點了點頭，「索婭就在那裡工作。」

「現在嗎？」

「她懷了身孕，」維多利亞翻了個白眼，「我帶妳去找她，不過她最近脾氣一直不太好，我希望小寶寶能早點生下來。」

她說到這裡便不再開口，我再次思考起拜爾和莫里在這個地方的關係。我們沒有就這個話題繼續下去，只不痛不癢地閒聊，有時還會彼此揶揄兩句。維多利亞很好相處，短短的一個小時裡，我們熟絡得就好像認識了一輩子一樣。也許我和迪米特里之間的默契，也轉移到了他的家人身上。

我的思緒被一個喊著維多利亞名字的人所打斷。我們轉身，看見一個很可愛的拜爾男生從馬路對面走過來。他有一頭棕色的頭髮、深棕色的眼睛，年齡大概介於我和維多利亞之間。

他和維多利亞寒暄了一會兒。維多利亞微笑地看著他，然後指著我，用俄語介紹了一下我，又改用英文對我說：「這是尼可拉。」

「很高興認識妳。」他也改用英語說道，同時用男生們慣有的那種神情打量了一下我。不過在他轉向維多利亞的時候，很明顯地表示出誰才是他的菜。「妳應該帶著蘿絲一起去瑪琳娜的派對，週日晚上。」他猶豫了一下，變得有點害羞。「妳會去的，對吧？」

維多利亞變得有些猶豫，我知道她對他的心意一定是心知肚明的。「我會去，但是……」她看向我，「妳會留到那個時候嗎？」

「我也不知道，」我老實說，「如果我還在的話，一定會去。那是什麼樣的派對？」

「瑪琳娜是我學校的好朋友，」維多利亞解釋道，「我們想要聚一下，在回去之前慶祝一下。」

「慶祝回學校去嗎?」我傻傻地問。不知怎麼,我從來沒有想過拜爾離開這裡,是因爲要去上學。

「我們現在正好放假,」尼可拉說,「復活節就要到了。」

「哦,對。」現在是四月底,但是我不知道今年的復活節到底是哪一天,我已經沒有了日期的概念。既然派對還沒開始,就說明他們的學校起碼提前了一個星期放假。聖弗拉米爾學院通常是在復活節過完之後再放假。「你們的學校在什麼地方?」

「離這裡大概三個小時的路程,比這裡還要偏僻。」維多利亞扮了個鬼臉。

「拜亞沒有那麼糟吧?」尼可拉揶揄道。

「你說得倒容易,你肯定會慢慢離開這裡,然後去一個全新的、熱鬧的地方開闊眼界。」

「妳不能離開這裡嗎?」我問她。

維多利亞皺起眉頭,好像很難過的樣子。「呃,能倒是能……但是這裡的人通常不會離開,至少我家的人不會。祖母有……很強的男尊女卑觀念。尼可拉可以成爲一名守護者,可我必須在這裡和家人待在一起。」

尼可拉突然間對我有了新的認識。「妳是守護者嗎?」

「啊,對。」現在輪到我難過了。

維多利亞搶在我之前開口說道:「她在鎭子外面殺死了兩名血族,自己一個人。」

尼可拉非常意外。「妳眞的是守護者。」

「哦,也不是……我曾經是,但是現在其實已經不是了。」我轉過身,撩起頭髮露出脖子上的紋身給他們看。除了那些普通的閃電紋身之外,我還有一顆小星星形狀的紋身,代表我參加過一場大規模戰役。他們兩個人看了都倒吸一口冷氣，尼可拉用俄語說了些什麼。我放下頭髮，重新看向他們。「怎麼了？」

「妳……」維多利亞咬著下嘴唇，欲言又止地眨著眼睛。「沒有獲得認證？我不知道用英語應該怎麼說。」

「認證？」我說，「我能猜出來……不過從專業上來講，難道這裡的女生全都經過認證了嗎？」

「雖然我們以後不會成爲守護者，但是仍然有紋身標記，證明我們是接受過完整訓練的，不過不是認證的紋身就是了。但是，身爲一個殺死過這麼多血族的人，妳卻沒有表示效忠於學校或者是守護者組織的記號……」維多利亞聳了聳肩膀，「我們管這種情況叫『無認證』，這種事很奇怪耶！」

「在我們那裡，這麼做也顯得很奇怪啊！」我實話實說。眞的，這種事根本是聞所未聞的。反正到目前爲止，我們沒有做過這種事，不過不知道以後會不會有。

「我該走了。」尼可拉說，他充滿愛意的眼睛重新看向維多利亞。「我肯定能在瑪琳娜家裡見到妳吧？也許更快？」

「當然。」維多利亞同意地點了點頭。他們用俄語道了再見，尼可拉又大步地穿過馬路，他的動作輕鬆隨意、如運動員般優雅，一般受過訓練的守護者都有這樣的姿態。這又令我多少想起了迪米特里。

「他肯定被我嚇到了。」我說。

「不不，他認爲妳很出色。」

「但肯定比不上妳出色。」

她挑起了眉毛。「什麼？」

「他喜歡妳……我是說，眞心的那種喜歡。妳看不出來嗎？」

「哦，我們只是好朋友。」

從她的語氣裡，我能聽出來她當眞是這麼想的。她對尼可拉完全沒有意思，這眞是太糟糕了。他很可愛，人也很好。算了，別再想可憐的尼可拉了，於是我又將話題轉移到守護者身上。我已經被這裡和美國截然不同的態度搞暈了。「妳剛才說妳不能離開……可是妳是想成爲守護者的，對吧？」

維多利亞有些猶豫。「我從來沒有認眞地考慮過這個問題。在學校裡，我也接受同樣的訓練，而且我很希望可以有保護自己的能力。但是我寧願用這種技能來保護自己的家人，而不是去保護莫里。我知道這聽起來……」她停下來，想著應該怎麼說，「有一點性別歧視的嫌疑？但是男人就應該成爲守護者，而女人就應該待在家裡。我們家只有哥哥離開了。」

我差點被自己絆了一跤。「妳哥哥？」我問道，盡量讓自己的聲音聽起來很冷靜。

「迪米特里，」她說，「他歲數比我大，成爲守護者已經有一陣子了。不過，他去了美國，我們已經有很長時間沒有見到他了。」

「喔。」我感覺很糟，又有些內疚。內疚是因爲我一直瞞著，沒有將眞相告訴維多利亞和其他人；而感覺很糟是因爲，很明顯沒人打算多事地來這裡向他的家人報告這個壞消息。

她臉上仍然掛著陷入回憶的微笑，沒有發現我情緒的波動。

「保羅和他小時候幾乎長得一模一樣。我應該給妳看看他小時候的照片，也有幾張最近的。迪米特里長得非常帥，我是說，因爲他是我哥哥。」

我十分確定，如果我看了迪米特里小時候的樣子，心一定會碎掉。因爲，我聽維多利亞說得越多，便覺得越加虛弱。她根本不知道事情的經過，而且離上次見到他也已經過了幾年了，很明顯她和其他的家人都瘋狂地愛著他。我其實不應該感到驚訝（說眞的，有誰會不愛迪米特里呢？），和他們在一起，哪怕才只有短短的一個上午，我就已經感覺到了他們之間的關係有多麼親密。從迪米特里講述給我聽的事情來看，他也瘋狂地愛著自己的家人。

「蘿絲？妳沒事吧？」維多利亞關心地看著我，可能因爲我至少有十分鐘沒有說過一句話了。

我們繞了一圈，現在差不多已經快走回到她家了。我看著她，看著她開朗、友善的臉孔和眼睛，它們和迪米特里的是多麼相似啊！我意識到，在我去追殺迪米特里、找到他在哪裡之前，還有另外一道難關要過。我艱難地吞嚥了一下。

「我……還好。我……我有話，想要對妳們所有人說。」

「好吧。」她說，聲音裡仍然充滿擔心。

回到家裡，歐琳娜正和卡洛琳娜一起在廚房裡忙碌。我猜她們在討論晚餐的菜單，同時驚訝地想到我們才剛剛吃完一頓非常豐盛的早餐。不過，我絕對會非常適應她們的飲食習慣。起居室裡，保羅正全神貫注地用樂高玩具搭建出一個複雜的跑馬場。伊娃坐在搖椅裡，如同世界上最典型的祖母一樣，手裡織著一雙襪子。只不過，大部分的祖母沒有那種隨便看一眼就能殺死人的眼神。

歐琳娜正用俄語和卡洛琳娜說著話，見到我以後，她馬上改用英語。「妳們回來得比我想的要早。」

「我們去鎮上看了看，」維多利亞說，「而且……蘿絲有話和妳說。和我們所有人。」

歐琳娜迷惑不解地看著我，臉上充滿了和維多利亞一樣的關切之情。「怎麼了？」

貝里科夫一家人的目光落在我身上，好似有千斤重，壓得我的心臟幾乎快要從胸膛裡跳出來。我怎麼忍心告訴他們呢？我怎麼向他們解釋那些好幾個星期以來，自己都不敢說出口的事情呢？我不能接受讓他們面對如此殘酷的事情，也包括我自己。當伊娃也走進來之後，我的壓力更大了。也許她已經有了某種神祕的預感，知道有大事要發生了。

「我們最好先坐下來。」我說。

保羅還留在起居室，這讓我鬆了一口氣。我很確定自己面對一個小孩子，尤其是一個長得很像迪米特里的小孩子天眞爛漫的目光時，是無法順利把事情說出口的。

「蘿絲，究竟出了什麼事？」歐琳娜問。她的聲音非常甜美，而且還……很有母愛，我差點忍不住要哭出來。不管我有多麼地氣自己的母親，怪她沒有在我身邊，怪她沒能盡到母親的職責，我仍然常常幻想她表現出正常的母親應該有的樣子。我突然意識到，迪米特里的母親就是我想像中母親應該有的樣子。

迪米特里的妹妹們看起來也很擔心，好像我是她們認識很久的一個親人。這種認同感和關心，令我的眼圈更紅了，她們認識我的時間只有一個上午啊！

只有伊娃的表情非常奇怪，好像她等這一刻已經等很久了。

「嗯……我想說的是，我來這裡的目的，來拜亞的目的，是爲了找到你們。」

這麼說並不完全正確，我來是爲了找迪米特里。我從來沒想過要找他的家人，但是現在，我明白這是我遇到的最好的事情了。

「稍早之前，維多利亞和我提過關於迪米特里的事情。」歐琳娜聽見我提到她兒子的名字，眼睛一亮。「而我……曾經認識……不，我認識他。他曾經是我們學校的守護者，事實上，也是我的導師。」

卡洛琳娜和維多利亞聽了眼神也都亮起來。「他怎麼樣？」卡洛琳娜問，「我們已經有好幾年沒有見過他了。妳知道他什麼時候要回家嗎？」

我無法回答她的問題，只好在喪失掉面對這些可愛臉龐的勇氣之前，自顧自地繼續說下去。當這些話說出口時，我感覺就像是在聽另外一個人講述，而自己只是站得遠遠地、冷靜地看著這一切——「一個月以前……我們的學校被血族襲擊了，是非常大規模的襲擊……有一群血族衝進來，我們失去了很多人，有莫里也有拜爾。」

歐琳娜用俄語喊出聲。

維多利亞湊過來說：「妳是說對聖弗拉米爾學院的那次襲擊？」

我暫停住，有些驚訝。「妳聽說過？」

「所有人都聽說過，」卡洛琳娜說，「這件事大家都知道了。所以，那是妳的學校？當天晚上，妳就在那裡？」

我點點頭。

「怪不得妳有那麼多閃電紋身。」維多利亞發出一種「原來如此」的嘆息。

「現在迪米特里也在那裡嗎？」歐琳娜問道，「他執行最後一次任務時，我們就失去他的消息了。」

「呃，對……」我的舌頭變得非常沉重，根本無法呼吸。「襲擊發生的那天晚上，我就在學院裡，迪米特里也在。他是那場戰役的統帥之一……而且他的表現……他……非常英勇……還有……」

我說不下去了，但是話說到這個地步，她們已經聽明白了。

歐琳娜倒吸一口氣，又冒出一串俄語。我只能聽懂有一個詞是「上帝」的意思。卡洛琳娜坐著一動不動，只有維多利亞又向我靠近了點，那雙傳達出她對哥哥無比愛意的眼睛就那麼牢牢地盯著我，好像是迪米特里在用那雙眼睛盯著我，迫使我將事情的真相全部講出來，不管那有多麼殘酷。

「發生了什麼事？」維多利亞問道，「迪米特里怎麼了？」

我轉過頭，避開她們的目光，看著起居室的方向。在那裡的牆上，我看見了一個書架，上面擺滿了有著皮質封面的舊書，書籍上有著燙金的大字。雖然書排列得亂七八糟，但我突然想起迪米特里曾經提到過幾本。

「那些書都是我媽媽收藏的、非常古老的探險小說，」他曾經這麼對我說過，「那些書的封面都非常漂亮，每一本我都愛。如果我很乖，媽媽有時會同意我拿一本來看。」

想到小小的迪米特里坐在那個書架前，小心地翻閱著那些藏書——哦，他是那麼的小心——我幾乎要忘記自己本來要說的話了。他就是在那裡愛上西部小說的嗎？

我已經忘了要說的話，思緒完全跑到別的地方。我無法把本來要對她們說的話繼續說下去，我的情感變得澎湃洶湧，回憶如潮水一般沖上來，我拒絕再去想任何事，尤其是和那場可怕的戰鬥有關的事。

我又看了伊娃一眼，她那種古怪、無法言喻的了然表情又將我拉了回來。我必須往下講。

我轉頭看回其他人。「在那場戰役中，他表現得真的十分英勇。那晚之後，他又幫忙領導一隊人去執行救援任務，將被血族抓走的人救回來。那時，他的表現也很搶眼，只不過……他……」

我再次說不下去，眼淚已經順著臉頰流下來。我在心裡重新上演了山洞中那恐怖的一幕，迪米特里離自由是那麼的接近，卻在最後一刻被血族抓走。我甩甩頭，不再去想，重新做了個深呼吸。我必須把話說完，這是我欠他一家人的。

但是，我卻找不到一種委婉的說法。「其中一個血族……呃，他比迪米特里還要強大。」

卡洛琳娜將臉埋在她母親的肩頭，歐琳娜努力不讓淚水流下來。

維多利亞沒有哭，表情平靜得可怕，她努力控制住自己的情緒，就像迪米特里一樣。她伸手來摸我的臉，想確認這一切是不是都是眞的。

「迪米特里死了。」她說。這是一個陳述句，而不是一個問題，可她仍然看著我，等著我的確認。

我不知道自己是不是應該繼續說下去，給她們提示，告訴她們這並非故事的結尾？也許她只是需要我肯定她的說法而已。我也確實考慮了一會兒，是不是就這樣讓她們以爲迪米特里已經死了？如果換做是學院派來的人，或者是守護者組織派來的人，肯定會這麼對她們說。這樣她們會比較好接受一點……可是，不知怎麼，我無法忍受自己對她們說謊，哪怕是要確定一個謊言。迪米特里肯定希望聽到所有的實話，他的家人必定也是如此。

「沒有，」我說，覺得心猛地一蹦，好像要跳到每個人面前——至少在我能重新開口講話之前。「迪米特里變成了血族。」

8

迪米特里的家人聽到這個消息，反應各不相同。有的在哭，有的目瞪口呆，還有的人——主要是是伊娃和維多利亞——只是默默地聽著，努力不透露出自己的眞情實感，一如迪米特里曾經表現出來的模樣。這和眼淚一樣，是我不想見到的，因爲這又令我懷念起迪米特里。有別於她們，懷了孕的索婭的反應最爲合理，她是在我已經將這個消息公佈出來之後才回來的。她抽泣著跑回自己房間，不願出來。

不過，這種情況並沒有持續很長時間。伊娃和歐琳娜很快採取了行動，她們用流利的俄語交談著，很明顯是在討論某種計畫。她們一個一個給親朋好友打電話，還派了維多利亞四處去通知。我似乎是多餘的人，所以只好在房子裡閒晃，努力不讓自己妨礙她們。

突然間，我發現自己正站在剛才看見的書架前，手輕撫著那些有著皮質封面的舊書。書上的燙金字是用西瑞爾字母拼寫而成的，但是無所謂。我摸著這些書，想像著迪米特里將它們捧在手裡、認眞閱讀的樣子，這令我覺得和他更加貼近了。

「想找本簡單點的看一下嗎？」雪梨走過來站在我身後。雖然剛才她不在場，仍然得知了這一切。

「最簡單的就行，因爲我幾乎完全看不懂。」我回應她道。我指了指正忙碌著的其他人。「她們在做什麼？」

「籌備迪米特里的葬禮。」雪梨解釋說，「或者說……嗯，他的追思會。」

我皺起眉頭。「可是他沒有死——」

「噓——」雪梨用很嚴厲的手勢打斷我，小心謹慎地看了看周圍忙碌的眾人。「別這麼說。」

「可這是事實。」我低聲地吼了回去。

她搖了搖頭。「對她們來說，不是。只要出了這裡……出了她們居住的村子……就只有兩種情況。要嘛活著，要嘛死掉，她們是不會承認他變成了……它們中的一員的。」雪梨控制不住聲音中的反感。「不管從哪個角度看，也不管出於什麼目的，迪米特里對她們來說就等於是死了。她們悼念過他之後，便會繼續自己的生活，妳也應該做到。」

我無法責怪她這種冷漠的態度，因爲我知道她不是故意的，這只是她處理這種事情的方法。問題是，這種生與死之間的灰色狀態，對於我來說是眞實存在的。我不可能擺脫它，繼續自己的新生活。現在還不行。

「蘿絲……」雪梨在沉默了一會兒之後，突然開口。她不敢看我的眼睛。「我很抱歉。」

「妳是說，迪米特里的事？」

「嗯……我也不知道。我和你們的關係眞的沒有那麼親近，我是說，我和你們這樣的人在一起，不可能裝得好像過得很愉快的樣子。但是，你們這些人卻還是……呃，當然，稱你們爲人也不太對。不過……你們應該還是有感情的，懂得愛，也懂得傷心和難過。在我們前往這裡的途中，妳一直獨自對抗著這麼可怕的事情，可我卻沒能安慰妳，讓妳變得好過一點。所以，我是爲這件事感到很抱歉，我很抱歉把妳想得那麼壞。」

一開始，我以爲她講的是認爲我是個魔鬼這件事，後來我才聽明白她的意思。她一開始堅信我只是來這裡當一個吸血妓女，現在又認爲我來這裡，只是要將這個噩耗告訴迪米特里的家人。我不打算費力去更正她的想法。

「謝謝，不知者不罪。老實說，如果我是妳……可能也會這麼做吧！」

「不，」她說，「妳不會的，妳對人一直都很好。」

我對她的說法表示懷疑。「妳最近還有過和別人一起旅行的經驗嗎？在我們那裡，關於我的評價裡可不包括『一直對人很友善』這一條。我也有自己的底線，而且清楚自己的底線在哪裡。」

她笑了起來。「對，妳是這樣沒錯。但是哪怕非常勉強，妳也會選擇對的事來做。告訴貝里科夫一家眞相……嗯，確實需要很大的勇氣。而且不管妳說什麼，總能顯得彬彬有禮，令聽妳說話的人非常舒服。多數時候是這樣。」

我感到有些驚訝，我表現出來的是這種模樣嗎？我一直以爲自己是樂於扣動扳機、傷害別人的惡女。我努力回想這些天和她在一起時的表現，自認對她的態度很冷淡，但是比起我們遇見的其他人，我猜這種態度已經顯得很友好了。

「好吧，謝謝妳。」除此以外，我不知道還能說什麼。

「妳見過艾比了嗎？在妳去城裡散步的時候？」

「沒有。」說完，我才意識到自己已經把這個神祕的救命恩人完全忘掉了。「我應該去拜訪他嗎？」

「我以爲他會去找妳呢！」

「他是什麼人？爲什麼妳告訴他我受傷以後，他同意來接我們？」

雪梨猶豫了一下，而我則想著，自己可能要再接受好一會這種煉金術士式的沉默。她沉默夠了之後，不安地四處張望了下，壓低了嗓音說：「艾比不是皇室，但卻是一個十分重要的人。他也不是俄國人，但是常常待在這裡，一般來說都是因爲公事。我猜他是黑白兩道通吃的那種人，他的朋友全都是身分顯赫的莫里，剩下的一半時間，他似乎也掌管煉金術士的事情。我知道他負責製造我們身上的紋身……但這只是他事業版圖的一小部分。我們在背後，都偷偷叫他……茲米。」

「茲什麼？」我聽不清她說的最後這個字，聽起來好像是「茲美」。我肯定，自己從來沒有聽過這個字。

雪梨看著困惑不解的我，微微一笑。「茲米是俄語，意思是蛇，但並沒有特指某種蛇。」她瞇起眼睛，想著要怎麼才能解釋明白。「這是一個神話傳說中常見的字，有時是英雄人物必須打敗的大蛇，也有少數傳說，稱身上流著蛇的血液的巫師叫做茲米。妳知道伊甸園傳說裡的那條蛇嗎？引誘夏娃變得墮落的那條？那條蛇也被稱為茲米。」

我打了個寒顫。好吧，這聽起來是很嚇人，但是有些事就能說通了。據稱，煉金術士對領袖和權威人士必須絕對服從，而艾比很明顯在煉金術士中有很大的影響力。「艾比也是派妳和我一起來拜亞的人嗎？也是妳身為一個煉金術士，卻要來這種地方的唯一理由吧？」

雪梨再次沉默了許久，然後才點了點頭。「對……那晚我在聖彼德堡接了一通電話，接到了要找到妳的任務。艾比還透過煉金術士協會，命令我和妳待在一起，直到他在這裡接見我們。很明顯，他是在別人的授意下，刻意地在找妳。」

我覺得不寒而慄。我的擔心得到了證實，確實有人在找我。會是誰呢？如果是莉莎派了人類來找我，我潛進她意識裡的時候應該能夠感應到。這個人也不會是艾德里安，從他拚命想要問出我現在身處的地點來看，不會是他，而且，他似乎也默認了我不會告訴他這個事實。

那麼還有什麼人會想要找到我呢？他的目的又是什麼呢？這個叫艾比的傢伙聽起來是身分很顯赫的人，雖然這個人和黑道有牽連，但是也可能和女王以及其他位高權重的人往來密切。他是奉命要找到我，然後把我帶回去嗎？還是說，很可能他是奉命來確保我從此不會再回去？考慮到女王對我的敵意，這也不是沒有可能。我的下場是被暗地處死嗎？毫無疑問地，雪梨對他有種奇異的敬畏感。

「我能不能不要見他？」我問。

「我覺得他不會害妳。我是說，如果他想害妳的話，早就可以下手了。不過小心總是沒錯的。他可以同時應付許多事情，而且也掌握了許多可以要脅煉金術士協會的祕密。」

「所以，妳也不信任他嘍？」

雪梨勉強擠出一絲笑容，轉身走開。「妳忘了，你們吸血鬼我一個都不信。」

當她離開之後，我決定到外面去走走，躲開屋子裡悲傷、忙碌的氣氛。我坐在後院門廊的台階上，看著保羅在院中玩耍。他正在爲一群玩具士兵搭建軍事堡壘。雖然能夠感應到全家人的悲傷，但是身爲一個只和伯父見過幾面的孩子來說，他的死很難引起他情感的共鳴。這個噩耗對他的意義，遠不如對我們這些人。

既然我今天注定要無所事事，不如再迅速地去探望一下莉莎的情況。將我自己的事先放在一邊不提的話，我多少有些擔心她和愛瑞・樂澤——

莉莎雖然是出於好意邀請愛瑞共進午餐，心底卻仍然有顧慮。但現在，她終於放下心來，因爲愛瑞融入大家的速度令人吃驚，艾德里安和克里斯蒂安都爲她的魅力所折服。而且不得不承認，雖然艾德里安會被任何漂亮女生所打動，但是連克里斯蒂安這種硬漢，在她面前似乎也融化了，這很可能是因爲愛瑞一直在拿艾德里安開玩笑。不管是誰，只要那人熱愛開艾德里安的玩笑，克里斯蒂安都會在自己的「受歡迎名單」上，替他打上很高的分數。

「那麼，解釋一下這點，」愛瑞用叉子捲起麵條，「你就只是……該怎麼說？整天無所事事地在校園裡閒逛？你不打算重新念一次高中嗎？」

「沒什麼好重念的，」艾德里安傲慢地說，「我在高中的時候一直是大哥級的，被人崇拜，有人侍奉，雖然這本來就是理所當然的事。」

聞言，坐在他身邊的克里斯蒂安差一點被噎死。

「所以……你是想找回自己往日的輝煌嘍？這麼說，你自畢業後就每況愈下了，嗯？」

「才不是，」艾德里安說，「我就像一瓶好酒，越陳越香。最好的時候還沒到呢！」

「聽起來你好像很快就會過氣的感覺。」愛瑞說，很明顯不爽艾德里安那個酒的比喻。「我覺得在這裡無聊透頂，無聊得甚至願意花時間去幫我爸爸的忙。」

「艾德里安白天的時候通常都在睡覺，」莉莎盡可能保持鎮定地說，「所以他不用擔心沒事可做。」

「嘿，我還撥了一部分寶貴的時間，幫妳研究神祕的精神能力呢！」艾德里安提醒她道。

愛瑞往前湊了湊，美麗的臉孔從上到下都寫滿了好奇。「所以說，這是眞的嘍？我聽過很多有關精神能力的傳說……比如說妳能治好別人？」

莉莎想了一會兒才作出回答。她永遠都無法習慣把自己的能力公之於眾。「還有很多其他的部分，我們還在研究中。」

艾德里安對這個話題的興趣顯然要濃烈得多，也許是爲了給愛瑞留下深刻的印象，所以他很快地將所有的精神能力可以做到的事都細數了一遍，比如靈光和催眠術什麼的。「除此以外，」他補充道，「我還能進入到別人的夢裡。」

克里斯蒂安舉起一隻手。「夠了，我有預感，接下來你就會吹噓有多少個女人曾經夢見過你。我還在吃東西，你懂的。」

「我可沒打算這麼說。」艾德里安反駁道，但是他的樣子看起來，似乎很懊惱自己沒有先想到這句玩笑話。

我禁不住有一點得意。艾德里安在公開場所一直都是輕浮浪蕩的形象，只有在我的夢裡，他才會表現出嚴肅和關心別人的一面。他這個人實際上比別人印象中想的要複雜許多。

愛瑞看著地板。「老天，我一直以爲會用氣元素的人就已經很酷了，看來我錯了。」一陣微風忽然吹起她的頭髮，令她看起來似乎在擺姿勢，等著拍泳裝照，而她隨後朝這群人燦然一笑，這一笑就足以謀殺掉所有攝影師的底片了。

午休結束的鐘聲響起，所有人都站了起來。克里斯蒂安想起他把作業忘在了上堂課的教室裡，急忙跑去取。當然，他在臨走前，一定要和莉莎吻別才甘休。

艾德里安幾乎也在同一時刻開溜了。「如果上課時，被老師發現我在這裡，他肯定會給我臉色看。」說完，他朝著莉莎和愛瑞微微一鞠躬，「女士們，我們明天這個時候再見。」

愛瑞無需在意老師的想法，所以她陪莉莎一起向下堂課的教室走去。愛瑞若有所思地說：「所以……妳是認眞在和克里斯蒂安交往的，是嗎？」

一直都是。關於克利斯蒂和莉莎之間的關係，如果她有我透過心電感應見到的一半多的話，就知道這個問題是白問的。

莉莎大笑起來。「當然，有什麼不對嗎？」

愛瑞有些遲疑，這更加激發了莉莎的好奇心。「嗯……我聽說妳和艾德里安是一對。」

莉莎差點頓住了腳步。「妳是從哪裡聽來的？」

「在皇庭。女王提過她知道你們在一起時有多麼高興，還說你們兩個的感情怎麼那麼好。」

莉莎呻吟一聲。「那是因爲不管我什麼時候去皇庭，她都會同時邀請艾德里安前來，然後努力把我們湊成對。我沒得選擇……好吧，我是說，別誤會，我不介意和他一起相處，但是我們經常一起出現的原因，基本上是因爲塔蒂安娜。」

「不過，她似乎很喜歡妳。她經常把妳掛在嘴邊，說妳多麼有潛力，她多麼以妳爲傲。」

「我想她只是以能控制我爲傲。去皇庭拜見她是很痛苦的事，她要嘛就完全無視我現在正與克里斯蒂安交往的事實，要嘛就抓住一切機會羞辱他。」

塔蒂安娜女王和所有人一樣，永遠都不會忘記克里斯蒂安的父母自願變成血族這件事。

「對不起，」愛瑞的表情看上去非常誠懇，「我不是有意提起這麼不愉快的話題的。我只是想知道艾德里安是不是單身，僅此而已。」

莉莎生氣不是因爲愛瑞。她的怒火針對的是女王，以及在人前裝模作樣，並且只有在得到女王的首肯後，才能下去舞池跳舞這件事。莫里的世界從最起先開始，就是受國王或者女王統治的，莉莎認爲是時候改變這一點了。莫里需要一個人人平等的全新制度，再也沒有皇室和平民的分別，甚至連拜爾也一樣。

她越想越覺得火大，惱怒和憤恨從心中升起，這種情況似乎比較常出現在我身上。有一度，這股怒氣令她抓狂到想要尖叫，想要直接走到塔蒂安娜面前，告訴她約定作廢，不管哪所大學都不值得她放棄自己的尊嚴。也許她還可以大膽地當面告訴塔蒂安娜，現在該是發起變革的時候了，是時候推翻莫里這種落後的——

莉莎眨了眨眼，驚訝地發現自己居然微微哆嗦起來。這種想法是從哪裡來的？生氣塔蒂安娜做的事是一回事，但是這種念頭……自從她學習使用精神能力以來，還是頭一遭情緒如此失控。莉莎深吸一口氣，嘗試著用自己學會的技巧冷靜下來，這樣愛瑞才不會發覺她剛剛差點失態。

「我只是不喜歡被人議論，就這樣而已。」莉莎最後說道。

愛瑞似乎沒有發覺莉莎差一點暴走。「嗯，如果妳聽了能感到好受一點的話，那我會告訴妳，並不是所有人都這麼看你們。我認識一個女孩……好像是叫米婭？對，就是米婭。她不是皇室。」愛瑞這種高高在上的語氣，表明她看待「普通」莫里的態度和其他的皇室一樣。「她經常嘲笑妳和艾德里安是一對這件事，覺得這很荒唐。」

莉莎聽了幾乎笑出來。米婭曾經是莉莎的情敵，是一個非常自我中心的小鬼。但是在血族殺了她的媽媽之後，米婭爲了報仇，改變了自己的態度，開始和我及莉莎站在同一陣線上。她和她的爸爸一起住在皇庭，自己祕密進行訓練，以便有朝一日能夠和血族面對面地戰鬥。

「哦，」愛瑞突然說，「西蒙來了。我該走了。」

莉莎向大廳的那一邊看去，發現了愛瑞那個嚴厲的守護者。西蒙雖然沒有愛瑞的哥哥李德那麼討厭，但是仍然和莉莎第一次見到他時那樣，顯得嚴肅和古板。不過愛瑞和他相處得似乎還不錯。

「好吧，」莉莎說，「一會兒見。」

「沒問題。」愛瑞說完，轉身就走。

「哦，愛瑞，等一下。」

愛瑞回頭看著莉莎。「怎麼了？」

「艾德里安還是單身。」

愛瑞只回了她一個微笑，然後向西蒙走去。

我收回思緒，回到拜亞的貝里科夫家，這時追思會已經準備得差不多了。鄰里街坊、親朋好友，差不多所有的拜爾族都慢慢到了，有很多人是帶著食物來的。這是我第一次參加拜爾族的聚會，並沒有雪梨描述得那麼神祕，廚房變成了宴會廳，料理台和所有的桌子上都鋪上了餐巾。有的食物我認識，多數都是些甜點，比如餅乾，以及一些上面堆了各種硬果、撒了糖霜、剛出爐的酥皮點心。有些菜式我則前所未見，也不太有嘗試的意願，特別是那道用碗盛裝著的黏糊糊的捲心菜，光看就覺得倒胃口。

在開動之前，所有人都走到屋子外面，在後院裡圍成一個半圓。這是這個家裡唯一一個可以容納這麼多人的地方。這時，走出來一個牧師，人類的牧師。這令我有點驚訝，不過後來才想到，既然拜爾是生活在人類社會中，平時去的肯定也是人類的教堂。在大部分人類眼中，拜爾和自己並沒有什麼區別，所以這個牧師肯定只會認爲自己主持的只是一個普通的家庭葬禮。居住在這個小鎮上、屈指可數的幾個莫里也出席了，如果他們不露出尖牙，和人類的區別並不大，只不過膚色蒼白一點。人類並不常見到超自然的事物，所以也很少往這方面想，哪怕這些超自然的事物就在他們面前。

所有人都很安靜。現在是日落時分，西邊的天空出現了橘色的晚霞，黑夜即將籠罩我們所有人。牧師用俄語唸了追悼詞，吟誦讚美詩的聲音迴盪在逐漸暗下來的院子裡，聽起來有種神祕感。我參加過的所有宗教活動都是說英語的，但現在正在進行的這個儀式，和那些給人的卻是同一種感覺。每隔一段時間，所有人就會在自己胸前劃一個十字。我聽不懂牧師的提示，只好在一旁靜靜地觀看，等著他們的動作，讓牧師悲痛的聲音滲入到我的靈魂。我對迪米特里的感情在心中湧動，就像是逐漸壯大的暴風雨，我努力將它們壓下去，鎖進心底。

儀式終於結束了，剛剛籠罩了所有人的那種壓抑感逐漸消散，人群又開始攢動，他們擁抱貝里科夫家的每個人，然後去和牧師握手。牧師又逗留了一會兒，就離開了。

現在，可以進食了。每個人的盤子裡已經擺滿了食物，且都找了個地方坐好，不管是在屋子裡還是在院子裡。這些客人裡沒有一個人認識我，而迪米特里的家人正忙得不可開交，力圖使每位客人都有賓至如歸的感覺，根本顧不上我。雪梨大部分時候都和我在一起，不時和我閒聊，有了她的陪伴，我覺得好過了許多。我們坐在起居室的地板上，靠在書架旁的牆上。她一如既往地挑揀著盤子裡的食物，令我不禁莞爾，內心因爲這個熟悉的舉動而逐漸平緩下來。

晚餐結束之後，人們三三兩兩地聚在一起閒聊著。我一句都聽不懂，但是能不停地聽見人們提起一個名字：迪米特里。迪米特里。這令我想起那些不請自來的幽靈，每次出現時都會發出的令人不舒服的嘶嘶聲。這些聲音逐漸形成一股壓力，迫使那個名字印在我的心上。迪米特里。迪米特里。過了一會兒，這種壓力已經變得令人難以忍受。這時，雪梨已經走遠了一些，所以我只好獨自到外頭去呼吸一下新鮮空氣。有人在後院升起篝火，人們圍坐在篝火旁，仍然在談論著迪米特里，我只好掉頭往前方走去。

我信步來到大街上，打算在附近走一走。這裡的夜晚溫暖而清冽，月亮和星星都在頭頂漆黑的夜幕上閃閃發亮。我的心裡有百般滋味，而此刻我遠離了眾人，終於可以允許那被封鎖住的情感外露一些，讓淚水靜靜地順著臉頰恣意流淌。我走過幾棟房子，在一個石墩上坐下來，放鬆下來，享受著周圍的寧靜。但是，這種內心的平靜非常短暫，因爲我敏感的聽覺捕捉到有聲音從貝里科夫家的方向傳來，緊跟著出現三條人影。其中一個又高又瘦，是名莫里，剩下兩名是拜爾。我靜靜地看著他們走過來，停在我身前。沒有多餘的客套，我靜靜地坐在原地，抬頭盯上一雙屬於莫里的黑色眼睛。雖然我不認識葬禮上的那群人，卻認出這個從別處走來的莫里。我略帶譏諷地微微一笑。

「如果我沒猜錯的話，你就是艾比．馬祖爾。」

9

「我以為你只是個夢。」我說。

他們站著沒有動，那兩名拜爾站在他兩側，擺出一副防備的架式。艾比就是我在穀倉戰鬥完畢後，昏迷時見到的那張陌生臉孔的主人。他的歲數比我要大，和歐琳娜差不多，頭髮是黑色的，留著山羊鬍，膚色是在莫里中從未出現過的淺褐色。如果你曾經見過一個擁有古銅色皮膚的瘦子，他因生了病而變得面無血色的話，他就是這副模樣。他的皮膚上有著斑點，淺色的皮膚襯托得那些斑點異常的刺眼。最令人感到訝異的是他的衣著。他穿了一件長長的黑色刷毛大衣，活像隻滑稽的猴子，脖子上圍了一條深紅色的羊毛圍巾，圍巾底下隱約露出金項鏈，和他耳朵上戴的一隻金耳環相呼應。

我的第一反應是，這麼誇張的穿著，他一定是當過海盜或者是幫人拉皮條的。後來我改變了看法，他身上的某種特質告訴我，他是可以為了達到目的而不擇手段的那種人。

「夢，是嗎?」眼前這個莫里說道，嘴角掛著一絲非常淺的微笑。「這種評價我倒是不常聽見。好吧，其實是從來沒有聽過。」他想了想，繼續說：「雖然我確實偶爾會出現在人們的惡夢中。」他不是美國人，也不是俄國人，聽不出他的口音是哪裡的。

他是打算為了讓我印象深刻，還是只是想用惡貫滿盈的名聲嚇唬我一下呢?雪梨並不怕他，這是可以肯定的，可也不是完全的沒有防備。

「嗯，我想你已經知道我是誰了，」我說，「所以，現在的問題是，你來這裡做什麼？」

「不，」他的笑容更明顯了些，「現在的問題應該是，妳來這裡做什麼？」

我指了指身後的房子，試圖擺出一副酷酷的樣子。「來參加葬禮。」

「這不是妳來俄國的原因。」

「我來俄國是爲了告訴貝里科夫一家迪米特里的死訊，因爲似乎沒人打算來知會他們一下。」

這已經變成了我來這裡最好的解釋，可是艾比卻細細地打量著我，一股寒意因而從我後背升起，這感覺就像伊娃看我時那樣。和那個奇怪的老婦人一樣，他也不相信，我從他身上那種特有的氣質裡再次嗅出了危險的氣味。

艾比搖了搖頭，沒了之前的笑意。「也不是因爲這個。妳騙不了我的，小女生。」

我覺得自己的火氣被點燃起來。「你最好也不要惹我，老男人。除非你準備一五一十地告訴我，爲什麼你和你的貼身保鏢甘願冒著危險，開車上路來接雪梨和我。」

艾比的兩個守護者聽到「老男人」這個詞，身子一僵，但出乎我意料的是，艾比的微笑卻回來了——雖然他的眼裡並沒有笑意。

「也許我只是出於好心。」

「我聽說的可不是這樣。是你讓煉金術士協會派雪梨帶我來這裡的。」

「哦？」他揚起了一條眉毛。「是她告訴妳的嗎？嗯……對她來說這可不是件好事。她的上級肯定不喜歡她這麼做，一點都不喜歡。」

哦，該死，我又不動腦子就開口了。我不能給雪梨惹麻煩，如果艾比眞的是類似於莫里中的教父那一種人——她是怎麼叫他的？茲米？毒蛇？——我毫不懷疑他會將這件事告訴煉金術士協會，然後讓雪梨的生活變得更加悲慘。

「是我強迫她說的，」我撒了謊，「我……我在火車上威脅她，這很容易辦到，她一開始就怕我會殺了她。」

「我相信她很害怕，他們怕所有的吸血鬼，這是延續了幾百年的傳統，是除了保護他們的紋身之外，另一個隱藏在保護他們的十字架之後的另一個禮物。從許多方面來說，他們和你們拜爾是一樣的，都沒有繁衍後代的能力。」他講話的時候，抬頭望著天上的星星，好像一個想要探索宇宙祕密的哲學家。

可不知怎麼的，這話卻令我非常生氣。他講話的態度好像這是個笑話，很明顯不把我放在眼裡。我不喜歡成爲別人的棋子，特別是在我根本不知道他打算怎麼下這盤棋的情況下。

「對，對，我相信我們討論煉金術士和你怎麼控制他們這種事，可以討論整整一夜。」我打斷他，「可我仍然很好奇你想要我怎麼做。」

「沒想過。」他簡短扼要地說。

「沒想過？你花了這麼大力氣把我和雪梨湊在一起，然後跟著我來到這裡，卻什麼都不要我做？」

他收回看著天空的目光，眼睛裡閃動著危險的光芒。「我對妳不感興趣，而且我也有自己的事要忙。我來是因爲奉了那個對妳感興趣的人的命令。」

我愣住了。終於，眞正的恐懼從心底升起來。該死，眞的有人在找我。可會是誰呢？莉莎？艾德里安？塔蒂安娜？一想到塔蒂安娜，我再次緊張起來。其他人要找我，是出於對我的關心，可是塔蒂安娜的話……她害怕我會和艾德里安一起私奔？那個她想把我找出來，是爲了確保我不會活著回去的念頭又冒了出來。艾比令我相信，他絕對是可以令人輕易從世界上消失的那種人。

「那麼那個人想要什麼？他們希望我回去嗎？」我盡量不露出膽怯的樣子，「你以爲你眞的有本事把我抓回美國去嗎?」

那種神祕的微笑又回來了。「妳眞的認爲我能把妳抓回去嗎?」

「好吧,」我乾咳了兩下,拒絕多想,「你不能,可你身後的那兩個傢伙可以。呃,不過,也有可能……也有可能是我把他們撂倒。」

艾比第一次哈哈大笑出聲,那渾厚低沉的聲音透露出發自內心的笑意。「妳那魯莽的名聲眞是名不虛傳,眞討人喜歡。」很好,艾比可能從某處得到了我完整的個人資料,說不定他還知道我早餐喜歡吃什麼。「我和妳做個交易吧!妳告訴我妳爲什麼要來這裡,我告訴妳我爲什麼來這裡。」

「我已經告訴你了。」

那笑聲戛然而止,他向我往前逼近了一步,我發現他的守護者已經做好了準備。「我也說過不要騙我。妳來這裡肯定有不可告人的目的,我必須弄清楚。」

「蘿絲?妳能過來一下嗎?」這時,維多利亞清亮的聲音從後方貝里科夫家的屋子裡飄過夜空傳了過來。

我回過頭,看見她正站在門口。突然間,我非常希望能離艾比遠遠的。一股潛藏的暴戾從他那華麗、如神一般的外表下浮上來,讓我一點都不想在他身旁多做停留。我起身,準備朝房子的方向走回去,此時我寧願他身後的守護者過來把我綁走,也不願再聽他多說一個字。

那兩個人還站在原地沒動,但是眼睛一直密切地注視著我。艾比那慣有的淡淡微笑又重新掛上他的嘴角。

「抱歉,我不能留在這裡陪你聊天了。」我說。

「沒關係,」他大方地說,「我們可以再找時間。」

「不可能。」我回答。

他聽了哈哈大笑，我匆匆隨著維多利亞走回房子裡，直到關上門才覺得有安全感。

「我不喜歡那個人。」

「艾比？」維多利亞問。「我以爲他是妳的朋友呢！」

「絕對不可能，他其實比較像是強盜，對不對？」

「也許喔！」她說，似乎這沒什麼大不了，「可妳此刻會在這裡全是因爲他。」

「對，我知道是他救了我們。」

維多利亞搖了搖頭。「不，我指的『這裡』，是指『我們家』。我想很有可能是妳在車上的時候，一直在喊『貝里科夫，貝里科夫』，艾比以爲妳認識我們，所以才把妳送到我們家的。」

這太令人意外了。我確實夢見過迪米特里，所以當然喊過他的名字。但是我不知道自己是怎麼被送到這裡來的，我以爲這是因爲歐琳娜的醫術遠近聞名。

這時維多利亞又說了一件更加驚人的事情。「可是後來他馬上發現我們不認識妳，他本來要將妳送往別處，可是祖母說我們必須留下妳。我猜她可能作了妳會來找我們之類的夢。」

「什麼？」那個恨我的古怪瘋伊娃？「伊娃夢見過我？」

維多利亞點點頭。「這是她的天賦。妳確定妳不認識艾比嗎？如果沒有特別的原因，他這種大人物是不會來我們這種偏僻的小地方的。」

在我來得及回答前，歐琳娜匆匆走到我們這邊，她一把握住我的手臂。「我們正在找妳。怎麼這麼久？」後面這個問題是問維多利亞的。

「艾比他——」

歐琳娜搖了搖頭。「別管這個了。來，大家都在等妳。」

「做什麼？」我任由她拉著我的手臂穿過房子，來到後院。

「我應該告訴妳的，」維多利亞匆匆跟了上來，「這個時間，大家會一同坐下來，然後懷念迪米特里的事蹟。」

「大家都許久沒有見過他了，我們不知道他最近都做了些什麼。」歐琳娜說。

「所以需要妳來告訴大家。」

我退縮了一下。我？我肯定做不到，尤其是在我走到後院，看見營火旁圍坐的那些人的面孔之後。我一個人都不認識，而且我要怎麼提起迪米特里呢？我怎麼能將自己藏在心底最深處的事情挖出來呢？我眼前的所有人都變得模糊一片，我想我可能要昏過去了。

不過這一刻，沒有人注意到我的異狀。卡洛琳娜正在講話，她懷中抱著自己的小女兒，每次她停頓下來時，都會爆發出一陣笑聲。維多利亞坐在鋪著毯子的地上，把我拉到她身邊，也坐了下來。不久後，雪梨也坐了過來。

「她在說什麼？」我悄悄地問。

維多利亞聽著她姊姊講了一會兒，然後湊過來對我說：「她正在講迪米特里小時候的事，他當時很小，總是求她和她的朋友帶他一起玩。那個時候他只有六歲吧！他們差不多八歲，都不願意讓他跟著。」維多利亞停了下來，繼續聽後面的故事。「終於，卡洛琳娜告訴他，如果他同意和他們的布娃娃結婚，就可以和他們一起玩。所以卡洛琳娜和她的朋友們把他打扮好，然後把布娃娃一個接一個地拿過來，舉行了好多場婚禮，迪米特里至少結了十次婚。」

我禁不住也笑了出來，腦子裡想像著那個畫面：性感的迪米特里允許他的大姊幫他化妝打扮。他在和這些布娃娃舉行婚禮的時候，也許也是嚴肅認真、一本正經的樣子，就像他當守護者的時候一樣。

輪到其他人講了，我藉著翻譯津津有味地往下聽。所有的故事都在說，迪米特里是多麼善良、多麼堅強，就連不用和不死的血族戰鬥的時候，迪米特里也一直熱心地對需要幫助的人施以援手。幾乎每個人都能回憶起迪米特里挺身而出、幫助他人的事，他總是按照自己的想法去做認爲是對的事，甚至在極端危險的情況下也無懼。這對我來說一點都不意外，迪米特里做的經常都是對的。

就是這種特質才會令我如此瘋狂地愛上他，因爲我自己也有同樣的性格。我非常熱衷去幫助那些需要我的人，哪怕有時候已經超出了我的能力範圍。其他人都認爲我是個瘋子，只有迪米特里懂我。他一直都懂，甚至我們的訓練課程中還包括怎麼抑制這種衝動，能夠在冷靜之後，再理智地親臨險境。我有一種感覺，世界上絕對不會有另外一個人像他這樣懂我。

我完全沒有意識到，如泉湧般的淚水正順著我的臉頰流下來，直到最後我發現所有人都看著我。起初，我以爲他們只是好奇我怎麼會哭成這樣，後來我才意識到是有人問了我一個問題。

「他們希望妳講一講迪米特里最後那一段生活。」維多利亞說，「替我們講一講吧！比如他都做了什麼、喜歡什麼。」

我用袖子抹去臉上的淚水，往遠處看去，緊緊盯著跳動的篝火。過去，我在大庭廣眾之下講話的時候，臉都不會紅，但是這次不一樣。「我……我沒有辦法。」我對維多利亞說，聲音緊張而微弱。「我沒有辦法講他的事。」

她握了握我的手。「拜託，他們需要瞭解，他們需要聽一聽。隨便什麼事都可以，比如他喜歡什麼？」

「他……他是妳的哥哥，妳應該知道的。」

「是的，」她輕輕地說，「可我們想聽聽看，從妳的角度是怎麼想的。」

我仍然看著篝火，看著火焰的跳躍，看著火焰從橘色變成藍色。「他……他是我見過最好的人。」我停下來，以平復心情，而維多利亞就藉機將我的話翻譯成俄語。「他也是最出色的守護者之一。我是說，他比其他優秀的守護者都要年輕，但是每個人都認識他，聽說過他的大名，還有很多人總是依賴他的意見。他們稱他為『戰神』，不管哪裡有戰鬥……或者是危險……他總是第一個衝上去的，他從來都不會害怕。兩個月以前，我們的學院被襲擊的時候……」

我哽咽了一下。貝里科夫家的所有人都說他們知道那次襲擊，他們說這已經是人盡皆知的事了，而從坐在這裡的這些人的表情來看，是真的。我沒必要對那晚的事多做贅述，也無需描繪我見到的事情有多麼恐怖。

「那天晚上，」我繼續說下去，「迪米特里衝出去，迎戰血族。發現有血族襲擊的時候，我們兩個人在一起，我想留下來幫他，可他不同意，他只是吩咐我趕緊跑，跑去通知其他人，而他自己卻留在了後面。我不知道在我離開的時候，他要面對多少血族，也不知道他最後幹掉了多少，反正是一大群。他憑藉一己之力，就做到了這一切。」

我小心地抬起頭看著周圍的人。每個人都靜靜地坐著，我想他們可能連呼吸都忘了。「情況很危險，」我繼續說，意識到自己的聲音已經接近於呢喃，不得不提高了一些音量。「真的太危險了。我不想丟下他一個人，可我知道我必須這麼做。他教會了我很多，其中最重要的一件事，就是我們必須要保護其他人。我的職責就是去警告別人，雖然我很想留下來幫他。在我奔跑的時候，腦子裡總有一個聲音在說『回去，回去，去幫他』，可我知道我不能這麼做——因為我很清楚他這麼做，也有一部分原因是為了保護我。如果我們兩個的角色換過來……呃，我也會讓他先逃跑的。」

我嘆了一口氣，驚訝地發現自己講了太多藏在心底的祕密。我集中注意力，繼續講下去：「後來就算其他的守護者都趕過來支援，迪米特里也沒有退縮。他打敗的血族數量是最多的。」我和克里斯蒂安一起殺死的數量也和他差不多而已。「他……他真是太棒了。」

後來，我把我對貝里科夫一家講過的事情，又講了一遍，只是這一次我強迫自己講了更多的細節，生動地描述了他當時有多麼英勇。我講的時候，內心又再一次被這些話所刺痛，不過……能把這些事情講出來，也令我終於鬆了一口氣。那晚的回憶我一直深深地藏在心底，但是漸漸地，我不得不講到那個山洞，還有……還有最糟的那件事——

「我們將逃跑的血族堵在了一個山洞裡，那個山洞有兩個入口，我們分別從兩邊同時衝進去，但是還留了人在外面看著。可是山洞裡的血族數量比我們預想的要多，我們失去了很多人……但是如果沒有迪米特里的話，犧牲的人可能更多。他直到最後都不肯離開，一定要看見每個人都安全撤離。他才不在乎自己頂著危險，只知道他必須要救出其他人……」

當時，我見到他的眼神裡閃著這種決心。最後，我們終於決定一出山洞就馬上撤退，但是我有預感他一定會留下來，殺死所有能找到的血族。不過他還是服從了命令，在其他人都安全以後，也開始撤退。在那最後一刻到來之前，在那個血族跳出來咬他之前，迪米特里曾經深情地和我對視了一眼，當時整個山洞裡好像都散發出光芒。他的表情訴說著我們之前討論過的事情：我們可以在一起的，蘿絲。很快。我們馬上就可以了，不會再有別的事情將我們分開……

不過，我沒有提起這些。當我講完了整個故事，所有人的表情都變得堅毅而冷靜，但是又流露出敬畏和尊重。在這群人的後方，我看見艾比和他的兩個守護者也在聽，他的表親很複雜，冷酷，但是既不憤怒也不害怕。幾個小杯子開始在眾人手裡傳遞，有人也遞給了我一個。一個我不認識的拜爾，坐在這個葬禮中爲數不多的幾個人類裡頭，站起來高高地舉起了手中的杯子。他慷慨激昂、充滿敬意地講了許久，我聽見迪米特里的名字出現了許多遍。當他終於講完之後，將杯中物一飲而盡，其他人也跟著乾了杯裡的東西，我也照做了。

我差點沒被嗆死！

這水火辣辣的，我必須用盡身體裡的每一絲力量，才能勉強將它吞下，防止自己把它噴出去。

「這……這是什麼？」我一邊問一邊咳嗽。

維多利亞微微一笑。「伏特加。」

我看了一眼杯子。「不，肯定不是。我喝過伏特加。」

「但沒喝過俄國的伏特加。」

很顯然我沒有。我強迫自己將剩下的酒喝光，以此表達對迪米特里的敬意，雖然我覺得如果他在這裡的話，一定會不贊成地搖頭。

我本以為講過故事之後我的任務就完成了，但明顯不是這樣。所有人都不停地問我問題，他們想對迪米特里瞭解得更多一點，多知道一些他近期的生活。他們也想知道我和迪米特里是不是一對。似乎所有人都發現了我和迪米特里墜入了愛河，而且都覺得這沒什麼。我被問到我們是怎麼樣相識的、在一起多久了……

從始至終，人們都在不停地為我重新斟滿酒杯。我為了不讓自己再表現得傻乎乎的，一直不停地喝，直到我最後終於可以一口氣喝光而不會咳嗽，也不會往外噴為止。我喝的越多，聲音就越大，故事講得就越生動。我的肋骨開始有刺痛感，我隱約知道這可能不是什麼好兆頭。好吧，我很清楚地知道。

終於，人們都走光了。我不知道現在是幾點，應該已經午夜了，也許還要更晚。我站在原地，發現自己有些力不從心，想做的事情都做不了，整個世界在旋轉，我的胃開始不高興了。有人抓住我的手臂，架起我。

「放鬆，」雪梨說，「別推我。」她慢慢地、小心地扶著我向房子走去。

「上帝啊，」我喃喃地說，「他們是用這玩意兒當火箭燃料嗎？」

「沒人要妳一直喝個不停。」

「嘿，不要唸我啦。再說，我也不想失禮。」

「好吧。」她說。

我們走進屋，開始進行「上樓回到歐琳娜幫我們安排好的房間」這個不可能的任務。每一步都很痛苦。

「他們都知道我和迪米特里的事了，」我說，不知道自己是不是能清晰地把話說出來，「可我從來沒有告訴過他們我們在一起。」

「沒那個必要，已經都寫在妳的臉上了。」

「他們的反應好像我是他的遺孀什麼的。」

「有可能就是。」我們回到房間，她幫我坐在床上。「這裡眞正結了婚的人並不多，如果妳和某個人相處久了，人們會視同你們已經結婚了。」

我嘆了口氣，焦距模糊地看著前方。「我非常想他。」

「我很遺憾。」她說。

「情況會好轉嗎？」

這個問題似乎令她非常意外。「我……我不知道。」

「妳曾經愛過什麼人嗎？」

她搖了搖頭。「沒有。」

我不知道這是她的幸運抑或是不幸，也不知道生日時和迪米特里共度的那一整天，是不是可以彌補我現在的痛。過了一會兒，我終於想明白，「當然値得。」

「什麼？」雪梨問道。

我這才發現自己居然說出了聲。「沒事，自言自語罷了。我應該睡覺了。」

「妳還需要什麼嗎？妳不會難受嗎？」

我評估了一下自己仍感到不舒服的胃。「不用了，謝謝妳。」

「好吧。」她又用那種典型的粗魯口氣回答我，然後轉身離開，替我關了燈，又關好門。

我以爲自己可能馬上會睡死過去，老實講，我是這麼希望的。我的心今晚敞開了太多，想了太多關於迪米特里的事，我希望那些痛可以平復。我想要躲進黑暗裡，忘掉這一切。可是，也許是對我吃得太多的懲罰，我的心決定就這樣保持不動，任由傷口血淋淋地敞開著。

我因而前去看望了莉莎。

10

中午的時候，每個人都和愛瑞相處愉快，所以晚上大家又湊在一起，共度了很長一段時間。第二天，第一節英語課的時候，莉莎坐在教室裡，回味著這一切。昨天晚上大家玩得很晚，在宵禁時間過了後還在外面。回憶起這一切，莉莎的臉上現出了一絲微笑，雖然她止不住地打了個哈欠。我禁不住升起了一絲嫉妒。我知道愛瑞是莉莎開心的原因，這讓我有了小小的危機感。不過……愛瑞這個新朋友的出現，也令我對離開莉莎的內疚感稍微減輕了一些。

莉莎又打了個哈欠，輕微的睡眠不足令她難以將注意力集中在眼前的課本上。愛瑞似乎有取之不盡、喝之不完的酒，艾德里安樂在其中，但是莉莎卻有所顧忌。她已經很久沒有參加過聚會了，不過昨晚她終於投降，多喝了幾杯，甚至超過了她平時的酒量。這和我喝伏特加的原因雖然不同，但是結果都是一樣的，我們兩個全都喝得醉醺醺，只是相隔了千里。

突然，一聲尖厲的警告在空中響起。莉莎抬起頭，和班上所有人一樣。教室的一個角落裡，小小的火警警報器閃動著發出尖鳴。很自然地，有的學生開始歡呼，而有的人假裝非常害怕，其他的人都不明所以地互相看著，等著看再來會發生什麼事。

這堂課的老師看上去似乎也有點驚慌失措，莉莎飛快地看了一下周圍的情況，認爲這並不是有人故意拉響警報器。一般進行防火演習的時候，老師都會事先得到通知，可是馬婁伊夫人的表情，並不是那種自己的課堂被火警多次打斷之後的樣子。

「所有人都起立，」馬婁伊夫人拿起自己的點名夾，大聲說，「你們知道該去哪裡。」防火演習非常標準的程序之一。

莉莎跟在其他人後面，趕到克里斯蒂安身旁。「是你幹的好事嗎？」她揶揄道。

「不是。我倒希望是我呢！這堂課幾乎要殺了我了。」

「哦？我頭痛得很厲害。」

克里斯蒂安了然地看了她一眼。「正好讓妳嘗到一個教訓，貪杯小姐。」

莉莎回了他一個鬼臉，輕輕地撞了他一下。他們已經來到班級集合的操場上，自動地開始排成一隊。馬婁伊夫人也趕了過來，對照自己的點名夾，檢查了每個人的出席情況，很滿意地發現沒人脫隊。

「我不認爲這是事先安排好的。」莉莎說。

「同意。」克里斯蒂安說，「這就代表就算沒有著火，也不會馬上回去上課。」

「哦，這麼說，我們沒必要留在這裡了，對不對？」

克里斯蒂安和莉莎轉過身，驚訝地順著這聲音找到愛瑞。她穿著一件紫色的連身裙，和一雙黑色的高跟鞋，看上去像是剛從濕漉漉的草地上走過來。

「妳怎麼會在這兒？」莉莎問，「妳不是應該待在辦公室裡的嗎？」

「管他的呢！那裡太無聊了，我必須把你們也救出來。」

「這是妳幹的？」克里斯蒂安問道，似乎有些佩服。

愛瑞聳聳肩。「我說過了，我很無聊。現在，趁著一片混亂，我們偷偷溜走吧！」

克里斯蒂安和莉莎對看了一眼。「呃，」莉莎吞吞吐吐地說，「既然他們已經點過名了……」

「快跑！」愛瑞說。她的興奮傳染了所有人，莉莎好像頓時有了勇氣，急忙追在她身後跑了起來，克里斯蒂安跟在最後面。因爲操場上的學生亂成一團，沒有人發現他們橫穿了整個校園——直到他們跑到教學區外面的宿舍之後。西蒙正斜倚著宿舍的大門，莉莎見狀愣了一下。他們被抓包了。

「都準備好了嗎？」愛瑞問。

西蒙很明顯是屬於那種沉默寡言的人，他很快地點了下頭，就算回答了問題，甚至連身子都沒站直。他將手插進大衣的口袋，轉身走開了。

莉莎驚訝地瞪著他的背影。「他……他就這麼放過我們了？這件事他也有份嗎？」

西蒙雖然不是學院的老師，可是也不代表他就能隨便製造假火警，幫學生隨隨便便翹課。

愛瑞壞壞地一笑，目送著他離開。「我們好歹在一起相處了這麼久，除了保母，還有更適合的事情要他去做。」

愛瑞領著他們走進宿舍，但是沒有往自己的房間走去，而是朝向另外一個方向，走到那個我也很熟悉的目的地：艾德里安的房間。

愛瑞用力敲著門。「嘿，伊瓦什科夫！開門。」

莉莎一隻手摀著嘴，盡量不要讓自己笑出聲來。「這太大聲了，所有人都會聽見的。」

「可是不這樣他聽不見啊！」愛瑞爭辯道。

她一直敲著門大喊大叫，終於，艾德里安起來應門了。他的頭髮亂七八糟的，髮型十分詭異，眼睛下方還有很深的黑眼圈。

他昨晚喝的酒最起碼是莉莎的兩倍。

「怎麼？」他眨了眨眼睛，「你們這些傢伙不是應該在上課嗎？哦，上帝。我不是睡了那麼久吧？」

「先讓我們進去，」愛瑞說著從他身旁擠進屋，「我們只是來這裡躲躲火災。」

她躺進沙發裡，感覺好像回到了自己家一樣，而艾德里安仍然瞪著雙眼，莉莎和克里斯蒂安也走進來，坐在她旁邊。

「愛瑞弄響了火警警報器。」莉莎解釋道。

「幹得漂亮。」艾德里安癱坐在一把絨布椅上。「可是你們幹嘛要來這裡呢？難道這裡是唯一一個沒有被火燒著的地方嗎？」

愛瑞眨著大眼睛看著他。「你見到我們不高興嗎？」

他認眞地看著她的眼睛，看了一會兒。「一直很高興。」

莉莎在這種事情上一直都比較保守，但是這次似乎感受到了一些樂趣。這件事太放肆、太愚蠢了……這打敗了她最近所有的不安。「這件事他們可能用不了多久就能查明白，現在大家可能都已經回去上課了。」

「有可能，」愛瑞同意道，她將腳搭在前方的咖啡桌上。「但是明天上學後，我有另外一套系統，可以弄響另外一個警報器。」

「妳是怎麼做到的？」克里斯蒂安問。

「頂級機密。」

艾德里安揉揉眼睛，很顯然覺得這一切都非常有意思，除了自己被叫醒這一點。「樂澤，妳不可能讓警報器一整天都響個不停。」

「事實上，我的系統是很完整的，如果他們解決了第二個警報器，第三個馬上就會響。」

莉莎哈哈大笑，雖然很大一部分原因是因爲想到了那些人的反應，而不是因爲愛瑞的話。克里斯蒂安這個被認爲是叛徒的人，曾經用火去燒過別人；而艾德里安總是在喝酒，每天都醉醺醺的；

然而像愛瑞這樣一名可愛的社交名媛，卻令他們都大吃一驚。

有某種東西很明顯地在此刻醱酵了。愛瑞似乎很高興看到每個人都被自己嚇了一跳。

「如果你的火氣消了的話，」她說，「你準備好新鮮玩意來招待你的客人們了嗎？」

艾德里安站起來打了個哈欠。「好吧，好吧，妳這個蠻橫無理的女生。我去煮咖啡。」

「含酒精成分嗎？」她伸頭去看了看艾德里安的酒櫃。

「妳是在開玩笑吧？」克里斯蒂安說，「妳還想要肝嗎？」

愛瑞慢慢走到酒櫃旁邊，拿了一瓶酒打開，她將酒瓶遞給莉莎。「妳要加入嗎？」

就連莉莎的睏意在此刻都消失了，宿醉仍然讓她的頭很痛。「呃，不了。」

「膽小鬼。」愛瑞說，她走向艾德里安。「那好吧，伊瓦什科夫先生，你最好去煮鍋水，我喜歡在白蘭地裡加點咖啡。」

不久後，我退出了莉莎的意識，回到自己的身體裡，重新跌入漆黑的睡眠和普通的夢中。但是，我並沒有睡多久，一聲巨響便闖進了我的意識裡。

我慢慢張開眼睛，一絲劇痛從腦子裡傳出來，毫無疑問，這就是烈性伏特加喝多了的後果。莉莎的宿醉對我沒有絲毫影響，我準備閉上眼睛，重新躺回去，用睡眠癒合我心底的傷口。可是，我又聽見了那個聲音，這次聲音更大，我的整張床都搖晃起來——有人在踢它。

我再次張開眼睛，轉過頭，發現伊娃深棕色的眼睛正盯著我。如果雪梨見過的拜爾都是伊娃這種的，我絕對可以理解，她爲什麼認爲我們的種族都應該下地獄。伊娃抿了抿嘴唇，又踢了一下。

「嘿，」我喊道，「我已經醒了，好不好？」

伊娃喃喃地用俄語說了幾句，保羅從她身後鑽出來，爲我翻譯。「她說除非妳離開床站在地上，不然不叫醒了。」再一次，這個古怪的老女人毫無預警地踢著我的床。

我猛地坐起來，覺得整個世界都在旋轉。這句話我之前也說過，但是這一次我是說眞的：我以後再也不喝酒了。喝醉了一點好處都沒有。我用皺巴巴的被子蓋著難受的身體，但伊娃用尖尖的靴子頭又踢了床幾腳，我立刻從床上跳下地。

「好啦，好啦。現在妳高興了？我起床了。」伊娃的表情雖然沒有變化，但是至少她不再踢床了。我轉身看著保羅。「現在要幹嘛？」

「曾祖母說妳要跟她走。」

「走去哪裡？」

「她說妳不用知道。」

我本來想說，我才不要和這個瘋狂的老巫婆去任何地方，但是在看見她可怕的表情之後，我決定還是算了。我可不想用自己來驗證她是不是有把人變成癩蛤蟆的能力。

「好吧，」我說，「我洗完澡、換完衣服就去。」

保羅將我的話翻譯給她聽，伊娃搖了搖頭，又說了幾句。

「她說來不及了，」保羅說，「我們必須現在就走。」

「我至少可以先去刷個牙吧？」

伊娃同意了我這個小要求，但是換衣服顯然不在允許範圍之內。我只花了幾分鐘，每走一步，我都覺得頭昏眼花，這樣的我可能也沒法完成脫衣服、換衣服這麼複雜的工作。反正身上的衣服味道還可以，只是因爲我睡覺時沒有換下來，多了很多皺褶。

我下樓之後，看見只有歐琳娜一個人起床了。她正在洗昨晚留下的盤子，看見我這麼早起來覺得很驚訝。其實我們兩個都很驚訝。

「對妳來說這太早起了，對不對？」她問道。

我轉身看了一眼掛在廚房的鐘，嘆了一口氣。距離我昨晚上床睡覺才過了四個小時。「仁慈的上帝，現在天恐怕還沒亮吧？」

然而令人意外的是，天確實亮了。

歐琳娜問我要不要幫我準備早餐，伊娃則再次強調我們時間不多。此刻我的胃並不怎麼餓，而且很厭惡被塞進食物，所以我也不確定宿醉到底是好事還是壞事。

「算了，」我說，「我們還是早去早回吧！」

伊娃走進起居室，過了一會兒出來的時候，拿了一個大背包。她遞了過來，看著我，我聳聳肩，接了過來，甩上自己的肩膀。雖然包包裡面裝了東西，但並不重。她又走回另一個房間，回來的時候手裡拿著另外一個包包。我一樣接了過來，揹在同一個肩膀上，調整了一下。這個包包重一點，但是我的後背還能堅持得住。

當她第三次返回的時候，手裡拿了一個大箱子。

我盯著她，有些生氣。「裡面裝的是什麼？」我一邊問一邊接過來。這個箱子沉得好像裡面放了磚塊。

「曾祖母需要妳幫忙拿一些東西。」保羅對我說。

「我知道，」我咬著牙說道，「我猜這些東西加起來有五十磅了。」

伊娃又給了我一個箱子，她把它放在剛才那個上面。這個箱子雖然不是很重，但是按照這種情況來說，輕一點或重一點也無所謂了。歐琳娜同情地看了我一眼，暗自搖了搖頭，默默地走回去洗她的盤子，很明顯不贊同伊娃的做法。

伊娃做完這些事後向外走去，我順從地跟在後面，雙手抱著兩個箱子，還要盡量不讓肩膀上的包包滑下來。這是個很累的工作，我宿醉過後的身體十分不情願，但我有的是力氣，不管她命令我到什麼地方，只要不出這個小鎮都沒問題。保羅走在我的身旁，預防萬一伊娃在路上發現了什麼，好告訴我讓我去拿。

春天降臨在西伯利亞的速度要比蒙大拿快很多。天空晴朗，朝陽散發出熱量的速度驚人的快。雖然比不上夏天，但這股炎熱也不容忽視。這種天氣對莫里來說，肯定非常難受。

「你知道我們要去什麼地方嗎？」我問保羅。

「不知道。」他興高采烈地說。

對於一個老人來說，伊娃的步伐邁得很大，我發現自己不得不加快腳步才能跟上她，當然這是因爲我揹了這麼沉的東西。不知爲了什麼理由，她突然回過頭來對保羅說了些話，要他翻譯給我聽。

「她很驚訝，妳居然走得這麼慢。」

「哦，好吧。我也很驚訝居然有人肯揹這麼多東西。」

保羅繼續翻譯道：「她說如果妳眞的是個很有名的血族終結者，那麼揹這點東西肯定算不了什麼。」

我看見前方出現市區的時候，鬆了口氣……可是我們穿過了市區。

「哦，等一下，」我說，「我們到底要去什麼地方？」

伊娃連頭也沒回，嘟囔了幾句。

「曾祖母說，迪米特里叔叔從來不會有這麼多抱怨。」保羅說。

保羅沒有錯，他只是負責在中間翻譯，但是每次他一開口，我就有想要踢他的衝動。但不管怎麼樣，揹著這麼沉的東西，之後的一路上我因而一句話也說不出來。伊娃說的話在某種程度上是對的。我是一個追殺血族的獵手，而且迪米特里也確實不會抱怨一個老婆婆瘋狂的一時興起，他肯定會耐心地去盡自己的責任。

我想要在腦中描繪出他的形象，從他身上汲取一些力量。我又想起了在小木屋時的情況，想到了他吻我的時候嘴唇的觸感，還有我壓在他身上時身上好聞的味道。我好似又一次聽見了他的聲音，聽見他在我耳邊呢喃有多麼愛我，說我有多麼美麗，說我是他的唯一……想起他雖然不能減輕我和伊娃這一趟旅程的不適，但是卻令這一切都變得可以忍受了。

我們又走了差不多一個小時，終於走到了一棟小房子前。我頓時鬆懈了下來，渾身是汗地大口喘著氣，差點癱坐在地上。這個房子只有一層，非常普通，棕色的牆磚一副飽受風雪侵蝕的樣子，但是三面牆上的窗戶卻很精緻，極具設計感的白色窗框包圍著藍色的百葉窗。這房子的用色風格，和我在莫斯科和聖彼德堡見到的建築如出一轍。伊娃走上前去敲了敲門，一開始沒有人應門，我有點害怕，以爲我們可能不得不立刻返回去。

終於，一個女人打開了門，是一個莫里女性。她差不多三十歲，非常漂亮，有著高高的顴骨、草莓色的捲髮。她看見伊娃非常驚訝，微笑著用俄語向她問候，她又看了看我和保羅，很快地讓開一步，邀請我們進去。

當她發現我是美國人時，馬上改說了英語。這些會說好幾門語言的人都讓人非常驚訝，這種人在美國並不多見。她指著桌子，要我把東西放在那裡，我非常高興地按她說的做了。

「我叫歐克桑娜，」她握了握我的手，「我的丈夫馬克正在花園裡，應該馬上就回來了。」

「我叫蘿絲。」我對她說。

歐克桑娜讓我們坐下來。我坐的是一把木頭椅子，後背直直的，但是此刻，對我來說它就是一張溫暖的床。我幸福地嘆了口氣，擦去額頭的汗珠。同時，歐克桑娜打開了我拿來的東西。

書包裡裝滿了葬禮剩下的東西，最上面的一個箱子裝了些盤子和水壺，保羅向我解釋道這些都是以前向歐克桑娜借的。歐克桑娜終於去開下面的那個箱子……救救我吧！裡面裝的居然眞的是花園裡的地磚。

「妳要我啊？」我說。客廳對面那頭的伊娃看上去非常得意。

歐克桑娜見到這個禮物卻很高興。「哦，馬克見到這些一定會非常開心。」她笑看著我，「這是妳帶來的最好的禮物。」

「很高興妳喜歡。」我愣愣地說。

後門打開，一個男人走了進來，或者說，是馬克。他很高，而且身材非常壯實，灰色的頭髮顯示出他的年齡比歐克桑娜要大很多。他在廚房洗過手，然後加入我們。看見他的長相後，我發現了比年齡差異還要奇怪的地方，驚得差點叫出聲來——他是個拜爾。有一刻，我以爲是自己誤把別人錯當成了她的丈夫馬克。但是當歐克桑娜向我們介紹他，說出他的名字時，事實就擺在我眼前：一個莫里和一名拜爾共結連理。當然，我們這兩個種族之間一直是曖昧不清的。可是結婚？這對莫里的世界來說不啻是一樁醜聞。

我想要掩飾自己臉上露出的好奇，盡可能顯得有禮貌。歐克桑娜和馬克似乎也對我很感興趣，雖然一直都是女主人在不停地說話，馬克只是看著我，臉上寫滿了好奇。我的頭髮是披散下來的，所以後面的紋身沒有暴露出我還沒有獲得認證的事實。也許他只是很好奇，爲什麼一個美國女生哪不好去，偏要來這個蠻荒之地；也許他只是認爲我是一個新來的吸血妓女。

當我喝完第三杯水後，覺得舒服多了。這時候，歐克桑娜說我們稍後可以開飯，可是，我的肚子已經餓得咕咕叫了。歐克桑娜和馬克一起去準備食物，謝絕了我們要去幫忙的要求。

看著這對夫妻一起忙碌是件很愜意的事。我從來沒有見過這麼有默契的搭檔，他們不會指責對方的方法不對，也無需言語，很自然地就知道下一步要做什麼。雖然這裡位置偏遠，廚房裡的用具卻很現代，歐克桑娜將一盤燉馬鈴薯之類的東西放進微波爐。馬克正背對著她，在冰箱裡翻來翻去，但是當歐克桑娜按下開始鍵之後，馬克說道：「加熱這個不用那麼長的時間。」

我驚訝地眨了眨眼，來來回回地看著他們。他根本沒有看到歐克桑娜選擇的時間選項。突然間，我明白了。「你們兩個有心電感應！」我喊出聲來。

兩個人同時回過頭來看我，非常驚訝。「是的，是伊娃告訴妳的嗎？」歐克桑娜問道。

我飛快地瞥了一眼伊娃，她臉上又開始露出那種沾沾自喜的神情。

「不是，伊娃今天早上說的話非常有限。」

「這裡幾乎所有人都知道。」歐克桑娜說著，重新回過身去忙碌。

「這麼說……妳是個精神能力的使用者嘍？」

這句話讓她又停下了手裡的動作，她和馬克交換了一個震驚的神情。「這點，」她說，「可不是每個人都知道的事情了。」

「大部分人都認為妳沒有自己擅長的魔法元素，對不對？」

「妳是怎麼知道的？」

因為這就是發生在我和莉莎身上的事。關於心電感應的事情，確實存在於莫里的古老傳說當中，但是心電感應究竟是怎麼產生的卻是個謎。一般來說，人們都以為這件事是自然而然地發生的。同歐克桑娜一樣，莉莎也被當做是沒有特殊能力的莫里，就是說她不擅長任何一種魔法元素。當然，我們現在已經知道，心電感應這種現象只發生在精神能力的使用者身上，前提是他們得先救過其他人的性命。

歐克桑娜的話語中透露出某種訊息，她對我知道這件事並不是真的那麼驚訝。我不知道她是從哪裡得知的，不過我也因為這個重大的發現，而變得目瞪口呆，不知該說什麼才好。我和莉莎從來、從來都沒有見過另外一對有心電感應的人，我們唯一知道的一對，就是傳說中的聖弗拉米爾和安娜，但是他們兩個的事情被裹進了幾百年的歷史長卷之中，讓人很難辨別哪些是事實、哪些是虛構的。在這個世界上，我們所知道的另外一個精神能力使用者是卡普夫人，她是我們以前的老師，現在已經瘋了；還有一個就是艾德里安，到目前為止，他是我們最重大的發現，是一個較堅強的精神能力使用者，但是這要取決於和誰相比。

這時，飯做好了，再也沒人提起精神能力這件事。歐克桑娜主導著話題，一直都是些不痛不癢的事情，而且說的語言也不停轉換著。我一邊吃一邊研究她和馬克，想要找到他們身上是否有情緒不穩定的跡象。然而我找不到，他們看上去非常高興，和普通人一模一樣。如果我什麼都不知道，絕不會有任何事情引起我的懷疑，歐克桑娜不像憂鬱或者精神失常的樣子，馬克身上也沒有那種偶爾會困擾我的惡劣情緒。

我的胃對食物非常歡迎，而頭痛也終於離我而去了，但下一瞬間，另外一種奇怪的感覺進駐了。這很不尋常，就像我的腦子裡有一雙翅膀在撲動，然後火熱和寒冷一波波地交替衝擊著我。這種感覺轉瞬即逝，我希望這是邪惡的伏特加最後的後遺症。

我們吃過飯，我主動站起來要幫忙。

歐克桑娜搖了搖頭。「不，不用了。妳得和馬克一起去。」

「啊？」我問道。

馬克用餐巾輕輕地拍了拍臉，然後站起身來。「是的，我們去花園裡走一走。」

我起身跟著他，又停下來回頭看了一眼伊娃。我以為她會不高興我不留下來幫忙洗盤子，但是，我看到的卻是一張不同意我留下的臉，她的表情帶著一股了然，幾乎可以說是期待。這讓我有點不寒而慄，我回想起維多利亞說的話：伊娃夢見了我要來。

馬克帶我去的花園比我想像中的要大，用厚厚的籬笆圍起來，周圍種滿了樹。樹上已經長出了新葉，擋住了炙熱的陽光，大部分的灌木和花圃已經全都開花了，散落各處的幼苗已經開始長成。這花園非常漂亮，我不知道歐克桑娜是不是也有功勞，因爲莉莎可以用手幫助植物成長。馬克向我指了指那邊的石凳。我們肩並肩坐下來，沉默了好一陣子。

「那麼，」他說，「妳想知道些什麼？」

「哇哦，你倒是不浪費時間。」

「我看不出來有客套的必要。妳肯定有很多問題，我會盡可能地回答妳。」

「你是怎麼知道的？」我問道，「我是一個影吻者。你也是，對吧？」

他點點頭。「伊娃告訴我們的。」

喔喔，這可是個大驚喜。「伊娃？」

「她可以感應到很多事情……那是我們這些人都無法感應到的。但是通常來說，她不知道自己感應到的是什麼。她只知道自己對妳有種強烈的感應，這種感應她只在一個人身上感應到過，所以她帶妳來見我。」

「這麼說，她不需要我，也能把那些相當於一個家的東西都搬來囉。」

這句話逗得馬克哈哈大笑。「別介意，她是在測試妳，她想看看妳是不是配得上她的孫子。」

「那很重要嗎？他已經死了。」我幾乎被這句話噎死。

「沒錯，可是對她來說，這件事仍然很重要。而且，我得順便說一下，她認爲妳很不錯哦。」

「那她表現的方式還眞是特別。我是說，除了帶我來見你這點以外。」

馬克又哈哈笑起來。「就算沒有她，歐克桑娜見到妳之後，也會馬上知道的。身爲影吻者，身上的靈光是不一樣的。」

「所以說，她也可以看見靈光。」我小聲說，「她還能做什麼呢？她肯定有治癒能力，不然你不會成爲影吻者。她也有很強的催眠力嗎？她可以在夢中行走嗎？」

這些話令馬克卸下了防備，「她的催眠術非常強，沒錯……但是妳說的在夢中行走是什麼意思？」

「就是說……她可以在別人睡著的時候潛進別人的意識，任何人的，不僅限於你們兩個。然後她可以在夢中和那個人對話，就像兩個人眞的面對面一樣。我的朋友就可以。」

馬克的表情告訴我，這對他來說是件新鮮事。「妳的朋友？妳的靈伴嗎？」

靈伴？我從來沒有聽過這個詞，雖然這個說法很奇怪，但是確實很貼切。「不是，是另外一個精神能力使用者。」

「另一個？妳認識多少個？」

「技術上來說，是三個。哦，現在是四個了，算上歐克桑娜的話。」

馬克轉過頭，看著面前一簇粉色的花。「這麼多……眞是難以置信。我只見過一個，還是很多年以前的事了。他和他的守護者之間的心電感應太強了，後來那個守護者死了，這似乎要將他的心撕成兩半。但是在我和歐克桑娜想弄明白這一切的時候，他仍然幫了我們許多。」

之前，我一直在想如果我死了，莉莎會不會有事，但是那時我們兩個之間還沒有心電感應。一個人的死亡究竟會對另一個人有什麼影響？是不是就像你身上原本有條連接到某人的線，但有天另一頭突然只留下了一個洞一樣呢？

「他也從不知道有夢中行走這件事。」馬克繼續說。他咯咯笑起來，藍色的眼睛旁有著非常和藹的皺紋。「我以爲我是在幫妳，但是也許妳來是爲了幫我。」

「我不知道。」我有些懷疑，「我認爲你們的經驗還是要比我們多。」

「妳的靈伴呢？」

「在美國。」不知怎麼的，我想要告訴他全部的事實。「我……我離開了她。」

馬克擰起眉毛。「離開……是指妳這個短暫的旅行？還是說妳拋棄了她？」

拋棄。這個詞就像有人打了我一巴掌。突然，我想起我最後看見她的那天，她在我身後哭泣的樣子。

「我有自己的事要做。」我模稜兩可地說。

「對，我知道。歐克桑娜已經告訴我了。」

「告訴你什麼？」

現在輪到他猶豫了。「她不應該這麼做的……她已經竭力避免了。」

「做什麼？」我問道，不知道爲什麼突然有些不安。

「她，呃……她侵入了妳的意識，在吃飯的時候。」

我回想了一下，突然記起我的頭痛，還有那股侵襲我的熱浪。「你這麼說到底是什麼意思？」

「靈光可以告訴精神能力使用者這個人的性格，但是歐克桑娜還可以知道更多，她可以透過靈光讀出關於這個人的資訊。有時，她會將這種能力和催眠術結合在一起……這種能力是非常、非常可怕的，而且也是不對的，你沒有權利對靈伴以外的人做這種事。」

我花了一點時間來消化他說的。不管是莉莎還是艾德里安，都不能讀出別人的想法，唯一接近的辦法就是艾德里安可以在夢中進入別人的意識，但莉莎連這點都做不到，甚至對我都不行。我能夠感應到她，可是她卻不能感應到我。

「歐克桑娜可以感應到……哦，我不知道該怎麼形容，妳的性格有些焦慮，而且也有很多問題想問，而且妳的靈魂裡面還寫滿了復仇。」他突然伸手撩起我的頭髮，看了看我的脖子。「和我想的一樣。妳沒有獲得認證。」

我猛地一歪頭。「這有什麼大不了的呢？整個鎮上都是沒有成爲守護者的拜爾。」我仍然認爲馬克是一個好人，但是每回碰見想要對我說教的人，我總是會產生一股無名火。

「是的，可是他們選擇了留下。而妳……和像妳一樣的其他人……你們從某種意義上來說已經是守護者了。你們沉迷於自己可以追殺血族的能力，總是自以爲是地以此來判斷我們這些住在這裡的人，想要改變我們。但是這麼做只會帶來麻煩，我已經見過很多次了。」

「很多次？」我驚訝地問。

「妳以爲爲什麼守護者的人數在逐漸減少？拜爾畢業之後，有的選擇成家，組成自己的家庭；但也有些和妳一樣的人，仍然與血族抗爭著，但是卻不聽命於任何人，除非有人雇傭他們當守護者或是獵殺血族的賞金獵人。」

「被雇傭的拜爾……」我突然間明白了爲什麼艾比非皇室之人，卻也有自己的守護者了。有錢能使鬼推磨。「我從來沒聽說過這些事。」

「當然沒有，妳以爲莫里和其他的守護者，會希望這些事被大眾知道嗎？希望你們在畢業之後能有多一種選擇？」

「我看不出來去追殺血族有什麼錯。我們一直都是在防守，卻沒有主動出擊過，除非有血族來襲。也許如果有很多拜爾主動去追殺他們，他們就不再會是我們的威脅了。」

「也許吧，但是要達成這個目標有很多種方法，有的確實比其他的高明。可是像妳這樣行動，內心充滿了悲傷和仇恨？這並不是個好方法，只會讓妳變得越來越糟，而且影吻者惡劣的脾氣會是最大的問題。」

我環抱起雙臂橫在胸前，生氣地昂起頭看著他。「對，沒錯，可這又不是我能控制的。」

他轉身看向我，再一次覺得十分震驚。「爲什麼妳不讓妳的靈伴，幫妳把負面情緒驅走呢？」

11

我瞪著馬克看了好幾秒，終於，我非常愚蠢地問道：「你是說……這能治好？」

馬克也驚訝地看著我。「對呀，當然能治好。她能治好所有的病，對吧？爲什麼這個不行？」

「因爲……」我皺起眉頭，「這說不通啊！那種陰暗的心情、所有這些副作用……都是從莉莎那裡來的。如果她能夠把它治好，爲什麼不把自己先治好呢？」

「因爲那情緒一旦進入她體內，就紮下了根，和她的本性緊緊地結合在一起，她無法像治癒別的東西那樣治癒好這點。但是一旦妳的心電感應力量將這些副作用轉移到妳身上後，它就變得和其他的疾病沒什麼不同了。」

我的心臟在胸膛裡狂跳。他的建議眞是簡單得近乎荒謬，不，確切地說，這種循環很荒謬。這不可能，在我們經歷了這麼多事情之後，莉莎要治好她自己的狂躁和抑鬱，居然就像治好凍傷或者是一條斷腿一樣？拋開他邪惡的計畫不說，維克多．達什科夫對精神能力也花了大力氣去研究，並且解釋給我們聽過。其他四種元素都是來自於大自然，但是精神能力是來源於人的意識和靈魂，如果腦力運用過多的話，雖然這種力量很強大，但是同時也會產生副作用。我們從一開始就在不停地和這種副作用抗爭，一開始是莉莎，後來是我，但就是沒有一個能夠根除的辦法。

「如果這個辦法可行的話，」我小聲說，「那麼所有人都可以沒事了，卡普夫人就不會精神失常，安娜也不會自殺。你們說的辦法太容易了。」馬克不知道我說的人是誰，但是這並不妨礙他繼續往下解釋。

「妳說的對，並沒有那麼容易，那需要謹愼地維持在一種平衡狀態下，由兩個人之間的信任和力量所形成的循環圈。我和歐克桑娜花了很長的時間來練習……那幾年過得很辛苦……」他的臉色沉了下去。

我能想像這些年他們是怎麼走過來的，我和莉莎光是經歷那一段短短的日子，就已經夠難過的了。他們肯定比我們堅持得更久。有時候，那眞的讓人無法忍受。慢慢地，我抱著一絲希望，開始思考他這些話的可能性。

「現在你們兩個已經沒事了嗎？」

「嗯，」他的嘴唇溢出一抹牽強的微笑，「我不能說我們已經完全沒事了，因爲還有很多事需要她去做，但是至少我們可以掌控自己的生活。只要我們還能控制，就不需要她進行治療，當她撐不住的時候，我們才會這麼做。但是，這種治療的動作，會影響到她的能力。」

「這是什麼意思？」

他聳了聳肩。「她還是可以使用能力，治癒、催眠術……但是肯定達不到她沒有治癒我之前的水準。」

我的希望有些降溫。「哦，這樣的話……我辦不到。我不能這麼對莉莎。」

「妳想過她是怎麼對妳的嗎？蘿絲，我有預感，她會同意這是一件很公平的事。」

我回憶了一下我們最後一次見面的情形。我想起了自己是怎麼把她拋在身後，不管她如何苦苦地哀求；我想起了她因爲我不在身邊，而陷入的低潮；我想起了她是怎麼拒絕治癒迪米特里，當時我覺得那是他唯一的希望。我們兩個都稱不上是「好朋友」。

我搖了搖頭。「我不知道，」我小聲地說，「我不知道她是不是願意。」

馬克深深地端詳著我，但是並沒有再逼問我。他抬頭看了看太陽，好像僅憑太陽就能判斷出時間。也許他眞的可以，他身上有那種「就算在野外也能生存下來」的特質。「其他人都想知道我們兩個身上到底發生了什麼事，但是在我們還沒……」他伸進衣服口袋，掏出了一枚小小的銀戒指。「學習治癒是需要花費很長時間的。我現在最擔心的是妳身上這種以爲可以拯救世界的想法，而那些負面情緒會讓這點變得更嚴重。拿著它。」

他將這個戒指遞給我，我猶豫著，伸手接了過來。「這是什麼？」

「歐克桑娜在裡面注入了精神能力。它可以幫妳抵抗迷惑。」

我再次被震撼到了。莫里本就擁有將自己的魔法元素注入到某樣東西的能力，像銀椿就集合了四種自然元素，讓它變成對付血族的利器。維克多曾經在一條項鏈裡注入了土元素，讓情慾咒附在了那條項鏈上。就連雪梨的紋身都被注入了某些元素。我曾想過精神能力或許也可以辦到，但是從來沒有親眼見到過，可能是因爲莉莎的能力才剛剛顯露，而且她也不太會使用。

「怎麼用？我是說，怎麼個抵抗法？」

「它可以幫妳平復情緒，雖然不能完全消滅它們，卻可以減弱一點影響，能讓妳更理智地思考，也許可以幫妳避免掉一些無謂的麻煩。這是歐克桑娜爲了在治癒期間減輕我的痛苦，替我製做的。」見我打算將戒指戴上，馬克搖了搖頭。「當妳眞的覺得要崩潰的時候再戴，裡面的魔法時效有限。和其他的東西一樣，魔力是會逐漸減弱的。」

我盯著戒指，瞬間想通了這些新能力的用處。過了一會兒，我將它放進自己的外衣口袋裡。

這時，保羅從後門伸出頭。「曾祖母說要走了。」他對我說，「她想知道爲什麼妳在外面待了這麼久，還要我問妳怎麼可以讓像她這種上了歲數的人等妳等到背痛。」

我想起伊娃走路的姿態有多麼敏捷，而我卻揹著一大堆東西艱難地跟在後頭，她的背肯定沒有我的背痛。但是再一次，我念在保羅只是個傳話人的份上，沒有讓他成爲炮灰。

「好吧，我馬上就來。」保羅縮回頭後，我搖了搖頭。「配得上他的代價眞大。」我向門口走去時，突然回頭看了一眼馬克，一個突如其來的想法令我停下腳步。「你剛才告訴我，自以爲是並不好……可你也不是守護者。」

他再次對我笑了笑，帶著尷尬、痛苦的微笑。「我曾經是。後來是歐克桑娜救了我，我們有了心電感應，逐漸有了感情。守護者組織要安排我去別的地方，但是我不能忍受再和她分開，所以我就離開了。」

「離開他們很難嗎？」

「相當難。我們的年齡差異，更是替這件醜聞雪上加霜。」

一股莫名的寒意竄遍全身。馬克和歐克桑娜的狀況，就像我那兩種情感狀態的綜合體。他們既像我和莉莎一樣有影吻者這種聯繫，又像我和迪米特里一樣，同樣擁有不被人所接受的戀情。

馬克繼續說道：「但是有時候，我們必須聽從自己心靈的召喚。就算我離開了，也不會不顧一切地再去追殺血族。我是一個和自己心愛女人生活在一起的老人，有一個需要自己照管的花園。這就是區別——妳要牢牢記住這一點。」

回到貝里科夫家的時候，我的思緒仍然是一團亂。沒有了那些磚塊，回去的路上變得輕鬆了許多，這麼一來我就有機會好好想一想馬克的話。我覺得自己好像在方才那一個小時的對話裡，吸收了需要花一輩子來消化的資訊。

待在家中的歐琳娜做著日常的工作，在做飯之餘，也將家裡其他的地方給打掃乾淨了。雖然我這輩子都不想將時間花在做這些家務上，卻還是得承認如果有人幫你做家務、爲你準備好飯菜，還關心你最基本的生活需要，絕對是一件很舒服的事情。我知道這種想法很自私，如同我知道自己的媽媽正爲了某些重要的事情而搏命工作，我不應該批評她。但是，這一切仍令我感到溫暖，並且希望有一位歐琳娜這樣的人，能夠像看待女兒一樣看待我，即使她還不是很認識我。

「妳餓了嗎？」她幾乎是條件反射地問。

我想她這輩子最害怕的事情，可能就是有人在她的地盤上卻餓著肚子。雪梨對食物興趣缺缺的態度，令歐琳娜一直很擔心。

我擠出一個微笑。「不餓，我們在馬克和歐克桑娜家裡吃過了。」

「啊，你們去那兒了？他們兩個都是好人。」

「其他人都去哪兒了？」我問。整間屋子裡平靜得很不尋常。

「索婭和卡洛琳娜都去上班了。維多利亞去找朋友，不過她知道妳回來的話一定很高興。」

「雪梨呢？」

「她不久前走了，說要回聖彼德堡去。」

「什麼？」我喊出聲來。「走了？就這樣走了？」雖然雪梨一直沒什麼強烈的存在感，但是就這麼走了也還是令人很不習慣。

「煉金術士……嗯，他們一直都是流浪的狀態。」歐琳娜遞給我一張紙，「她留了這個給妳。」

我接過它，立刻打開。雪梨的字跡乾淨整潔，對我來說這並不意外。

蘿絲：

很抱歉我不得不這麼快就離開，可是當煉金術士協會要我往東的時候，我就不能往西。我已經坐車回去我們待過的那個小鎮，這樣我可以去牽「紅色颶風」，然後出發回到聖彼德堡。很顯然，妳已經成功到達了拜亞，他們就不需要我再留在這裡了。

我希望自己能多告訴妳一些關於艾比的事情，還有他想要妳做什麼，可是就算他們同意，我也說不出更多資訊了。從某種方面來說，他對我來說和對妳是一樣神祕的。如同我說過的，他從事很多非法的勾當，不管是在人類世界還是在莫里的世界都是如此。他唯一願意親自和人打交道的條件，就是這件事關乎他的生意，要嘛就是情況非常、非常特殊。我猜妳就是這種特殊情況，雖然他不想傷害妳，但是可能會利用妳達成他自己的目的，有可能是在看見妳的本領之後，雇妳當他的守護者這種很簡單的目的，也有可能是想利用妳接近其他人。又或許，這一切都是另外一個人佈好的一局棋，這個人比他更加神祕；也許他是在幫別人的忙，茲米有時很危險，有時也會大發善心，而這取決於他到底想要怎麼做。

我從來沒想過自己會和拜爾說這些，但是千萬要小心。我不知道妳現在有什麼計畫，但是我有種危險就在妳周圍的預感。如果有需要我幫忙的地方，打電話給我，要是妳回到大城市裡繼續獵殺血族，千萬別再任意丟棄未經處裡的屍體了！

雪梨

祝好

附注1：「紅色颶風」是我替那台車取的名字。

附注2：雖然我喜歡妳，但是並不代表我就會改變「妳是行走在夜間的惡魔」這樣的想法。妳就是。

她的電話號碼寫在最底下，我見了不禁露出微笑。當時我們一起坐上艾比和他守護者的車子來到拜亞，雪梨不得不將那台車子留在那裡，這對她的傷害不亞於見到血族。我希望煉金術士協會同意她留下那台車。我搖了搖頭，覺得她警告我要小心艾比的事很有意思。哈，紅色颶風。

當我走上樓的時候，笑容消失了。除了她不太討人喜歡的性格，我還是會想念她的。也許她現在身邊眞的沒有眞正的朋友——過去有過嗎？但是這短短幾天的相處，我認爲她會是我生命中很重要的一個人。我已經沒有什麼朋友可以失去了，我覺得有些茫然，不知道自己現在該怎麼辦。我來這裡是爲了平復失去迪米特里的痛，但最後卻將這個噩耗帶給了他的家人。如果大家說的是眞的，在拜亞我是找不到血族的。

不管怎樣，我不太能想像迪米特里走在這裡的路上，穿過農場，偶爾抽空去參加禮拜。就算身爲一個血族——這麼說簡直就是要我的命——迪米特里肯定也是很有計畫的。如果他沒有回來看一看自己的家鄉，他肯定會去做別的有意義的事——以一個血族的角度來看。雪梨在信裡寫的事情，證明了我從以前就一直聽說的事：血族只待在城市裡。但是哪個城市呢？迪米特里會去哪裡？

現在，我是一個失去了目標的人。最關鍵的是，我腦子裡一直不停地想起馬克的話。我眞的是在執行一個瘋狂的自衛隊式的任務嗎？我眞的傻到是在送死？還是我蠢得……什麼意義都沒有？我眞的願意將我的後半生都浪費在不停地流浪上面？而且是孤身一人？

我坐在床上，情緒低落，知道自己必須要找點事情分散注意力。莉莎使用精神能力之後，我對負面的情緒非常敏感，不想再度陷進去。我戴上馬克送我的戒指，希望它可以幫助我冷靜，讓我獲得平靜。不過，我沒有感覺到什麼明顯的差異，於是決定用老辦法來獲得平靜：去探望莉莎。

她正和艾德里安在一起，兩個人繼續練習精神能力。在克服了初時的學習障礙後，艾德里安治癒的能力進步神速。這是莉莎最先顯現出來的能力，這令她很苦惱，因爲艾德里安進步得越快，就代表她得接著往下教他另外的能力。

「關於治癒能力方面的事，我沒什麼好繼續教你的了。」她說，將一小盆種著植物的花盆放在桌子上，「除非我們開始打算砍斷手臂、大腿什麼之類的。」

艾德里安微微一笑。「我曾經這麼戲弄過蘿絲，說我一定會治好一個必須要截肢的人給她看看之類的荒唐話。」

「哦，我相信她每回給你的回應，都令你大呼意外。」

「對，對，就是這樣。」他的臉上洋溢著回憶幸福的微笑。

在我心底，總是有一部分會瘋狂地想要聽見他們談論我……但是同時，我又會覺得難過，覺得自己的名字好像一個咒符。

莉莎呻吟了一聲，攤平躺倒在鋪了地毯的地上。他們坐在宿舍的休息廳，宵禁時間就快到了。

「我想和她聊聊，艾德里安。」

「可是妳做不到。」他說，聲音中有罕見的嚴肅。「我知道她還會潛進妳的意識裡，這是妳唯一可以和她談話的機會。想聽實話嗎？其實這樣也不錯，妳只要老實告訴她妳的感受就好了。」

「對，可是我想聽見她的回應，就像你們在你夢裡那樣。」

艾德里安聽了再次笑起來。「她確實有一卡車的話要回給我，相信我。」

莉莎坐直身子。「現在就來試試吧！」

「試什麼？」

「去她的夢裡看看。你經常想要解釋給我聽，但是我從來沒有見過，讓我看一下。」

他張大眼睛，一句話都說不出來。「這樣算是偷窺了吧！」

「艾德里安！我想要學，我們不能放過每種可能，有時候我能感受到你身上的魔力。試一下嘛！拜託！」

他打算再次拒絕，但是在仔細研究了一下莉莎的表情之後，他吞回了要說的話。她的聲音尖銳又不容拒絕——和她的本性差了十萬八千里。「好吧，我試一下。」

老實說，透過莉莎的眼睛，看著艾德里安努力想要潛進我的意識裡，實在是太不現實了。我不知道自己希望他怎麼做，我經常很好奇他潛進來的時候是不是也要睡著，或者至少是要閉上眼睛。很明顯，情況不是這樣。他只是茫然地瞪著前方，眼睛隨著他的意識飄出這個世界，漸漸變得空洞無神。透過莉莎的眼睛，我能看見有股魔力從他身上向外放射，還能看見他的靈光，而莉莎則試圖分析每一縷光芒。突然，毫無預警地，所有的魔法都消退了。

他眨眨眼，搖了搖頭。「對不起，我做不到。」

「怎麼會？」

「也許是因爲她醒著。妳看完之後，學到什麼了嗎？」

「一點點，如果你眞的成功了可能會學到更多。」再一次，莉莎用了那種無禮的語氣。

「她可能是在世界上任何一個地方，按照任意一種作息時間生活。」艾德里安的話因爲在打哈欠變得悶悶的，「也許我們可以在一天裡的不同時間都試一下。我曾經成功過……事實上，和這次的時間差不多。有時候，在特別早的時候也能成功。」

「現在就是她睡覺的時間。」莉莎說。

「她也可能處在不同的時區。」

她的熱情瞬間冷卻下來。「好吧，也有這種可能。」

「你們兩個怎麼每次看起來都不像是在用功呢？」克里斯蒂安緩步走進房間，好奇地看著莉莎坐在地板上，而艾德里安則攤倒在沙發上。此刻，克里斯蒂安身後站著一個我以爲自己不會這麼快就看見的人，而艾德里安這個連一英里之外有女人都會立刻察覺的人，馬上意識到有新人來了。

「這麼漂亮的小尤物你是從哪找到的？」他問。

克里斯蒂安警告地瞪了艾德里安一眼。「這是吉兒。」吉兒・馬斯特諾輕輕往前站了站，瞪大淺綠色的眼睛四處張望。「吉兒，這是莉莎和艾德里安。」

吉兒是我現在最不想見到的人。我認識她的時間差不多是在一個月以前，她當時念九年級，也就是說她在秋天的時候就升到中學部了。她也和其他莫里一樣，擁有非常苗條的身材，但是體重就算以吸血鬼的標準來看也還是太輕了，這使得她看起來有些骨瘦如柴。她有一頭淺棕色的捲髮，散下來直到腰際，如果她能學會怎麼打理的話，一定會非常漂亮，但是現在只能用亂糟糟來形容。她給人的整體印象是，雖然很可愛，但是有點邋遢。

「嘿、嗨——」吉兒一個一個看過去。對於她來說，這些都是莫里族中赫赫有名的人物。她第一次見到我和迪米特里的時候，激動得差點暈過去，這要多虧我們的聲望。從她現在的表情來看，情況似乎和當時也差不多。

「吉兒想學會怎麼將她的能力用在有用的地方，而不被浪費。」克里斯蒂安的眼睛閃著興奮的光芒，暗指吉兒想要學習用魔法進行戰鬥。

她曾經對我提過，我告訴她去找克里斯蒂安，而我很高興她能鼓起勇氣，聽從我的建議。克里斯蒂安也是學院裡鼎鼎有名的大人物，但卻是聲名狼藉那種。

「另一個新兵嗎？」莉莎問道，搖了搖頭。「我想你這次應該可以留住她吧？」

吉兒驚訝地看了克里斯蒂安一眼。「這是什麼意思？」

「在上次的襲擊之後，有很多人想要學習用魔法戰鬥。」克里斯蒂安解釋道，「所以他們找到我，我們一起嘗試了……一到兩次，但是這些人在遇到困難，或是意識到自己需要不斷練習之後就退縮了。」

「這樣的說詞並不能幫你洗脫『難搞老師』的罪名。」莉莎一語道破。

「所以，你現在開始在小鬼中發掘學員了。」艾德里安裝腔作勢地說。

「嘿，」吉兒生氣地說，「我已經十四歲了。」她隨即因為對他講出這麼強硬的話，而漲紅了臉。

艾德里安覺得很有趣，所以決定再多逗她一會兒。

「是我的不對。」他說，「妳的魔法元素是什麼？」

「水。」

「火與水，嗯？」艾德里安將手伸進口袋，掏出一大把百元大鈔。「甜心，我和妳做個交易，如果妳能弄來一桶水，然後澆在克里斯蒂安頭上，這些錢就是妳的了。」

「我再加十塊。」莉莎大笑著說。

吉兒看上去有些呆愣，我懷疑這是因為艾德里安叫她「甜心」的緣故。我一直致力於打擊艾德里安，以至於忘了他其實也是一個帥哥。

克里斯蒂安推著吉兒向門口走去。「別理他們，他們只不過是嫉妒，因為精神能力使用者不能像我們一樣參加戰鬥。」他跪在地板上，遷就著莉莎的高度，低頭飛快地吻了她一下，「我們剛才在樓上的休息大廳練習，現在我要送她回去了。明天見。」

「你不用送我的。」吉兒說，「我可以自己回去，我不想給你們添麻煩。」

艾德里安站了起來。「哦，不會的。如果這裡一定要有個人站起來，完成這個騎士的光榮任務，那個人肯定是我。我送妳回去，讓這對鴛鴦在這裡繼續纏綿。」他朝吉兒曲起手臂，「我們可以走了嗎？」

「艾德里安——」莉莎喊道，語帶警告。

「拜託，」他說著，翻了個白眼，「反正我也得回去——宵禁之後你們兩個也沒辦法繼續了。而且老實說，好歹讓我在這裡博個好名聲，雖然我已經名草有主了。」

他意味深長地看了莉莎一眼，好像是在告訴她，她認爲他會對吉兒下手是個多麼愚蠢的想法。

莉莎盯著他的眼睛看了一會兒，明白他說的對。艾德里安有時雖然像個無賴，但是從來沒有掩飾過對我的興趣，而且送吉兒回去，也不代表他就有歪門邪念。他是眞的好心想幫忙。

「好吧，」莉莎說，「我再找你。很高興認識妳，吉兒。」

「我也是。」吉兒說，然後看著面帶微笑的克里斯蒂安說：「再次感謝。」

「下次訓練，妳最好乖乖出席。」他警告道。

艾德里安和吉兒向大門走去，剛好碰見走進來的愛瑞。

「嘿，艾德里安。」愛瑞看了吉兒一眼，「你帶的這個小尤物是誰？」

艾德里安懲罰性地指著愛瑞說，「閉嘴。我一會兒再找妳算帳，樂澤。」

「你們可以別再這麼叫我了嗎？」吉兒抗議道。

「正合我意，」她用動聽的聲音說，「我的房門會爲你而開。」

吉兒和艾德里安離開之後，愛瑞在莉莎旁邊坐下。她看上去似乎是喝醉了，但是莉莎在她身上聞不到酒味。莉莎很快就發現，其實愛瑞身上一直都有那種無拘無束、無憂無慮的特質，並爲此深深著迷。

「妳真的邀請艾德里安等等去妳的房間？」莉莎問。她雖然是用揶揄的口吻，但是也想暗暗試探一下他們兩個之間是不是有什麼。正好，我們兩個都想知道。

愛瑞聳聳肩。「我不知道，也許吧。有時候你們兩個還膩在床上的時候，我們會出去約個會。妳吃醋了，對不對？」

「才沒有。」莉莎大笑，「只是好奇而已。艾德里安是個好人。」

「哦？」克里斯蒂安問，「那要看『好』的定義是什麼了。」

愛瑞舉起一隻手，開始像彈鋼琴一樣輪流敲著手指。「他確實很帥，而且幽默、有錢，還是女王的親戚……」

「妳已經選好婚禮的主色調了？」莉莎仍然大笑著問。

「目前還沒有。」愛瑞說，「我還在觀望。我以為他會很容易上勾，但沒想到卻是個難懂的人。」

「我真的不想聽這些。」克里斯蒂安說。

「有時他會表現出那種遊戲人間的態度，但是有時候，他又憂鬱得令人心醉。」莉莎和克里斯蒂安趁愛瑞不注意時交換了一下眼神，而愛瑞還在滔滔不絕。「不過呢，我來這裡不是為了要談論他，我來是要告訴妳，我們要離開這裡去尋歡作樂。」愛瑞伸過手臂摟著麗莎，差點摔倒。

「離開哪裡？宿舍？」

「不，學院。我們要去皇庭度過一個狂野的週末。」

「什麼，這週嗎？」莉莎覺得自己跟不上愛瑞的步調，我一點都不會怪她。「為什麼？」

「因為復活節要到了，而她的皇室大臣們一致認為，如果妳在節日的時候能參加她的派對，那就『太好了』。」愛瑞的語氣有些激昂，聲音也大起來。「而且，自從我和妳混在一起後，我爸爸認為我現在表現得可好了。」

「沒記性的可憐混蛋。」克里斯蒂安喃喃地說。

「所以他說我可以和妳一起去。」愛瑞看了克里斯蒂安一眼。「我猜你也可以去。女王說了，莉莎可以帶一個伴，當然是除了我以外。」

莉莎看著愛瑞容光煥發的臉，卻完全分享不到她的喜悅。「我討厭去皇庭。塔蒂安娜總是這樣，把她認為好的事強加給我。那些東西一直都很無聊，而且現在還變本加厲。」莉莎沒有提到她曾經覺得去皇庭很有意思，因為有我和她在一起。

「那是因為妳沒有和我一起去過。一定會很好玩的！我知道所有好玩的東西。而且我打賭，艾德里安肯定也會一起去，在那裡他可以隨心所欲。那多像一次雙人約會啊！」

慢慢地，莉莎開始同意這件事也許會很有意思。我和她曾經設法在皇庭生活華麗的外表下，窺探過一些潛藏的「好玩的東西」，但其他時候，莉莎前去那裡的時候，就正如她說的那樣，無聊，就只是在執行公務。但是現在，和克里斯蒂安一起，再加上狂野不做作的愛瑞？也許有可能很好玩也說不定。

但是克里斯蒂安打破了這一切。「哦，別算我一份。」他說，「如果妳們還能帶一個人去，就帶吉兒去吧！」

「誰？」愛瑞問。

「小尤物。」莉莎替他說明。她生氣地看著克里斯蒂安，「我為什麼要帶吉兒去？我才剛認識她。」

「因為她是眞的很認眞地想要學會保護自己。妳應該把她介紹給米婭，她們兩個同樣都是使用水能力。」

「你說的對，」莉莎善解人意地說，「但事實上，你是在痛恨皇庭的人對此完全沒有作爲。」

「呃……」

「克里斯蒂安！」莉莎突然生氣起來。「爲什麼你就不能爲我去一次呢？」

「因爲我討厭那個叫女王的賤人看我的樣子。」他說。

莉莎不認爲這個理由很有說服力。「是，可是我們畢業之後，我要住在那裡，你也得去。」

「哦，好吧，那就讓我先放個短假。」

莉莎的火氣更大了，「哦，我終於明白了。我必須一直將你的自尊放在前面，而你卻不願意爲我拋掉它。」

愛瑞來來回回地看了看他們兩個，站了起來。「我給你們留點私人空間，你們自己商量好。我倒是不介意是帶克里斯蒂安還是帶那個小尤物去，只要妳會去就行了。」她低頭看著莉莎，「妳會去，對吧？」

「對，我會去。」就算她本來不想去，克里斯蒂安的抗拒也突然激起了莉莎要去的慾望。

愛瑞微微一笑。「好極了。我要回去了，但是你們兩個最好在我離開之後，一吻泯恩仇。」

愛瑞的弟弟李德突然出現在門口。「妳好了沒有？」他問道。每次他一開口，都伴隨著一股哼哼唧唧的聲音。

愛瑞用一副勝利者的表情看著其他人。「看見了沒？我勇敢的弟弟，趁著那些宿舍管理員朝我大吼大叫、趕我離開之前來接我回去了。現在，艾德里安得用另一種刺激的新方法，來證明他的騎士精神了。」

李德看上去不是很英勇，也不像有騎士精神，但是我認爲會來接她回去，就代表他的人還是挺不錯的。他選擇出現的時間出奇的完美。也許愛瑞說的對，他並沒有人們想的那麼壞。

愛瑞一離開，莉莎就轉身看著克里斯蒂安。「你眞的希望我帶吉兒去，而不是帶你去？」

「對。」克里斯蒂安說。他想要放平膝蓋躺下來，但是莉莎一把將他推開。

「我要開始倒數嘍，直到妳改變主意爲止。」

「我眞不敢相信，你以爲我在跟你說笑？」

「我沒有。」克里斯蒂安說。「聽著，我不是故意要激怒妳的，好嗎？但是說眞的……我確實不太想面對皇庭那麼誇張的場面，而且這對吉兒也有好處。」他皺著眉頭，「妳對她沒什麼意見，對吧？」

「我根本不認識她。」莉莎說。她還在生氣，比我想的要嚴重，眞怪。

克里斯蒂安握住莉莎的雙手，一臉認眞，那雙她愛的藍色眼睛稍稍融化了她的怒氣。「拜託，我不想要惹妳生氣，如果這件事眞的那麼重要的話……」

突然之間，莉莎的怒火消退了，就像有一個開關似的。「不，不，我也可以帶吉兒去，雖然我不知道她是不是會和我們合得來，然後去做愛瑞想要做的事。」

「帶著吉兒去找米婭，她會替妳們在週末照顧她的。」

莉莎點點頭，想知道爲什麼他對吉兒這麼好。「好吧，但是你不去，不是因爲你不喜歡愛瑞，對吧？」

「對，我很喜歡愛瑞，她經常能逗妳開心。」

「你也能。」

「所以這就是我爲什麼加了『經常』這個詞。」克里斯蒂安輕輕地吻了下莉莎的手。「自從蘿絲離開之後，妳就一直很難過。我很高興妳能和別人處得愉快，妳知道，有些東西是我無法給妳的。」

「愛瑞不是蘿絲的替代品。」莉莎飛快地說。

「我知道，但是她令我想起她。」

「怎麼會？她們兩個一點都不一樣。」

克里斯蒂安直起身子，坐在她身邊，將頭靠在她的肩膀上。「愛瑞很像原來的蘿絲，就是妳們兩個還沒有從學院裡逃走之前。」

我和莉莎聽了都爲之一震。他說的是眞的嗎？在莉莎的精神能力還沒有展現之前，我和她一直都過著派對女生的那種生活。沒錯，有一半的時間都是我在想各種瘋狂的點子，然後恰到好處地替我們惹來一身麻煩。但是，我有愛瑞那麼誇張嗎？

「永遠都沒有人能代替蘿絲。」莉莎憂傷地說。

「對。」克里斯蒂安同意道，他輕淺地在她唇上一吻。「但是妳會有其他的朋友。」

我知道他說的對，但是仍然忍不住升起一絲醋意，同時也禁不住大大地憂心起來。莉莎突然間爆發的情緒，已經不僅僅是憂鬱那麼簡單了。我能理解她爲什麼想要克里斯蒂安一起去，但是她的態度似乎過於強硬了，而且她對吉兒的醋意也很奇怪，她沒理由懷疑克里斯蒂安的感情，特別對象還是吉兒這種黃毛丫頭。莉莎的情緒轉變讓我想起過去。

我猜她可能是太累了，但是某種本能——這也是心電感應的一部分——又告訴我，這裡面有問題。這種感覺轉瞬即逝，我根本抓不住，如同流過指縫中的水一樣。但是，我之前的預感都是對的，所以我決定以後要經常去看一看莉莎的狀況。

12

我丟下滿肚子問號卻找不到答案的莉莎一個人，也暫時沒有其他計畫，只是又繼續在貝里科夫家待了幾天。我已經習慣了他們家的生活，並意外地發現這是如此的簡單。我努力想讓自己變得有用一點，做了每一件力所能及的事情，甚至包括顧孩子（這件事我永遠都不會習慣，因爲守護者的訓練已經將課後的時間全部佔滿了，不會有多餘的時間去做看孩子這種事情）。伊娃整天都盯著我，從不說一句話，但是表情就像是在說她很不高興。我不知道她是希望我離開這裡，還是她平時就是這副表情。不過其他人都對我非常好，他們都很高興我留在這裡，一舉一動都透露出這種高興。維多利亞是其中最高興的一個。

「我希望妳能和我們一起回學校。」維多利亞在一個傍晚，用嚮往的語氣說道。我和她最近經常在一起。

「妳什麼時候回去？」

「星期一，復活節過後。」

我覺得有一點悲傷。不管我是不是要繼續留在這裡，都會失去她了。「哦，天哪。我不知道會這麼快。」

我們小小地沉默了一下，然後她斜著眼睛瞟了我一眼。「妳有沒有想過……呃，也許有一天會和我們一起回到聖拜亞學院呢？」

我張大眼睛。「聖拜亞？你們的學校名字前面也有個『聖』？」不是每個學院都會有個「聖」字的。艾德里安在東海岸上的學校叫艾爾德。

「我們的校名是源自一個人類的聖徒。」她笑著說，「妳可以轉學到哪裡，然後完成剩下的學業。我相信他們會願意接收妳的。」

我所有瘋狂的設想裡——相信我，關於這趟旅途我曾經有過各種各樣的設想——並不包括這一點。我已經退學了，而且我很清楚再也沒有什麼東西可以讓我學的了。當然，在見到雪梨和馬克以後，很顯然確實還有那麼一丁點的事情是我不知道的。但是考慮到我對自己人生的規畫，我不覺得再去上一個學期的數學和自然課對我有什麼幫助。至於進行到現在的守護者訓練，我所要做的只剩下為參加最後的大考做準備。我有些懷疑那些考試和比賽的困難程度，能比得上我與血族的實戰慘烈。

我搖了搖頭。「從來沒這麼想過。我覺得我上學已經上夠了，而且，妳的學校肯定都是用俄語上課的。」

「他們會幫妳翻譯的。」她露出一抹淘氣的笑容。「再說，踢踢打打是不用語言的。」她的笑容褪去之後，表情顯得有些凝重。「而且說眞的，如果妳不畢業的話，就不能成為一個守護者……嗯，為什麼妳不留下來呢？我是說，留在拜亞。妳可以和我們住在一起。」

「我不想成為一個吸血妓女。」我立刻說。

她的表情變得很奇怪。「我不是這個意思。」

「我也不該說那種話，對不起。」我對剛才的說法覺得很懊悔。雖然我一直聽到鎮上有吸血妓女的流言，但是實際親眼看到的也只有一兩個，而且貝里科夫家的女性當然不會是其中之一。索婭的懷孕雖然有些可疑，但是在藥店辛勤工作的人應該不會那麼低賤；我對卡洛琳娜的事情也瞭解一點，她孩子的父親是名莫里，但明顯是她自己眞心所愛的，她沒有在他面前降低自己的身分，而他也沒有利用她。在生下小女兒以後兩個人決定分手，但也是很友好地分手，卡洛琳娜現在在和一名守護者約會，只要他休假，就會來看她。

有幾個吸血妓女倒是很符合我對她們這群人的印象。她們的穿著和妝容都非常容易令人聯想到性，而她們脖子上的瘀青非常直接地告訴別人，她們不介意在做愛的過程中讓自己的夥伴吸血，對拜爾來說這是最齷齪的一件事。只有人類才能供血給莫里，我們的種族是不能做這種事的。如果允許這種事發生，特別是在做愛的過程中有這種行爲，呃，正如我所說的，是非常齷齪不堪的，是所有骯髒的事情中最骯髒的一件。

「媽媽肯定非常希望妳留下來。妳也可以找份工作，成爲我們家的一員。」

「我不能取代迪米特里的位置，維多利亞。」我溫柔地說。

她伸手抓住我的手，用力一握。「我知道，沒人想要妳這麼做。我們喜歡妳，僅僅是因爲妳，蘿絲。妳在這裡令人感覺很舒服——也許這也是迪米卡選擇和妳在一起的原因之一。妳適合這個地方。」

我試著想像她描述的那種生活，聽起來……很簡單，很舒適，不用操心，只要和一個充滿愛的大家庭在一起，和大家有說有笑，每天晚上還能出去散散步。我可以擁有自己的生活，不用整天想著和別人打來打去，我還可以有姊妹，而且不會有戰爭，除非是在自保的時候。我可以放棄去追殺迪米特里的計畫，這很可能是一個去送死的計畫，不管是對我的肉體還是心靈來說都是。我可以選擇最合理的一條路，忘記他，相信他已經死了。

可是……如果我要這麼做的話，爲什麼不回蒙大拿呢？爲什麼不回到莉莎身邊，回到學院裡去呢？

「我不知道。」最後，我終於開口對維多利亞說，「我還不知道自己要怎麼做。」此時是剛吃過晚飯的時間，她猶豫地看了一眼錶。「我不想這麼快就離開，但是……我一會兒要去見一個人……」

「尼可拉？」我揶揄地問。

她搖了搖頭，我只好盡量掩飾自己的失望。我見過他幾次，覺得這個人越來越可愛。維多利亞對他沒有興趣真是太遺憾了。不過現在，我猜她很可能是想隱瞞某些事，或是某個人。

「哦，快說。」我笑著說，「他是誰？」

她模仿著迪米特里，裝出一臉平靜。「一個朋友。」她含糊地回答。不過我想我在她眼睛裡看到了笑意。

「學校裡的？」

「不是。」她嘆了一口氣。「問題就在這裡，我會非常想他的。」

我的笑容不見了。「我能明白。」

「哦，」她看上去有些尷尬，「我真傻。我的問題……嗯，和妳的問題比起來真是無關緊要。我是說，雖然我一時半會兒見不到他……但我們總是還有見面機會的。但是迪米特里已經不在了，妳永遠都見不到他了。」

哦，也許不完全是這樣。但是我並沒有這麼說，僅僅簡短地說：「對。」

令我驚訝的是，她抱了我一下。「我知道愛情是什麼樣的。失去他……我不知道該怎麼說，我唯一能說的就是我們都在這裡陪著妳，所有人，好嗎？妳不能取代迪米特里，但是妳就像我們的親妹妹一樣。」

她叫我妹妹，令我既不知所措又覺得非常溫暖。可是，她必須要去赴約了。維多利亞匆匆換了衣服，化了妝，向大門走去——這個人肯定不只是朋友那麼簡單，我暗想著——我因而有些慶幸，因爲不想讓她看見我因爲她的話而感動得痛哭流涕的樣子。

我是獨生女，莉莎曾經是我最接近姊妹的人，我一直將她當做自己的姊妹，一個我現在已經失去的姊妹。但是聽到維多利亞稱我爲妹妹……嗯，確實打動了我。有種感覺告訴我，我其實眞的有很多好朋友，我其實並不孤單。

我低頭向廚房走去，歐琳娜很快便走了進來。我正在到處找吃的。

「剛才有關門聲，是維多利亞出去了嗎？」她問道。

「對，她去見個朋友。」爲了令人信服，我努力不帶任何感情色彩地說。我才不會出賣她。

歐琳娜嘆了一口氣。「我本來想讓她去鎮上幫我跑腿的。」

「我去吧。」我自動請纓，「等我搜括點吃的後就去。」

她笑著拍了拍我的臉頰。「妳有顆善良的心，蘿絲。我能明白爲什麼迪米卡這麼愛妳了。」

這也很令人驚訝。我是指，這裡的人居然這麼容易就接受了我和迪米特里之間的關係。沒有人提起過年齡差異，或者我們是師生戀這種事。正如我對雪梨說過的，我似乎變成了他的遺孀，而維多利亞要我留下來的話又浮現在我的腦海。歐琳娜看著我的樣子，好像眞的把我當成了她的女兒，再一次，我覺得自己好像背叛了我的母親。她可能會嘲笑我和迪米特里之間的事，也會說這件事不可能被大眾接受，而且我還太年輕。也或許她不會？也許是我太苛刻了。

歐琳娜看見我站在打開的櫥櫃前，不贊同地搖了搖頭。「妳應該吃完再走。」

「只是些小點心而已，」我向她保證，「不會消化不良的。」

她什麼都沒說，動手切了厚厚一塊早上剛烤好的黑麵包給我，又拿出一罐奶油，她知道我喜歡把麵包切開來夾東西吃。卡洛琳娜也嘲笑過我說，如果美國人知道這麵包是什麼做的，可能會嚇一大跳，所以我從來不問這個問題。這個麵包聞起來有點香又有點臭，可我愛死了它。

歐琳娜在我對面坐下來，看著我吃，「他小時候也最愛吃這個。」

「迪米特里？」

她點點頭。「只要他放學回來，第一件事就是要吃這個麵包。他那種吃法，讓我後來不得不再特地爲他單獨做一個，女孩們可沒那麼會吃。」

「男生的胃口都很大。」老實說，我的胃口也不小。「而他的胃口比大多數男生都還要大。」

「沒錯，」歐琳娜陷入沉思中，「後來我決定教他，讓他自己做。我告訴他，如果他想吃我做的東西，最好也要瞭解這些美味是怎麼做出來的。」

我大笑起來。「眞不敢想像迪米特里烤麵包時的樣子。」

可是，當這些話一出口，我忍不住又陷入了回憶。我和迪米特里接觸的時候，經常都是激情無比的，他那性感、戰神一樣的身影又浮現在我腦海中。可是，迪米特里的溫柔和深思熟慮，和他致命的外表融合在一起後，才令他變成如此完美的人。那雙握過銀樁的手是那麼精細，也能小心翼翼地梳理我拂過臉龐的髮絲；那雙可以準確地捕捉到周圍任何潛藏危險的眼睛，令我既驚訝又著迷，就好像我是這個世界上最漂亮、最有魅力的女人。

我嘆了一口氣，發現此刻胸口裡那股甜蜜又痛苦的感覺很熟悉。多可笑啊，居然一塊麵包就能讓我想起這麼多。但是事實就是這樣，不管什麼時候想起迪米特里，我都很容易激動。

歐琳娜看著我，溫柔又具有耐心。「我知道，」她好像看穿了我的想法，「我知道妳的感受。」

「痛苦會逐漸減輕嗎？」我問。

和雪梨不一樣，歐琳娜可以回答這個問題。「會的，可妳已不會是原來的妳了。」

聽了這話，我不知道自己應不應該感到高興。在我吃完麵包之後，她給了我一張要購買的食品清單，我出發向鎮中心走去，很高興能在戶外走一走。宅在家裡並不適合我。

當我走進食品商店，驚訝地發現馬克也在，我還以爲他和歐克桑娜都不是那種會經常來鎮上買東西的人。但我也不認爲他們是那種自給自足、與世隔絕的人。

馬克看見我，露出令人感覺溫暖的笑容。「我就知道妳還沒走。」

「對，」我舉起自己的籃子，「來幫歐琳娜買點東西。」

「很高興妳還在，」他說，「妳看上去……平和多了。」

「我想是戒指的作用，至少能令我平靜下來。我目前爲止還沒有作出任何決定。」

他皺起眉頭，將手裡拿著的牛奶換到另一隻手裡。「什麼決定？」

「現在該怎麼做，去哪裡。」

「爲什麼不留下來？」

眞奇怪，同樣的問題我剛和維多利亞討論完，而此刻我的回應也是一樣的。「我不知道自己留下來能做什麼。」

「找份工作，和貝里科夫一家人一起生活。他們愛妳，妳知道的。妳很適合留下來，和他們家的人生活在一起。」

那種溫暖、有愛的感覺又來了，我再次嘗試著想像自己在這裡安頓下來，和他們在一起，在這樣的商店裡找份工作，或者去餐廳做服務生。

「我不知道，」我打破了自己不多話的記錄，「我不知道這對我來說，是不是件正確的事情。」

「總比另一個選擇要好。」他提醒我。「比漫無目的地到處瞎跑，讓妳自己置身於危險當中要好。根本不用選擇。」

但是，這就是我一開始來到西伯利亞的原因啊！我內心的聲音警告著我。*迪米特里。蘿絲，妳忘了迪米特里了嗎？已經忘了妳來這裡是為了讓他自由，是來完成他的心願的嗎？*可是，他眞的是這麼想的嗎？也許他只是希望我可以安全地待在一個地方。我眞的不知道，沒有了梅森的幫助，我變得更加難以選擇。一想到梅森，我突然想起一件已經完全被我拋在腦後的事情。

「我們之前的談話……呃，我們聊起過莉莎和歐克桑娜的能力。可是你呢？」

馬克瞇起眼睛。「妳想說什麼？」

「你有沒有……有沒有遇見過……嗯，幽靈？」

馬克沉默了一會兒之後，嘆了一口氣。「我本來希望這種事不會發生在妳身上。」

我很震驚，而在得知我不是唯一一個可以見到鬼的人時，居然覺得很輕鬆。即使我已經知道，我會成爲他們的目標，是因爲我已經死過一次，和死神的世界產生了連接，還是覺得這對影吻者來說是最可怕的遭遇。

「它們是隨地隨地都會出現的嗎？」我問。

「一開始是，後來我學會了控制。」

「我也是。」我突然想起在倉庫時的事。「事實上，並不是完全學會了。」

我壓低嗓音，匆匆地將我和雪梨來這裡途中發生的事情講了一遍。我從來沒有對別人提起過。

「妳絕對、絕對不能再這麼做了。」他嚴厲地說。

「可我又不是有意的！很自然就發生了。」

「妳的恐慌、需要幫助的渴望，令妳心底的某一個部分將那些幽靈召喚了出來。別再這麼做了，這麼做絕對是錯誤的，而且也很容易失控。」

「我根本不知道自己是怎麼做到的。」

「就像我說的，那是因爲失去了控制。不能再讓妳的恐懼凌駕於妳的意識之上了。」

一個老婦人從我們身邊走過，她頭上包著一條圍巾，手上掛了一個裝滿蔬菜的籃子。

我等她走離開很遠才繼續問馬克：「爲什麼他們會幫我？」

「因爲死去的靈魂痛恨血族。血族是很特殊的一個群族，既不屬於活人也不屬於死人，而是在兩者中間的一種存在。就像我們可以感應到它的邪惡一樣，幽靈也可以。」

「聽起來它們可以成爲很不錯的武器。」

他皺起了眉頭。「這麼做很危險。妳我這樣的人已經是走在黑暗和瘋狂的邊緣了，敞開自己、召喚亡靈，只會令我們更加靠近墮落的深淵，迷失自己的心智。」他看了看手錶，嘆了口氣。「聽著，我必須回去了，但是我說的話是認眞的，蘿絲。留下來，別去惹麻煩。如果血族來襲，妳可以加入戰鬥，但是千萬別盲目地去尋找他們，而且千萬要遠離那些幽靈。」

在這間商店裡我獲得了很多建議，可是其中有許多我並不知道自己要不要接受。但是我仍然謝過他，讓他替我向歐克桑娜問好，然後我去結帳，也離開了。我低著頭向歐琳娜的住處走去，結果在一個轉角差點和艾比撞了個滿懷。

他仍然是那一套招搖的裝扮，價格不菲的大衣配上一條金黃色的圍巾，和他的金項鏈相呼應。他的守護者站在附近，他自己則無聊地踢著牆上的磚塊。

「所以這就是妳來俄國的原因嘍？像那些鄉下人一樣去超市買東西。」

「不，」我說，「當然不是。」

「那是爲了來觀光？」

「也不是，我不過是幫別人一個忙。別再想從我身上套話了，你可沒有你自以爲的那麼聰明。」

「這話可不對。」他說。

「聽著，我已經告訴過你了，我來這裡，就是爲了要告訴貝里科夫一家這個消息。所以，你可以回去向那個派你來這裡的人彙報了，不管他是誰。」

「我也告訴過妳不要對我撒謊。」他說。再一次，我見到了他身上那種混合了危險和幽默的詭異特質。「妳不知道我對妳多麼仁慈，如果換做別人，我早就在上次見面的那個晚上得到所要的資訊了。」

「我眞走運。」我猛地頂了回去。「那現在是要怎樣？你打算把我拖進小巷子裡，揍我一頓，直到我告訴你我眞正的目的？我可沒興趣和你演這種黑道片裡常見的戲碼。」

「我已經對妳失去了耐心。」這句話雖然他是開玩笑的方式說出來的，可是隨著他的逼近，我不安地發現他比大部分的莫里身材都要強壯。大部分莫里都盡可能避免和人發生衝突，可我毫不懷疑艾比也像他的守護者一樣，有能力將人打得滿地找牙。「妳想聽實話嗎？我才不在乎妳爲什麼來這裡。妳只要馬上離開就可以，現在。」

「老頭，別想威脅我。我想他媽的什麼時候離開是我自己的事。」眞好笑，我剛剛還向馬克發誓，我不知道自己是不是要繼續留在拜亞，但是當面對艾比的逼迫時，我才突然發現自己眞正的想法。「我不知道你想拿我怎麼樣，可我一點都不怕你。」這並不完全是實話。

「妳最好害怕。」他高興地回嘴，「我可以成爲很好的朋友，也可以變成可怕的敵人。我會讓妳覺得離開是值得的，我們可以做個交易。」

他講話的時候，眼睛裡閃動著興奮的光芒。我想起雪梨說過，他可以輕易地操縱別人，我有種預感，他就是爲此而生的——談判，做交易，以此獲得他想要的。

「不，」我說，「我準備好了之後才會離開。你和你的老闆都管不著。」

我轉過身，希望自己表現得夠酷，但他伸手抓住我的肩膀，猛地將我往後一帶，差點令我打翻手裡拿著的食物。我深吸一口氣，迅速進入戰鬥狀態，但是這時他的守護者已經衝過來。我知道我跑不遠。

「妳待在這裡的期限已經到了。」艾比斷聲說道，「不管是拜亞也好，還是俄國也好。回美國去，我可以給妳所需要的，不管是錢還是頭等艙的機票，隨便什麼都行。」

我走到他搆不著的地方，小心地往後退。「我不需要你的幫助，也不要你的臭錢，恐怕只有上帝知道那些錢是怎麼來的。」一群人從馬路對面過來，轉彎向這裡走來，他們有說有笑，我又退後了一點，肯定艾比絕對不會在有人看見的時候對我動手。這令我勇氣倍增，雖然怕他是件很蠢的事。「而且我已經告訴過你了，我他媽的想什麼時候走，就什麼時候走。」

艾利看著那些走過來的路人，也退回去和他的守護者站在一起。那種令人不寒而慄的笑容又出現在他臉上。「我也說過了，我可以成爲很好的朋友，也可以成爲可怕的敵人。在我作出決定之前，滾出拜亞。」

他轉身離開了，我暗自鬆了一口氣。我可不想讓他看見我的臉色因爲他的話變得多麼難看。

晚上，我早早就上了床，躺了一會兒，手裡翻著一本根本看不懂的雜誌，驚訝地發現自己居然越來越睏。我想可能是因爲接連碰到了馬克和艾比，消耗了我太多的精力吧！馬克的話言猶在耳，維多利亞竟然就緊接著出現了。艾比的出言威脅，令我動用了所有細胞來全力應付，還運用了所有學過的守護者本領，來拒絕他要我離開俄羅斯的要求。我突發奇想，經過這一次，他會不會眞的沒有了耐性，不打算再和我繼續討價還價了呢？

我逐漸睡去，同時感應到熟悉的艾德里安的夢境將我包圍住。自從上次之後，我已經很長時間沒有見過他了，我告訴他不要經常來煩我，他確實很聽話。當然，我經常對他這麼說。但這一次，是間隔最久的一次，而雖然我非常痛恨承認這一點，但我確實有點想他。

這次他選擇的地點是在學院裡，在池塘邊的一個小森林裡。這裡所有的東西都是綠色的，鬱鬱蔥蔥，陽光穿過樹葉照在我們身上。我本來以爲除了蒙大拿的景觀，艾德里安創造不出像現在這樣的環境，但是，我錯了。他可以隨心所欲，想創造出什麼景色就創造出什麼。

「小拜爾，」他面帶笑容地說，「許久不見呀！」

「我以爲你已經忘記我了。」我坐在一塊大大的、十分光滑的石頭上。

「永遠都不會。」他說著，雙手插在口袋裡，向我走過來。「不過……說實話，自從上次之後，我本來是打算不再來煩妳的。但是……嗯，我還是要確保妳還活在這個世界上。」

「還活得很好呢！」

他微笑著低頭看我，陽光照得他一頭棕髮閃閃發亮，栗色頭髮上的光澤似乎變成了金色。

「很好，妳看起來氣色確實不錯，靈光比我上次見到的時候漂亮多了。」他的目光順著我的臉滑落到我放在膝蓋上的手，然後皺著眉頭，拾起我的右手。「這是什麼？」

我的手上戴著歐克桑娜的戒指。雖然這戒指款式很簡單，但是卻在陽光下泛著銀光。這夢眞是奇怪，雖然我和艾德里安並沒有眞的相遇，可是當他握著我右手的手掌時，卻能感受到他十分用力。

「一個符咒，可以幫我對抗精神能力的副作用。」

和我一樣，他很顯然沒有想過這種事情，表情因而變得熱切。「也能治癒好這個，對嗎？所以它能讓妳靈光中黑暗的部分消散。」

「有一點效果吧。」我說，對他的凝視感到心慌。我摘下戒指，將它放進衣服口袋。「只是暫時性的。我見到了另一個精神能力的使用者，還有另一個拜爾族的影吻者。」

他更加驚奇了。「什麼？在哪裡？」

我咬著下嘴唇，搖了搖頭。

「該死！蘿絲，這可是大事。妳知道我和莉莎找其他能使用精神能力的人找了多久，告訴我他們在什麼地方。」

「不行，也許過一陣子再說。我不希望你找到我。」就我所知，他們已經找到了我，艾比是他們的間諜。

他綠色的眼眸閃著怒火。「聽著，妳能不能假裝在這個世界消失一會兒？這件事關乎我和莉莎，關乎弄明白我們身體裡這種瘋狂的魔力。如果妳找到了能夠幫助我們的人，我們應該知道。」

「再等一陣子，」我固執地說，「我很快就要走了，等我走了以後再告訴你。」

「為什麼妳總是那麼難搞？」

「因為你喜歡我這樣。」

「現在嗎？那可不見得。」

這本來是艾德里安經常喜歡開的一個玩笑，可是這次我確實有點被惹惱了。不知為什麼，我有一種很微弱的感覺，覺得我對他來說沒有以前那麼可愛了。

「有耐心一點，」我對他說，「我知道你們還有其他的事情要做，而且莉莎還忙著和愛瑞一起遊玩。」這句話不自覺地就順口說了出來，話裡的痛苦和嫉妒，又令我想起了那天晚上看見他們在一起時的樣子。

艾德里安揚起一邊眉毛。「女士們，先生們，她承認了。妳一直在監視著莉莎，我就知道。」

我轉開頭。「我也只是想確認她是不是還活著。」說得好像我眞的可以隨便前去世上任何一個地方，而對她不管不問一樣。

「對，而且還活得很好，像妳一樣。呃……大部分時候是吧！」艾德里安皺起眉，「有時我會從她身上感應到十分奇怪的氛圍。她似乎不是很平靜，而且靈光有時也不太穩定，雖然每次時間都不長，可我還是很擔心。」艾德里安的話裡透出一些溫柔。「愛瑞也很關心她，所以莉莎有個好幫手。愛瑞人眞的很好。」

我嚴厲地看了他一眼。「人很好？你是喜歡上她了嗎？」我忘不了愛瑞說的那句「房門會為他而開」。

「我當然喜歡她，她是個很不錯的人。」

「不，我是說那種喜歡，不是這種。」

「喔喔，我明白了，」他翻了個白眼，「我們正在像小學生一樣研究『喜歡』的定義。」

「你沒有回答我的問題。」

「好吧，就像我說的，她人不錯，聰明、開朗、漂亮。」

他說到「漂亮」這個詞時的腔調刺痛了我。我再次避開他的眼睛，假裝在玩弄自己脖子上的紋身，試圖掩蓋自己的感受。

艾德里安馬上就戳破了我。「妳是在吃醋嗎，小拜爾？」

我抬頭看著他。「才不，如果我要吃你的醋，怕是很久以前就瘋掉了。想想，有多少女生圍著你啊！」

「愛瑞不是妳說的那種女生。」

再一次，我被他那種有些曖昧的語氣所激怒。本來我不應該有這種困擾的，他對別的女生有興趣，我應該感到高興才對，畢竟這麼久以來，我一直都在嘗試勸他別再對我抱有希望。雖然他答應資助我這次旅行的部分原因，是我答應回去之後可以嘗試和他交往——如果我眞的會回去的話。如果他和愛瑞在一起，那我就不用再擔心這件事了。

老實說，如果這個女生不是愛瑞，我可能一點都不會介意。但是不知怎麼的，我就是覺得她是在勾引他。因爲她，我正逐漸失去在莉莎心中的位置，這一點難道還不夠糟嗎？這個女生怎麼能這麼簡單就取代我？她偷走了我最好的朋友，而現在這個曾經發誓對我一心一意的男生，又正在認眞地考慮用她來替代我。

*妳真虛偽。*一個苛刻的聲音在我內心響起，*為什麼妳不希望其他人開始新的生活？是妳拋棄了他們。不管是莉莎還是艾德里安，他們有權往前走。*

我忿忿不平地站起來。「聽著，今晚我已經和你聊得夠多了，你可以放我回去了嗎？我不會告訴你我在什麼地方，也沒興趣聽你講愛瑞有多麼好，比我優秀多少。」

「愛瑞從來不會表現得像個任性的孩子。」他說，「她不會對那些因爲關心而前來看她的人，說這麼難聽的話，她也不會因爲怕別人毀了她去追殺男友的瘋狂計畫，而斷送我深入學習魔法能力的機會。」

「別跟我說什麼任性的小孩子！」我吼了回去，「你還不是那麼自私自利、自以爲是？你永遠都是這樣，甚至連在夢裡也不例外。你到我的夢裡來，從來都不顧我的感受，不管我是不是願意，只要你自己高興就好。」

「好吧。」他說，聲音冷冰冰的。「我要走了。我們兩個之間也不會再有聯繫了，我不會再來了。」

「很好，希望你這次說到做到。」

他綠色的眼眸是我最後看見的東西，然後我就在自己的床上醒來了。

我坐起來，大口喘著氣，心疼得好像要碎了，幾乎忍不住要哭出來。艾德里安說的對，我就是個任性的小孩子，動不動就因爲一些小事對他冷言冷語。可是……我也控制不了自己。我想念莉莎，甚至有些想念艾德里安，而現在有個人正在取代我的位置，且不會像我一樣拋棄他們。

我不會再來了。

這是我第一次感覺到他眞的不會再來了。

13

第二天便是復活節，所有人都早早起床，準備去教堂。整個房子裡瀰漫著一股香甜的味道，是歐琳娜在烤麵包。我的胃咕嚕咕嚕地叫，迫不及待地想知道她會替晚上的這頓大餐做些什麼好吃的。

我這輩子雖然不是很信上帝的存在，但是仍然常去教堂，大多數時候是出於禮貌，這是一種顯示自己懂禮友好的社交行爲。迪米特里去教堂是因爲他可以在那裡找到內心的平靜，而我暗暗希望，也許今天去教堂，上帝可以給我一點指示，告訴我之後該怎麼做。

和其他人比較起來，我稍微有一點邋遢。他們全都穿得非常正式，而我除了牛仔褲和那幾件T恤之外，就沒有別的衣服了。維多利亞注意到我隨便的衣著，借給我一件白色的蕾絲淑女襯衫，雖然我穿起來有點緊，但看上去還是很漂亮。我和這家人在禱告的長凳上跪好，馬上開始四處張望，心裡很好奇在這種地方長大的迪米特里，怎麼會在學院那麼簡陋的教堂裡找到平靜。

這座教堂很大，幾乎有學院教堂的四倍大，天花板挑得很高，上面的裝飾精緻繁複，金色的飾品和聖徒的肖像似乎無處不在。這座教堂氣勢宏偉，奪目逼人，同時有甜甜的熏香飄過來，香味濃得我都可以看清半空的煙霧。

教堂裡已經坐了許多人，有人類，也有拜爾，我驚訝地發現居然還有幾個莫里。很明顯，到這裡的莫里都是很虔誠的東正教教徒，如果暫且不去管他們是不是還有其他不可告人的骯髒目的。提到莫里……

「艾比沒來。」我看了看周圍，對維多利亞說。她跪在我的左邊，歐琳娜跪在我的右邊。雖然我不認爲他是有宗教信仰的那類人，卻仍然很希望他能跟著我來這裡。眞希望他沒來是因爲他已經離開了拜亞，我仍然對上次見面時的情況心有餘悸。

「他離開這裡了嗎？」

「我認爲他可能是穆斯林。」維多利亞解釋道，「不過據我上次聽到的是，他還在這裡。卡洛琳娜說她今天早上還見到他。」

該死的茲米，他還沒走。他上次是怎麼說的？一個好朋友，或者是一個可怕的敵人。

看我沒有回話，維多利亞擔憂地看了我一眼。「他出現的時候，從來不會做眞正的壞事，他總是露個面就消失了。我上次說我認爲他不會傷害妳是認眞的，但是妳現在的樣子令我很擔心。妳遇到什麼麻煩了嗎？」

好問題。「我不知道。他似乎對我很感興趣，僅此而已。我也不明白爲什麼。」

她的眉毛擰得更緊了。「我們不會讓妳有事的。」她狠狠地說。

我笑了起來，既因爲她的關心，也因爲她成功地吸引了我的注意力，讓我不再去想迪米特里。「謝謝妳。我在美國的家人好像在找我，我想艾比可能是……他們派來監視我的。」這是對某人打算把又踢又喊的我拖回美國去，或者打算直接讓我消失的最好解釋。

維多利亞似乎感受到我話裡的眞實性。「好吧，可我是認眞的，我不會讓他傷害妳。」

這時禱告開始了，中斷了我們的談話。牧師禱告的語調十分動聽，但是對我來說比平時的禮拜還要沒有意義，因爲他說的全是俄語，就像在葬禮時一樣，然而今天沒有人能夠充當我的翻譯。這倒無所謂，我還是可以享受這個美麗的教堂。

看著看著，我又開始走神了。

祭壇的左邊，有一個十四英尺高的金髮天使正俯視著我。回憶突如其來地又湧了上來，迪米特里曾經答應過我，可以在週末的時候帶我去愛達荷州進行一次短程旅行，帶我去見見其他的守護者。愛達荷州並不是我心儀的地方，但是我更喜歡和他一起旅行這件事，後來，他用「學習體驗」這個理由說服校方放行。這件事發生在梅森死後不久，在那場風波的悲劇結局傳遍校園之後，我想他們大概會同意我做任何事情。這是實話。

不幸的是，那次旅行既不悠閒也不浪漫，因為迪米特里還有公務在身，必須快去快回，所以我們用最短的時間完成了那次旅行，沒有浪費任何一秒鐘。想到上次我們開車在路上，結果被捲進了一場莫里族的大屠殺，這次能夠平安無事可能已經算是不錯的結局。和往常一樣，他不同意由我來開車，雖然我一直聲稱可以開完最起碼一半的路程。或許，這才是他不同意我開車的眞正原因。

我們停在中途的加油站幫車子加油，同時在加油站的便利商店裡買了點吃的。當時我們在山上，一個遙遠卻可以媲美聖弗拉米爾的小鎮上。在學校的時候，如果天氣晴朗，我可以看見連綿的山脈，但是這和實際身處山中是完全不同的兩種感覺。迪米特里正在幫車子加油，我拿著三明治，走到加油站後面，好找尋一個最佳的觀景視野。

不管加油站是多麼現代的文明產物，在我繞到它的後方的時候，很快就被我遺忘了。連綿不盡的雪松在我眼前往遠方延伸而去，每棵樹都靜立在那裡，將遠處高速公路的聲音阻隔在我身後。我因為梅森的事情一直很心痛，仍然會作惡夢，夢裡是那些曾經關押我們的血族。這種痛雖然要花很長時間才能漸漸撫平，但是面前這一派平和的景象令我多少感到安慰一些。

我低頭看著那些尚未被踩上腳印的潔白雪地，突然產生了一個瘋狂的念頭。我任性地往後倒去，在地上印出一個完整的人形，厚厚的雪包圍著我，我就這樣待著不動，舒服地躺了一會兒，然後再用腿和手臂在雪地上畫出一個新的圖形。當我結束這一切時，並不想馬上站起來，只想繼續這放鬆的一刻，愣愣地盯著湛藍無比的天空。

「妳在做什麼？」迪米特里問，「除了讓妳的三明治冷掉這件事。」

他的身影籠罩住我，我仰頭看著他高大的身形。雖然很冷，但是陽光很充足，投射在他的髮絲上。我暗暗想道，他就像是一個天使。

「我印出了一個雪天使。」我回答道，「你不會連雪天使都不知道吧？」

「我當然知道。但是爲什麼要這麼做呢？妳肯定凍壞了。」

我穿著厚厚的冬衣，戴著帽子和手套，還有其他各種禦寒的裝備，他只說對了三明治的事。「其實不是很冷，只有臉有一點冷。」

他搖搖頭，哭笑不得地看著我。「等妳回到車裡就會冷了，那時候身上的雪就開始融化了。」

「我猜你擔心你的車更甚於擔心我。」

他哈哈大笑。「我比較擔心妳會被凍僵。」

「在雪裡嗎？這算不了什麼。」我拍拍旁邊的地面，「過來，你也印一個，然後我們就走。」

他仍然低頭看著我。「所以我也會被凍僵？」

「那樣你就知道這有多麼好玩了，就可以在愛達荷留下你自己的痕跡了。而且，這對你來說算不了什麼，不是嗎？你在西伯利亞的時候不是更冷嗎？」

他嘆了一口氣，臉上仍然掛著微笑。就算是在這種天氣裡，這笑容也足夠溫暖我了。「妳又來了，講得西伯利亞好像是南極洲一樣。我在西伯利亞的南部，那裡的氣候和這裡差不多。」

「你是在找藉口，」我對他說，「除非你想把我拖回車裡，不然就過來也印一個雪天使。」

迪米特里仔細地看著我，看了好久，我想他可能眞的打算把我拖走。他的表情仍然輕鬆開朗，其中流露出的寵溺幾乎令我的心要跳出來。突然，毫無預警地，他砰地一下倒在我身旁的雪地裡，靜靜地躺著。

「好吧，」我看見他躺著不動以後，對他說：「現在開始滑動你的手臂和腿。」

「我知道要怎麼印雪天使。」

「那還不做！順便告訴你，你現在的樣子，更像犯罪現場裡員警用粉筆畫出的屍體。」

他又哈哈笑起來，那聲音在寧靜的空中顯得那樣的渾厚和溫暖。終於，在我繼續威逼利誘之下，他也划動了四肢，做了一個屬於自己的雪天使。當他完成之後，我以爲他會跳起來說我們該回去繼續趕路了，可是他卻也躺在那裡，靜靜地看著藍天和群山。

「漂亮吧，哈？」我問道，呼吸在空中變成一團白霧。「從某種意義上來說，這和在滑雪場看見的景色沒什麼不同……但是我也說不清楚，我今天似乎對它有了完全不同的感覺。」

「生命就是如此，」他說，「當我們長大或者想法有了改變之後，有時候對從前經歷過的事物，會有全新的解讀。妳以後還會遇到的。」

我開始開玩笑，說他就喜歡抓住任何機會，替人上這種人生教育課。但是現在，我才明白他那時說的都是對的。當我第一次察覺到對他有感覺的時候，總是不願意承認。我從來沒有過這種感覺，我一直在說服自己，說我絕不能再陷下去，不能愛上他。可是在我見到了梅森和血族的事情之後，我的看法改變了。我對他的愛比想像中更深，我是以另一種方式，以另一種更加深情的方式在愛著他。見證到生命到底有多麼脆弱之後，我覺得自己比較可以接受他了，這令我意識到他對我來說有多麼重要，如果我失去他會有多麼難過。

「你說，要是在那邊有一棟小木屋有多好？」我指著附近的山頂問，「這樣，從外面看根本沒有人會發現你。」

「我覺得這個主意不錯，不過我也覺得到時候妳就會覺得無聊了。」

我試著想像和他被困在野外的情景。在一個小屋裡，有壁爐，有床……我不覺得這些很無聊。「有電纜是件多麼可悲的事情啊！還有網路。」還有身體的溫度。

「哦，蘿絲。」他沒有笑，但是我打賭他正準備笑，「我不覺得妳待在安靜的地方會高興，妳總是要找事情來忙。」

「妳是在暗示我有過動症嗎？」

「完全不是，我是在暗示妳身體裡的火焰會讓妳停不下來，這會令妳不停地渴望一個更好的世界，和更好的人來愛，然後拋棄妳忍受不了的東西。這是妳身上最美妙的一個優點。」

「只有一個嗎，嗯？」我輕輕地說，但是他的話嚇到了我。他是真的認爲他說的這些都是優點，我也能感覺到他除了以我爲傲之外，還不只這一層意思。

「眾多優點中的一個，」他說著坐起來低頭看著我。「所以，不會有屬於妳的平靜的小木屋，除非妳變成一個非常老、非常老的老婆婆。」

「比如，到四十歲的時候？」

他猛地搖了搖頭，站起來，沒有回應我的笑話。可是從他的聲音裡，我能聽出他對我的情意。這點也很令人欽佩，我想只要迪米特里一直認爲我美好又美麗，我是永遠都不會生氣的。

他彎下腰，伸出手來。「我們該走了。」

我握住他的手，讓他把我從地上拉起來。我站穩以後，我們的手仍然交握了一會兒，沒有立刻鬆開。然後我們兩個鬆開手，一起欣賞我們的作品——兩個非常完美的雪天使，其中一個比另一個要高很多很多。我小心翼翼地沿著邊緣走，彎腰在兩個天使的頭上都劃了一條水平線。

「這是什麼？」他等我站回來後問道。

「光環，」我笑著說，「代表是上帝造就了我們。」

「這可能是一條延長線。」

我們又默默地看著這兩個天使許久，回味著剛剛肩並肩躺在一起的甜蜜時光。我希望我說的話能夠成眞，我們眞的可以在這座山上留下屬於自己的印跡。可是我也知道，在下一場雪過後，我們的天使就會消失在皚皚白雪中，除了回憶什麼都不剩下。

迪米特里輕輕地碰了碰我的手臂，我們沒有再說話，轉身回到了車裡。

比起回憶中的他和他在山上看著我的眼神，教堂裡這個天使看我的眼神是那麼蒼白和空洞。我不是有意要冒犯它的。

信徒們在取過麵包和紅酒之後，全都坐回到自己的位子上。我仍然坐著沒有動，但是已經能夠聽懂幾個詞了。生命，死亡，毀滅，永恆。我早就知道這些串連在一起代表了什麼，我打賭那裡的募捐箱裡肯定也有一大筆錢要「復活」。我嘆了口氣，希望自己相信，克服死亡將自己愛的人帶回來眞的是一件很容易的事。

教堂的活動結束了，我和貝里科夫家的人一起走出去，覺得有些鬱悶。人們肩並肩地走到門口，我看見有人在互相交換復活節彩蛋。維多利亞對我解釋，這是這裡一個很重要的習俗。有幾個我不認識的人也塞了幾顆在我手裡，我覺得有點尷尬，因爲我沒有彩蛋可以交換給他們。同時我還在想，不知道自己是不是可以把這些蛋全都吃掉。彩蛋上裝飾了各種各樣的東西，有些只是塗了顏色，但是有些還有著花紋。

每個人在出了教堂之後，似乎都變得非常有聊天的慾望，我們全都站在外面，親朋好友三三兩兩地湊在一起，聊著八卦。我站在維多利亞旁邊，面帶微笑地想要跟上這場英語和俄語交織在一起的談話。

「維多利亞！」

我們轉過身，看見尼可拉正邁步向我們走過來。他給了我們——我這麼說的意思是，他給了她——一個燦爛的微笑。他的穿著很符合節日氣氛，考究的襯衫和深綠色的領帶讓他看上去帥極了。我看了維多利亞一眼，希望這能對她有些影響。可是沒有，她的笑容仍然是那種禮貌性的，只是單純的很高興看見他，沒有任何愛情成分在裡面。再一次，我很好奇她那個神祕的「朋友」是什麼人。

他身後跟著兩個男生，我之前都見過，他們也和我們問好。就像貝里科夫一家人一樣，他們也認爲我會永遠留在這裡。

「妳要去參加瑪琳娜的派對嗎？」尼可拉問。

我差一點就忘了。這個派對在我第一次見到他的時候，他就邀請我去了。維多利亞當時同意了，可是出乎我意料的是，現在她卻搖了搖頭。「我們去不了，家裡已經有安排了。」

這件事對我來說很新鮮。她們確實有可能已經有了安排，而我還不知道，可是我對這種說法表示懷疑，我覺得她在撒謊。身爲一個忠實的朋友，我對沒有反駁她的說法，但是看著尼可拉垮下來的臉，保持沉默還眞不是一件容易的事。

「眞的嗎？我們會想妳的。」

她聳了聳肩。「反正在學校我們還是會經常見面。」

他似乎不是很滿意這個答案。「沒錯，可是——」尼可拉的眼睛突然從她臉上移開，看向我們的身後。

見他皺起眉頭，我和維多利亞也轉過頭，我感覺到她的情緒也不對勁了。

三個男生緩步向我們這邊走來。他們也是拜爾，我沒有發現他們有什麼不對勁，除了傻乎乎的笑容。可是教堂外面聚集著的其他拜爾和莫里臉上的表情，此刻也變得和我的同伴一樣了。不安、擔心、不舒服。這三個男生走到我們身邊停了下來，不動聲色地將我們包圍在中間。

「我就知道你可能在這裡，寇雅。」其中一個說。他講的是一口流利的英語，我愣了好一會兒才反應過來他是在和尼可拉說話。對了，我永遠都不能理解這些俄國人的乳名。

「我不知道你回來了。」尼可拉生硬地說。

我看著他們兩個，發現他們兩個長得很像。同樣的栗色頭髮，同樣瘦削的身材，很明顯，他們是兄弟。

尼可拉的兄弟將眼光落在我身上，眼睛一亮。「妳肯定就是那個沒有經過認證的美國女生。」

他知道我是誰並不奇怪。在悼念會之後，所有的拜爾都在講關於這個美國女生的故事：她和血族交手過無數次，卻沒有獲得認證的紋身，也沒有成為守護者的紋身。

「我叫蘿絲。」我說。我不知道這些傢伙到底有多厲害，但是仍然不打算在他們面前示弱。那幾個人似乎對我的自信頗為欣賞，他們和我握了手。

「我叫鄧尼斯。」他指了指自己的兩個朋友，「亞瑟和利威。」

「你什麼時候回到鎮上的？」尼可拉問，但是臉上卻看不出重逢的喜悅。

「今天早上剛回來。」鄧尼斯轉身看向維多利亞，「我聽說妳哥哥的事了，我很遺憾。」

維多利亞的表情非常冰冷，可她還是禮貌地點點頭。「謝謝。」

「他保護莫里失敗是真的嗎？」

我不喜歡鄧尼斯聲音中帶的那種嘲諷，但是卡洛琳娜替我道出了不滿。我都沒有注意到她是什麼時候走過來的，她看見鄧尼斯也一點都不高興。

「他只是敗給了血族。他是個英雄。」

鄧尼斯聳聳肩，絲毫不受她的怒意影響。「可他還是死了。我相信過幾年以後莫里還會想起這個名字。」

「一定會的。」我回答道，「他救了整整一群莫里，還有很多拜爾。」

鄧尼斯重新看向我，他看著我的時候眼神充滿玩味，「我聽說過妳的事，你們兩個都被派去參加了一場不可能打贏的戰役。」

「不是不可能，我們贏了。」

「如果迪米特里還活著的話，他也會這麼說嗎？」

卡洛琳娜環抱起手臂橫在胸前。「如果你來這裡只是想鬧事，那你可以走了。這裡可是教堂。」

眞有意思，自從我認識她的那天，我一直以爲她是一個很溫柔、好脾氣的人。她和許多年輕的母親一樣支撐著自己的家，但是現在，她似乎更像迪米特里。在她身上我能發現同樣的力量，那種爲了保護自己所愛的人而出現的力量，令她衝出來站在敵人面前。雖然這幾個孩子並不能算是她眞正的敵人。老實說，我還是不知道他們是什麼人。

「我們不過是在聊天而已，」鄧尼斯說，「我只是想弄明白，你們的兄弟到底出了什麼事。相信我，我也認爲他的死是個悲劇。」

「他不會後悔這麼做的，」我對他們說，「他是爲了自己的信仰，戰鬥而死。」

「在獲得許可的情況下，光明正大地殺害那些奪走他性命的人。」

「才不是這樣。」

「哦？」鄧尼斯朝我歪嘴一笑，「那妳爲什麼不再爲守護者效力了呢？妳殺死了那麼多的血族，卻沒有獲得認證的紋身。我聽說，妳甚至連守護者的紋身都沒有。為什麼當時妳沒有挺身而出，保護莫里？」

「鄧尼斯，」尼可拉不安地說，「求求你走吧。」

「我又沒和你說話，寇雅。」鄧尼斯的眼睛仍然盯著我。「我只是想瞭解一下蘿絲。她殺了血族，卻沒有為守護者組織效勞。她很明顯和鎮上你們這些人不一樣，她也許更像我們一些。」

「她和你一點都不一樣。」維多利亞反駁道。

我突然明白了，脊背不禁竄上一股寒意。他們就是馬克曾經提到過的那些拜爾，真正沒有獲得認可的人，那些自己去追殺血族的自衛隊隊員，既不肯安定又不被任何守護者組織接受的拜爾。他們其實不應該為我辯護，眞的。從某種意義上來說，鄧尼斯說的是對的，從最簡單的劃分標準來看，我和他們確實是一樣的。

但是……如果這些傢伙想要激怒我，也用錯方法了。

「那妳為什麼來俄羅斯？」鄧尼斯的一個朋友問。我記不得他叫什麼了。「這段路程對妳來說不算短，如果沒有一個合理的理由，妳是不會來這裡的。」

維多利亞接過了她姊姊憤怒的接力棒。「她來是為了告訴我們迪米卡的事情。」

鄧尼斯看著我。「我以為她來這裡是追殺血族。在俄羅斯，血族的數量比美國可要多得多。」

「如果她要追殺血族，就不會到拜亞來了，你這個笨蛋。」維多利亞平靜地說，「她應該去海參崴或者新西伯利亞這樣的地方。」

新西伯利亞。這個名字很耳熟，可我是從哪裡聽到的呢？過了一會兒，我想起答案，雪梨曾經提過這裡，新西伯利亞是西伯利亞最大的城市。

鄧尼斯繼續不放棄地說道：「也許這只是她計畫的一部分，也許她明天想要和我們一起出發去新西伯利亞。」

「上帝作證，」我喊出聲來，「我就在這裡，別當我不存在一樣。我爲什麼會想和你們一起去？」

鄧尼斯的眼睛閃動著冷酷、瘋狂的目光，「在那裡好好殺一場。那裡有很多血族，和我們一起去吧！妳可以幫助我們。」

「可你們又有幾個人能活著回來？」卡洛琳娜嚴厲地問，「蒂默莎在哪裡？瓦西里在哪裡？你們的獵殺隊伍每次回來都會少幾個人。下一個會輪到誰？誰家會是下一個受害者？」

「妳說得很容易，」另外一個人說。利威，我想他是叫這個名字。「你們留在這裡，什麼都不做，而我們卻在外面拚死拚活地保護你們的安全。」

卡洛琳娜厭惡地看了他一眼。我想起她正和一個守護者在約會。「你們出去。如今會落到這步田地，都是咎由自取，你們根本就沒有好好想過。如果你們眞的打算保護我們，那就留下來，等你們的家人需要的那一天，再站出來。如果你們想要追殺血族，就去加入守護者的隊伍裡，和守護者們一起做點有意義的事。」

「守護者才不會去追殺血族！」鄧尼斯大喊，「他們只知道坐在那裡枯等，畏畏縮縮地守著莫里。」

很不幸地是，他說中了。但是不完全對。

「現在不一樣了。」我說，「已經有人發起行動，要主動出擊，對抗血族。莫里族裡也有一種聲音，希望和我們並肩戰鬥，你可以爲此出一份力。」

「像妳一樣？」他哈哈大笑，「妳還是沒有告訴我們，爲什麼妳離開他們，自己到這裡來。妳可以花言巧語地騙過其他人，但是我知道妳爲什麼來，我看得出來。」他那種瘋狂、古怪的表情，令我差點以爲他眞的能看透。「妳知道，唯一能夠擺脫這些惡魔的方法，就是靠我們自己努力把血族揪出來，然後統統殺掉。」

「可是你們沒有計畫，」卡洛琳娜替他說完，「也不會考慮後果。」

「我們很強，而且知道要如何戰鬥。只需要知道這些，我們就可以殺光血族了。」

這時我才徹底明白，終於搞懂馬克想要對我說什麼了。鄧尼斯說的，確實是我離開聖弗拉米爾學院之後想過的事。我漫無目的地到處跑，希望將自己置身於一個危險的處境，這樣我便有一種救世主的感覺。只有我才能殺死迪米特里，只有我才能摧毀現在變得邪惡的他。可我卻沒有想過，究竟要怎樣來達成這個目的，雖然他還是拜爾的時候，就常常在我們的練習戰中佔上風，可那卻不是眞正的戰鬥。更何況他現在還有了血族的力量和速度，我幾乎完全沒有勝算。可是，我卻不在乎，我曾經盲目樂觀地說服我自己，我肯定可以做到。

在我自己的想法裡，這些都很可行，可是現在……聽見鄧尼斯的這一席話，令我覺得這種想法眞的很可笑。就像馬克警告過的那樣，非常魯莽。他們的動機是好的——和我一樣，但結果卻仍然是變相的自殺。

失去了迪米特里後，老實說，我確實不在乎自己的命。之前我從來不害怕冒險，但是現在我突然明白了，死和有意思的死之間有多麼大的差別。如果我殺死迪米特里的行動失敗，是敗在沒有一個詳細的計畫，從而被他殺死，那麼我的死就一點意義都沒有。

就在這時，牧師走過來，用俄語對大家說了幾句話。從他的語氣和表情來看，我猜他是來看看這裡發生了什麼事。身爲一個人類，他可能不知道拜爾的政治現況，但是他肯定不會對此一無所知。

鄧尼斯向他傻呵呵地笑了笑，用還算禮貌的語氣做了些辯解。牧師也報以笑容，點了點頭，然後聽見別人叫他的名字，便離開了這裡。

「夠了。」等牧師走到聽不見的地方之後，卡洛琳娜口氣惡劣地說，「你該走了，現在。」鄧尼斯的身體繃緊了，我的身體也做出回應，進入備戰狀態。我以為他此時此刻就準備開戰，但是過了一會兒，他放鬆下來，轉身看著我。

「先讓我看看。」

「看什麼？」我問。

「那些紋身。讓我看看妳殺了多少個血族。」

我沒有立刻做出回應，想知道這裡面有什麼陰謀。所有人都看著我，最後我慢慢地轉過身，撩起披散在後背的頭髮，露出脖子，讓他們看我的紋身。那上面有著小小的閃電形狀紋身，還有我曾經參加過戰役的紋身。我聽見鄧尼斯倒吸一口冷氣，我猜他從來沒見過這麼多殺死血族的紋身。我放下頭髮，迎上他評估的目光。

「還想看什麼？」我問。

「和他們在一起，」他終於開口，指了指我身後的人。「留在這個地方，妳根本就是在浪費生命。妳應該和我們一起去新西伯利亞，我們可以幫助妳，讓妳活得有意義。」

「我才是決定我要過什麼生活的那個人。」我指著馬路，「他們要求你們離開，現在走吧！」

我屏住呼吸，仍然處於備戰狀態。在僵持了一會兒之後，那三個人開始後退，在轉身跑掉之前，鄧尼斯又瞥了我一眼。

「這種生活並不是妳想要的，妳很清楚。如果妳改變主意，就到卡薩克瓦大街八十三號來找我，我們明天天亮的時候出發。」

「你們不會等到我的。」我說。

鄧尼斯露出的笑容又令我後背冒出一絲涼意。「我們等著瞧。」

14

見到鄧尼斯，我比以前更加迷茫了。馬克對我的警告就在眼前，那是對我的預言，我一不小心很可能就會變成他說的那樣。我其實和鄧尼斯也沒有那麼像，對吧？我不是盲目地令自己陷入危險。雖然我要做的事也很危險……不過，這是有原因的，我必須遵守自己一定要找到迪米特里的誓言。也許這種行徑是很像自殺，認為自己有勝算只是自欺欺人。

維多利亞沒有留時間讓我好好思考，天色漸黑的時候，全家人已經吃飽喝足坐在客廳裡聊天。她裝作漫不經心地問歐琳娜：「我能去找瑪琳娜嗎？她在我們回學校前辦了個派對。」

喔喔。看起來艾比和煉金術師可不是這裡唯一擁有祕密的人哦。我看了看歐琳娜，又看了看維多利亞的表情，急著想知道這齣戲要怎麼往下發展。歐琳娜和伊娃都在織東西，可伊娃連頭都沒有抬，因為維多利亞是用英語說的。

歐琳娜陷入了沉思。「可妳明天要很早起床，好趕回學校去。」

「我知道，我可以在巴士上睡一會兒。大家今天晚上都會去。」

「『大家都怎麼樣』並不是個好理由。」歐琳娜嘲弄道。

「他們明天也會睡眠不足的。」維多利亞笑著說。

「妳可能會錯過和蘿絲在一起的最後一晚哦！」

「我回來以後可以再來找她。」

「好吧，別玩太晚。」

「不會很晚的，兩點之前我一定會回來。」

「那可不行，十二點之前就必須回來。」歐琳娜低頭，繼續手裡的工作。但是如果我沒有理解錯的話，這說明她已經同意了。

維多利亞看了看時間，現在差不多已經八點半了，她的臉色告訴我，她對這個門禁的時間並不怎麼滿意，但是毫無疑問必須接受。卡洛琳娜在我們離開客廳之前，表情似乎顯得有點詭異，但是仍然沒有做聲。索婭和保羅正聚精會神地看著電視，根本沒有注意到我們離開。我必須弄明白這是怎麼一回事。

「好吧，」一上樓我就立刻說，「怎麼回事？我以爲妳不想去參加瑪琳娜的派對呢！」

維多利亞微笑地領著我走進了她的房間。我最近才知道，她的房間以前是迪米特里住過的，每次我進來，都必須抑制住自己想要撲倒在那張床上的強烈願望。雖然我知道這席床單，在他離開之後已經被洗過無數次了，可不知道怎麼的，我還是認爲這張床上留著迪米特里的味道，感受到他的溫暖，就好像我們兩個一起躺在上面一樣。

「我不去。」維多利亞開始翻著自己的衣櫃，從裡面找出一條紅色的無袖短版連身裙，上面綴滿了蕾絲。這件衣服是緊身的，就是那種能夠將身材展露無遺的衣服。

她將衣服在身前比了比，我嚇了一跳。看起來眞是……廉價。

「妳在開玩笑嗎？」

「不是。」維多利亞脫掉T恤和牛仔褲，換上裙子。她穿衣服的時候毫不費力，但是穿好以後衣服的每一寸都是貼在身上的。雖然她的上圍沒有我豐滿，但穿上這種裙子，豐不豐滿也沒什麼關係就是了。

「好吧。」我決定單刀直入，「他是誰？」

「羅蘭。」維多利亞回答，「哦，蘿絲，他迷人極了。這是我回學校之前，能和他在一起的最後一晚了。」

我不知道是該爲她高興，還是該爲尼可拉難過。這個叫羅蘭的傢伙，肯定是今天她拒絕尼可拉的原因。她已經不可救藥地愛上了別人。可是，這身衣服也太……

「妳肯定非常喜歡他。」我澀澀地說。

她張大了眼睛。「妳想見見他嗎？」

「呃，可是我不想去當電燈泡……」

「不會的，妳可以裝作是偶遇，然後停下來打個招呼，怎樣？」

聽起來很像是在窺探他人隱私，可是……我又很好奇，到底是什麼樣的男生可以令她穿成這個樣子出門，特別是她現在又開始畫起濃妝，不僅眼線畫得格外重，口紅用的也是大紅色。所以我同意去見羅蘭，我們盡可能不引人注意地離開了家。雖然她在裙子外面加了一件大衣，但維多利亞還是不願意撞見她的媽媽。

我們向鎮子中心走去，在拐了好幾個彎以後，終於在一個看上去非常普通的倉庫前面停了下來。這裡算是鎮子上比較偏僻的地方，周圍寂靜無聲，倉庫的門邊靠著一個個子很高，但看起來像是拜爾的人，他將手臂環抱在胸前。維多利亞帶著我在附近找了個地方藏起來，說我們要先在這裡等一會兒。差不多過了一分鐘，一群年齡各異的莫里從遠處有說有笑地走了過來，門口的拜爾匆匆檢查了一下，就開門讓他們進去了。從門縫裡，可以看見裡面有炫目的燈光和躁動的音樂，門關上以後，一切又都重回平靜。

「所以這就是拜亞祕密的拜爾世界了。」我小聲說。維多利亞沒有聽見我的話，因爲她突然眼睛一亮。

「他來了！」她指著兩個向這邊走來的男生，那兩個人全都是莫里。喔喔，誰能想得到呢？維多利亞的祕密男友居然不是拜爾。我猜這可能也不是什麼新鮮事，眞的，可她今晚的穿著我還是不敢苟同。

她衝上去給了他一個熱情的擁抱，然後替我們互相介紹了一下。他的朋友叫塞吉，塞吉朝我們禮貌地笑了笑，就急匆匆地走進倉庫裡，很顯然那裡也有一個女生在等著他。

我必須要贊許一下維多利亞的眼光，羅蘭確實很帥。他的頭髮是深紅色的，隨風柔軟地擺動著，深綠色的眼眸讓我痛苦地想起了艾德里安。他對著維多利亞微笑的時候，就好像一團耀眼的光，他看著維多利亞的眼神也像極了尼可拉，只是尼可拉從來不會這樣摟著她。

羅蘭捧起維多利亞的雙手，湊到自己的唇邊，一隻各吻了一下，他那雙綠色的眼睛緊緊盯著她，嘴裡喃喃地說著我聽不懂的話。維多利亞面露羞赧之色，也用俄語回了幾句。不用別人翻譯，我也知道他們兩個的對話內容色情又火辣。羅蘭面帶微笑地看著我，雖然維多利亞替我們做了介紹，可他卻好像是剛剛才注意到我，可是那雙眼睛裡充滿了對我的興趣。

「妳是新來的，對嗎？」他問。

維多利亞雙手摟著他的腰，將頭靠在他的胸膛。「蘿絲是來這裡玩的，她是我們家的一個朋友。」

「啊，」羅蘭說，「我想起來了，妳好像提過她。我不知道一個熱衷於追殺血族的殺手，居然會這麼漂亮。」

「這是這份工作的一部分。」我略帶嘲諷地說。

「妳會和維多利亞一起回學校去嗎?」他問。

「不會,我打算在這裡再多待一陣子。」雖然我自己也不是特別肯定,不知道「一陣子」會是一個小時還是一年。

「嗯。」他若有所思地說道,然後低頭看著維多利亞,在她的頭髮上吻了一下,手指往下游走,摸到了她的喉嚨。下面的話羅蘭是對她說的:「我很高興妳在走之前能來,我不知道妳走了以後我該怎麼辦。」

維多利亞微笑著說:「我怎麼可能不來見你就離開呢……」她因爲太過激動,拖長了尾音。

羅蘭將頭低下來,手仍然停留在她的脖子上。

我心下大駭,他們不會打算就在這裡做吧?

幸運的是,一個向這邊走過來的拜爾女生打斷了他們。維多利亞從羅蘭的懷裡掙脫出來,抱住了那個女生。顯然,她們兩個很長時間沒見面了,立刻湊在一起用俄語嘰嘰喳喳說個不停,將我和羅蘭晾在一邊。趁她注意力不在這邊的時候,羅蘭朝我湊了過來。

「如果維多利亞回到學校去的話,妳一個人在這裡就會變得很孤單了,也許我可以陪妳在這裡隨便轉轉?」

「多謝,但是我已經把整個鎮子都逛完了。」

他仍然掛著微笑。「哦,想必如此。好吧,那也許我們可以就單純地……一起聊聊?」

我簡直不敢相信。這個人的手在半分鐘之前還摟著維多利亞,現在居然就想要安排她離開之後的約會?我覺得非常厭惡,但是仍然克制著自己不要出手做蠢事。

「抱歉,我可能不會待那麼久的時間。」

我有種預感,這個男人很少嘗過被女人拒絕的滋味。他皺起眉頭,開始爲自己辯護,但是這時維多利亞已經回來了，又摟住了他。羅蘭疑惑不解地看了我一會兒，便又將注意力重新放在她身上，微笑著施展自己的魅力。維多利亞非常吃這套，兩個人雖然也很努力地不想冷落我，但是很明顯他們兩個完全沉浸在自己的小世界裡。羅蘭也許對我很感興趣，但是現在，維多利亞才是那個容易攻克的目標，而且這個獵物也不會待很長時間了。

我再次升起了厭惡的感覺。我在這裡逗留的時間越長，越明白這些人是幹什麼的。倉庫裡面的人除了莫里的男生，就是拜爾的女生，所有的女生都和維多利亞一樣的打扮。這裡就是吸血妓女的大本營。突然間，拜亞隱藏的拜爾族的祕密世界，在我面前一覽無遺。

我討厭看見這種場景，幾乎一分一秒也不願多待下去。不，等一下，是我一分一秒都不願多待下去，而且恨不得馬上把維多利亞從這裡拉走，哪怕她會大呼大叫，又踢又咬。羅蘭是個花花公子，毫無疑問，我不希望她再接近他。而且很明顯，他們不會滿足於在這個漆黑一片的巷子裡待一整晚，他們肯定想要進去，然後做一些上帝知道是什麼的事情。

「維多利亞？」我嘗試著表現出很講理的樣子，「妳確定妳不想和我一起回去，然後說點悄悄話嗎？我是說，明天我就見不到妳了。」

她猶豫了一下，搖了搖頭。「可是我也見不到羅蘭了。我答應妳，一回家就會去找妳。我們可以聊天聊通宵，媽媽不會介意的。」

我不知道還能做什麼。羅蘭變得很不耐煩，在我拒絕他之後，他就露出眞面目了。他想要進去，而我很好奇那裡面究竟有什麼……是舞池，還是床？我可以和他們進去親眼看一看，但是我穿得不夠正式——或者說是穿得太正式了，把自己包得像粽子一樣。而且，我也不允許自己進去那種地方，我長這麼大，一直都被教育道吸血妓女和她們的那種生活方式是錯的。我不知道爲什麼維多利亞會變成這樣的人——希望她不是，但是我絕不可能踏進那裡一步，這是原則問題。

我懷著沉重的心情看著他們走進去，對自己居然放任好朋友去那種地方而感到自責。看著她穿著超級緊身衣，像膠水一樣貼著他，讓我突然間開始重新審視這裡的一切。拜亞這種平靜的生活真的有那麼可恥嗎？那個叫我姊姊的女生，真的不是我原來認識的那個人嗎？我就這樣胡思亂想地往回家的方向走去——

然後差點又撞上艾比。這是第二次了。

「見鬼了嗎？」我大喊道。今晚他穿著一件燕尾服，配了一條銀色的絲綢圍巾。「你在跟蹤我嗎？」眞是個蠢問題，他當然是。

我希望他這種正常的穿著，代表他今天晚上不會把我綁走。他的守護者也穿著同樣的衣服。我無聊地想著，不知道這種地方和他的那些非法買賣有什麼瓜葛，他也是人口販子，專管販賣吸血妓女的嗎？還是說他是妓院的老闆？可是又不像，這裡的女生沒幾個是被迫的。

艾比臉上帶著那種令人討厭的、無所不知的笑容，「妳的朋友好像要去度過一個有趣的夜晚。我不知道維多利亞的腿居然那麼漂亮，現在大家都知道了，多虧那件洋裝。」

我攥緊拳頭向他走過去。「大叔，你敢再用這種口氣說一遍試試？」

「我還沒說其他人看不見的地方呢！但是那個年輕的羅蘭，肯定不久後就都會看見了。」

「你根本不知道他們兩個之間的事！」雖然我不怎麼相信自己的話，尤其是在見到他們兩個走進去之後。我敢打賭，艾比肯定知道我是怎麼想的。

「這些女生總是說，這種事不會發生在她們身上，但是，這種事最後還是會發生。如果妳留在這裡，最後也會變成這樣。」

「哦，終於說到重點了。」我嘲諷道，「我就知道你會這麼說，說如果我不離開這裡的話，就會有特別特別壞的事情發生。」

他指了指門，就是拜爾和莫里進進出出的那扇。「不用輪到我出手做壞事，如果妳留在這裡，早晚有一天也會走進去。妳後半生的時間，就會浪費在幫歐琳娜．貝里科夫跑腿上，有現成的飯吃，就是妳這輩子最値得激動的事情了。」

「他們都是好人，」我低吼道，「別這麼刻薄。」

「哦，這點我倒不想否認。」他拉直了自己的絲綢圍巾。「他們確實都是好人，但是他們和妳不是同一類人。這眞是太好笑了，妳是在自欺欺人。」他的語氣變得嚴厲起來。「妳的悲傷將妳送來這裡，妳的男人離開了妳，而妳又用自己的方式拋棄了妳原來的朋友。妳想讓這裡有家的感覺，覺得妳是屬於這裡的，來彌補這一點。可是他們不是妳的家人，這裡也不是妳的家。」

「我可以將這裡變成我的家。」我還是不太確定，但是好鬥的天性讓我不願承認他的話。

「妳不是爲拜亞這種地方而生的，」他深色的眸子裡閃動著光芒。「妳要去做更有意義的事。妳必須要回去，回到妳自己的學校，回到德拉格米爾公主殿下的身邊去。」

「你是怎麼知道她的？你到底是什麼人？你打算什麼時候告訴我你上頭的人是誰？你想要我做什麼？」我有種預感，自己正處於爆發邊緣。聽見他提起莉莎的名字，好像有拳頭擊中了我內心的某處。

「我只是一個旁觀者，勸妳不要在這裡浪費時間。這種生活不適合妳，蘿絲，妳的生活在美國，他們說妳一直爲了成爲一個偉大的守護者而努力。妳知道被分派給德拉格米爾家最後的血脈，是一份多麼大的榮耀嗎？妳可以在一個優雅、強大的圈子裡度過妳的下半生，妳曾有的名望是可以配得上這份榮耀的。似錦的前程在前面等著妳，現在回去還不晚。至少現在是這樣。」

「你憑什麼來告訴我，我應該過什麼樣的生活？我知道你是雙手沾滿血腥的人，茲米老兄。你自己也不是什麼好人，你究竟爲什麼要蹚這淌渾水？」

「這是我的事，而且當我說放棄這條路回家去的時候，妳就應該乖乖地聽話，按我說的去做。」

他說的話強硬又不容人質疑，我眞不敢相信他居然用這種粗暴的態度和我說話。「已經不只是我一個人的事了。」我冷冷地說。

他放肆的大笑，再次指了指我們周圍。「眞好笑，那麼這裡呢？妳也想進去，然後像妳裡頭的朋友一樣變成一個吸血妓女？」

「不許這麼說她！」我大喊出聲，「我可不怕你是不是有守護者。大叔，如果你再對維多利亞出言不遜的話，我一定會揍扁你的。」

他沒有被我的怒火嚇到。「是過分了，我承認。她不是吸血妓女，最起碼現在還不是，但是她離吸血妓女也只有一步之遙了。我說了，最終的結局就會是這樣。就算不是被羅蘭・齊雅克這樣的人玩弄，也會有其他的人，讓妳在年紀輕輕的時候，就變成了單身媽媽。相信我，羅蘭肯定會像玩弄她姊姊一樣玩弄她的。」

「她……等一下！」我愣住了。「你是說，他就是讓索婭懷孕的那個傢伙？爲什麼在他做出了這種事，又拋棄了她姊姊的情況下，維多利亞還肯和他在一起？」

「因爲她還被蒙在鼓裡。索婭從來不肯說這件事，而齊雅克先生認爲這是一場遊戲，可以將一對姊妹哄騙上床。卡洛琳娜要比那兩個聰明一點，這對他來說眞是太不幸了，不然他可以三個一起上。誰知道呢？」他又露出那種嘲諷的笑容。「也許他也已經將妳歸爲這個家裡的一員，把妳定爲他下個目標了。」

「叫他見鬼去吧！我永遠都不會喜歡這種人，而且也不會再喜歡什麼人了。我的心裡只有迪米特里。」

艾比的語氣從刻薄變成了玩味。「哦，蘿絲，妳還太小，還沒有見過生活眞正的樣子。每個人都以爲他們這輩子只會愛自己的初戀。」

這傢伙眞的是把我惹毛了，可我還有足夠的自制力，所以決定暫時不揍他，至少我是這麼想的。我向倉庫的方向退後了一小步。「我不會在這裡和你玩打啞謎的遊戲。你可以告訴你的老闆，不管他是誰，我都不會變得像他們一樣，而且我也不打算回去。」反正，不管是繼續去追迪米特里，還是留下來和他的家人在一起，我都要留在俄羅斯。「除非你打算把我裝進箱子裡，用船運回去。」

我可不是在給艾比提示，而且就算他想這麼做，我也懷疑他是不是能夠做得到。眞該死，藏在幕後的這個人到底是誰？是誰這麼想找到我，居然派了這個人來找我？更奇怪的是，不管這個人是誰，出於某種目的，他都對我很關心。如果艾比眞的要對我下手，恐怕早就動手了，在他載我到拜亞來的那一晚，他就可以把我解決掉了，他只要開車到附近的機場就好了。之後我會慢慢查個水落石出的，但是首先我要先擺脫艾比。

我又往後退了幾步。「我不打算留在這裡了，你阻止不了我，也別再跟蹤我了，這是最後一次。」

艾比認眞地看了我幾秒，一雙黑眸若有所思地瞇了起來。我幾乎可以看見他的腦子裡，結構複雜的齒輪不停地轉動著，邪惡與善良不停地衝撞。終於，他開了口，聲音小到我幾乎聽不見：「但是，他們的事情還沒有完。」

「誰？」

他指了指倉庫門。「維多利亞和羅蘭。」

「你指的是什麼？」

「妳知道我指的是什麼。她以爲自己在和他談戀愛，而他也知道她明天就要回學校去了，今晚是他最後的機會，他不會白白浪費的。那裡面有很多個小房間，他們可能已經進去了。」

我試著控制自己的呼吸。「我去叫她媽媽來。」

「那就太晚了，她沒辦法及時找到他們的。等到了明天，維多利亞就要回到學校去，而他對她也就不再感興趣了。老實說，那之後她媽媽還能做什麼呢？殺了她嗎？」

我的怒火漸漸升起來，主因是我知道他說的是對的。「好吧，我自己去把她拉出來。」

「不可能的。她是自願的，不可能同意跟妳一起出來。就算她今天出來了，還是會再找機會去見他的。」

我看著他。「夠了。很明顯你已經有了別的計畫，直說吧！」

他微微一笑，顯然很高興我這麼快就反應過來了——或許是我反應太遲鈍了？「如果妳想救她，就要用自己當誘餌，把羅蘭引誘過來。」

我對此嗤之以鼻。「不可能。他唯一肯抽身的可能，就是我取代維多利亞的位置。」要是這麼做，我們的友誼也就走到盡頭了。

「除非我親自出馬。」

「你能怎麼做？和他談談心，講講仁義道德，別有用心地勸他收手？」

「哦，我會說服他的，沒錯。但是相信我，我可不是別有用心——嗯，至少不是妳想的那種。如果我要他離開她，他就會離開。多好。」

我下意識地往後又退了一步，結果撞上了牆。艾比的樣子看起來很嚇人，對他的話我毫不懷疑。他有本事讓羅蘭離開維多利亞。事實上，他甚至不用派出自己的守護者就能做到，艾比身上的氣場已經足夠了，效果可能還很不錯。

「為什麼你要幫我？」我問。

「作為一個表現我誠意的方法。妳答應離開拜亞，我就去找他。」他眼睛閃動著狡猾的光芒。

我們兩個全都感受到了罩在我身上的那張大網。

「現在你準備換招了？打算和我做個交易？我的離開眞的不值得你去恐嚇一個莫里混蛋。」

那張網又收緊了些。「妳同意嗎，蘿絲？」

我絞盡腦汁在想應該要怎麼做。一部分的我認為維多利亞有選擇的自由，可以去愛她自己喜歡的人……可是我又很清楚羅蘭肯定不愛她。對他來說，維多利亞只是一個要征服的獵物，因為他曾經表現出要追我的興趣，當然，還有索妮那件事。維多利亞會怎麼樣？她會變成像這裡其他的女人那樣嗎？她會是貝里科夫家下一個懷孕的人嗎？就算她沒有興趣成為守護者，這條路對她來說也是不對的。卡洛琳娜拒絕了成為守護者，現在也過著體面的生活。她有自己的孩子，有一份雖然無聊卻很穩定的工作，能令她保持自己的尊嚴。我不能讓維多利亞走上這條路，這會毀了她的下半生的。我絕不能讓這種事發生在迪米特里的妹妹身上。

迪米特里……

我瞭解他，我瞭解他天生的保護慾。他肯定不會讓這種事發生在他在乎的人身上。我討厭想起那個吸血妓女的聚集地，但還是必須跑進去救她，因為迪米特里肯定就會這麼做，可我不知道自己能不能及時找到她。但是，我知道艾比可以，他可以令羅蘭永遠消失。所以，我說了那句連我自己也不知道說了會有什麼後果的話——

「我答應你，離開拜亞。」

15

艾比回頭看了身後其中一個守護者一眼，微微點點頭，那個人立刻轉身走開了。

「好了。」艾比說。

「就這樣？」我難以置信地問。

他揚起了一抹微笑。「羅蘭知道我是幹什麼的，他也認識替我工作的人。只要帕沃爾傳達了我的……啊，願望！這件事就算結束了。」

我不禁打了個寒顫，知道艾比說的是事實。一想到和艾比相處這麼久以來，我一直在耍小聰明，眞的覺得我還沒有被灌上水泥然後丟進大海是一個奇跡。「那你爲什麼不用暴力把我強行拖走呢？」

「我從來不願意逼迫人們做不願意做的事，甚至對羅蘭也一樣。讓人們明白這麼做的必要性，聽從我的意願，和平地達成目的，比用暴力要容易很多。」

「而你所說的『必要性』就是『敲詐』。」我想起自己剛剛同意的事，非常氣憤。

「我們只是做了個交易。」他說。「僅此而已。別忘了妳在交易完成之後，得履行妳該做的部分。妳答應過要離開這裡，而妳不像是那種會食言的人。」

「對。」

「蘿絲！」維多利亞突然從門裡衝了出來。帕沃爾酷酷地走在一旁，抓著她的手臂。

哇哦，這麼快。

她的頭髮亂糟糟的，裙子的吊帶從肩膀上滑落下來，表情混合了憤怒和難以置信。「妳做了什麼？這個人突然走過來，要羅蘭離開這裡，永遠都不要再見我！而他……他居然同意了，就那麼一走了之。」

我覺得這件事有點滑稽，維多利亞立刻就將這個罪名歸到我身上。沒錯，我確實有部分責任，但是艾比人就站在這裡，而那人是他的守護者並不是個祕密。然而，我還是要爲自己辯護。

「他是在玩弄妳。」我說。

維多利亞棕色的大眼睛噙滿了淚水。「他愛我。」

「如果他愛妳，爲什麼在妳一轉身後就開始挑逗我？」

「他沒有！」

「是他讓索婭懷孕的。」

哪怕這條小巷的光線不佳，我也能看出她的臉色變得蒼白。「說謊。」

我攤開雙手。「我爲什麼要騙妳？他想要在妳離開這裡以後，就馬上和我約會！」

「如果他眞的這麼說，」維多利亞的聲音有些顫抖，「也是因爲妳的緣故。」

我嘆了一口氣。艾比站在我身邊靜靜地聽著，臉上帶著一絲嘲諷。他眞是得意極了，因爲這證明了他的話是對的。我眞想揍他一拳，但是維多利亞才是我現在要操心的。

「妳怎麼能這麼想？我是妳的朋友！」我對她說。

「如果妳是我的朋友，就不會這麼做，妳不會想要阻撓我。妳裝得好像很愛我的哥哥，可其實根本不是這樣，妳根本就不懂愛！」

我不懂愛？她瘋了嗎？如果她知道我爲迪米特里做了多大的犧牲，才落得現在這個地步……我全都是爲了愛啊！她才是不懂愛的那個。愛並不是在派對裡找個小房間乾柴烈火，而是你願意爲之生或爲之死的一種東西。我的內心五味雜陳，那種陰暗的情緒又來了，令我想狠狠地回擊她可怕的指責。我花費了很大力氣，不斷提醒自己她已經受傷了，她這麼說只是因爲她很委屈、很傷心。

「維多利亞，我懂，我很抱歉。我這麼做只是因爲妳是我的朋友，我很關心妳。」

「妳不是我的朋友！」她嘶啞地喊，「妳也不是我們家的人。妳根本不瞭解我們，也不知道我們的生活方式！我眞希望妳從來沒有來過這裡。」她說完轉身狂奔而去，在那些前來參加狂歡的人群中擠出一條路。

我看著她的背影，心痛不已。

我轉身看著艾比。「她可能想要去找他。」

他還是那種該死的什麼都逃不出他手心的表情。「那也沒關係。他不會再對她下手，除非他覺得這麼做，比自己的漂亮臉蛋被毀容還要値錢。」

我很擔心維多利亞，但也有種預感，認爲艾比很瞭解羅蘭。羅蘭不會再是個麻煩了。如果維多利亞遇到另一個的話……嗯，等他出現了再擔心吧！

「很好，今天就到此爲止。別再跟蹤我了！」我大叫。

「只要妳遵守離開拜亞的誓言，我就不會。」

我眯起眼睛。「早就告訴過你了，我不會食言的。」

我匆匆地回到貝里科夫家，突然懷疑起這一切的眞實性。和艾比及維多利亞的一場大吵，讓我感覺像是臉上被潑了一盆冷水。我在這裡做什麼？從某種意義上來看，艾比說的對……我是在自欺欺人，假裝迪米特里的家就是我自己的家，以撫平我失去他的悲傷。

我回去的時候，家裡有幾個人已經去睡了，但是還有幾個仍然在客廳裡。我偷偷溜上樓，來到自己的房間，焦慮地等著維多利亞回來。半個小時以後，我聽見樓梯上傳來腳步聲，還有她用力摔門的聲音，我馬上衝出去輕輕地敲著她的房門。

「維多利亞。」我在得壓低聲音的情況下盡量提高音量，「是我，拜託和我談一談。」

「不要！」裡頭傳來回答。「我永遠都不要再跟妳講話了。」

「維多利亞——」

「走開！」

「我只是擔心妳。」

「妳又不是我哥哥，甚至也不是我姊姊。這裡沒有妳的位置！」

該死。隔著門板，她的聲音不是很清楚，但我不想冒著讓其他人聽見的危險，和她在走廊上吵架。我回到自己的房間，感覺心都要碎了。我在鏡子前停下，頓時意識到她說的對，艾比說的也沒錯，拜亞不是我的家。

不一會兒，我就收拾好了少得可憐的幾件行李，但是在下樓之前，仍猶豫了一陣子。維多利亞緊閉的房門正瞪著我，我必須很努力才能強壓下想上前敲門的願望。如果我眞的敲了，無異於是點燃另一場戰火；或者更糟糕的是，她會原諒我，那我便會想要永遠留下來，沉迷在迪米特里一家舒適簡單的生活中。

我深吸一口氣，下了樓從前門走出去。我很想和其他人道再見，但是又擔心同樣的事會發生，看見他們的臉可能會讓我改變主意。我心裡清楚，必須要走了。我是很氣維多利亞，也很氣艾比，他們的話都令我傷心，但是這對他們來說是毋庸置疑的事實。這裡不是我的世界，我的生命中還有其他的事情等著我去做，還有很多誓言等著我去實現。

我走出差不多八條街之後，放慢了速度，不是因爲疲憊，而是因爲我不知道該去什麼地方。離開那個家已經是邁出了一大步。我坐在一旁一戶人家院子外的大石塊上，四周黑漆漆的，一片沉靜。我莫名地想大哭一場，想要回到過去的生活，我想迪米特里和莉莎。哦，上帝，我眞的想他們。

可是迪米特里已經走了，我唯一能夠見到他的時候，就是把他找出來、準備和他決鬥的時候。至於莉莎……她也和離開我差不多了。就算我可以活著回去，她很可能也不會原諒我。我靜靜地坐著，覺得迷茫又孤獨，想要再次潛進莉莎的意識裡去看一看。我知道這麼做很傻，尤其是在看到了之前的那些事之後，可是我必須再試一次。我必須知道如果我回去，是不是還能找回原來的位置。想到這裡，我開始潛進她的意識，由於那些壞情緒已經發洩過了，我輕而易舉地便成功了。她此時正在一架私人噴射飛機上。

如果吉兒在見到聖弗拉米爾學院的風雲人物時，都差點要昏倒，那麼和他們一起參與這樣的旅行，可能會令她變成一個植物人。她張大眼睛看著每一樣東西，在飛往皇庭的整個旅途中幾乎一言不發。愛瑞遞給她一杯香檳，吉兒結結巴巴地說道：「不、不……謝了。」在這之後，其他人好像都忘記了她的存在，只專注在自己的談話中。莉莎雖然注意到了吉兒的不安，但是並沒有花心思去撫慰她。

這眞令人吃驚。我認識的莉莎，一定會想方設法令吉兒安心、覺得自己是被接納的。幸運的是，這個年輕的小女孩似乎只要看著其他人聊天，就已經非常滿足了。

我放心的另外一個原因，是只要她見到了米婭就會沒事了。莉莎已經派人告訴米婭到機場來接吉兒，因爲莉莎和其他人一下飛機，就要馬不停蹄地去參加塔蒂安娜舉辦的一個宴會。米婭答應這個週末會好好照顧吉兒，並且將自己學會的、用水魔法完成的各種有趣事情展示給吉兒看。莉莎聽見這個消息很高興，因爲她不用整個週末都充當這個新人的保母了。

但就算莉莎已經完全擺脫了吉兒，卻還有另外一個麻煩的人，那就是愛瑞的弟弟李德。他們的父親認爲派李德和他們一起來，是個很不錯的主意，看起來樂澤先生——對不起，應該是樂澤校長，在這次去拜見塔蒂安娜的旅途中，扮演了很關鍵的角色，這點根本毋庸置疑。愛瑞四處瞄了一下，在降落前神祕地和莉莎說著悄悄話。

「我們這次能來都是沾了妳的光。」愛瑞說，「我爸爸同意我來的部分原因，是因爲妳是女王面前的紅人，他希望這份榮譽也能延伸到我身上。如果我能討她歡心，那麼連我的弟弟都會沾光，當然還有家裡其他人。」

莉莎要自己盡量別去細想這種思維邏輯。大多時候，她都覺得很彆扭，因爲李德．樂澤還是和他們第一次見面時一樣令人討厭。他並沒有眞的做出什麼令人討厭的事情，只是有他在周圍，莉莎就覺得很不舒服。眞的，他和愛瑞完完全全是兩種人。愛瑞不管到哪裡都是開開心心的，而且一直提一些很有趣的話題，可他只是閉緊嘴巴，只有在不得已的時候才說兩句，莉莎也不確定他到底是因爲害羞，還是因爲看不起人才這樣。

莉莎嘗試過問他，此次的皇庭之旅他是否覺得高興。李德的反應僅僅是聳聳肩。

「還好，我都無所謂。」他的語氣近乎充滿了敵意，好像很討厭她問問題，所以莉莎放棄了再繼續和他攀談的打算。

除了他的姊姊，莉莎親眼見過的另一個李德肯與之說話的人，就是愛瑞的守護者西蒙。他當然也跟來了。

飛機一降落，米婭已經如約而至，在下面等著了。她看見莉莎從機艙裡走出來，立刻熱情地揮揮手，金色的捲髮隨風飄動著。莉莎也報以微笑，她們兩個人簡單地擁抱了下。想到眼前這樣的兩個人以前居然是情敵，我就覺得很好笑。

莉莎又簡單地介紹了一下其他人，說明有哪幾個人，是需要皇庭的守護者將他們從機場帶到皇庭裡頭的酒店的。米婭熱情地歡迎了吉兒，消除了這個小女孩的不安感，她綠色的眼眸因爲興奮而熠熠發光。米婭傻笑著，轉頭看向莉莎。

「蘿絲呢？」她問。

眾人一片沉默，只剩下尷尬的對視。

「怎麼了？」米婭問，「我說錯什麼了嗎？」

「蘿絲走了，」莉莎說，「對不起……我以爲妳知道了。她退了學，在上次的襲擊之後就離開了，出於某種原因……個人原因……有些事她必須要親自去處理。」

莉莎很怕米婭追問個人原因是什麼，只有少數幾個人知道我離開是爲了去找迪米特里，她想守住這個祕密。大部分的人都以爲我是有了戰後創傷後遺症。

可是米婭接下來的問題，令莉莎大吃一驚。

「妳爲什麼不跟她一起去？」

「什麼？」莉莎愣住了，「我爲什麼要這麼做？蘿絲退學了，但我不可能也退學啊！」

「對，我想也是。」米婭的語氣變得刻薄起來，「妳們兩個的關係那麼好，就算沒有心電感應時也是。我以爲妳們可能會陪伴彼此一直到世界末日，然後再一起慢慢想辦法解決。」米婭的人生因爲遭遇了很多大起大落，所以她看待事情有些偏激。

那種怪異的、瞬間的憤怒又在莉莎身上升起，雖然她常常有這種情況，但是這次她的怒火卻是直接對準了米婭。「對，沒錯，如果我們眞的那麼好的話，那她一開始就根本不應該離開。她才是自私的那個人，不是我。」

這席話令我呆住了，很明顯也嚇到了米婭。米婭雖然也很不滿，但還是克制住自己，只是舉起雙手做出道歉的樣子。她真的改變了好多。「對不起，我不是想要指責妳或什麼的。」

莉莎也沒再說話。自從我離開之後，她一直給自己很多壓力，她反覆地在想，在那場襲擊之前或之後，有沒有她可以為我做的事情，好讓我最後可以留下來。但是她從來沒有想過要和我一起走，這個辦法就像是一記重拳打在她的臉上，米婭的話令她覺得更加內疚，同時也很生氣，可她並不太確定是在氣我還是在氣她自己。

「我知道妳在想什麼。」過了許久後，艾德里安說道。

這時米婭已經帶著吉兒離開了，她答應晚點再來找他們會合。

「怎麼，妳現在會讀心術了嗎？」莉莎問。

「完全不需要，全都寫在妳的臉上了。蘿絲永遠都不會答應妳和她一起離開的，所以別再為這件事自責了。」

他們已經走進了皇室專屬的酒店，這裡還是和我上次來時那樣富麗堂皇。「你根本不明白，我其實可以說服她的。」

「不對，」艾德里安激動地說，「妳說服不了。我是說真的，別再自尋煩惱、徒增傷悲了。」

「嘿，誰說我『傷悲』了？就像我說的，是她拋棄了我。」

艾德里安有些驚訝。自我離開後，莉莎除了傷心外很少有別的情緒，雖然她偶爾也會氣我的決定，但是不管是我還是艾德里安，都沒有見過她這麼激動，陰暗的情緒在她內心深處湧動著。

「我以為妳會瞭解她，」艾德里安輕蹙眉頭，有點迷惑，「妳好像說過妳——」

愛瑞突然打斷了他們的談話，嚴厲地瞪了艾德里安一眼。「嘿，嘿，讓她一個人靜一靜，好不好？我們一會兒在大廳見。」

他們現在已經到了不得不分頭行動的地方了，女生們的住處在大廳的一邊，而男生們的在另外一邊。艾德里安雖然好像還有話要說，但他還是點了點頭，帶著李德和另外兩個守護者向自己的房間走去。愛瑞伸出手臂輕輕摟著莉莎，看著艾德里安離開的身影。

「妳還好嗎？」愛瑞平時滿是嘻笑的臉上充滿了關心。這嚇了莉莎一條，就像艾德里安偶爾嚴肅起來也會嚇我一跳那樣。

「應該吧，我不知道。」

「別爲妳做不到或不應該做的事情感到難過。過去的事就讓它過去吧！妳要向前看。」

莉莎心情仍然很沉重，那些負面的東西感覺比平時更加沉重了一些，但她仍設法擠出一個笑容。「這好像是妳說過最明智的話。」

「我就知道！妳相信嗎？妳說這會不會給艾德里安留下個好印象？」

她們兩個全都爆笑出聲，可是在高興的外表下，莉莎還是被米婭的話深深地困擾著。這些話將莉莎推到了一條她從來都沒有想到過的道路上。而眞正令她感到困擾的原因，不是因爲她是否能和我一起離開，也不是能否阻止我走到這個地步。最令她糾結的是，她一開始居然沒有想到可以和我一起離開這個辦法。我是她最好的好朋友，按照她此刻的想法，那應該是她知道我要走後的第一反應，可惜並不是這樣。這一刻，莉莎的內疚比平時更甚，那種內疚是那麼的實實在在，莉莎雖曾試圖將其轉化成憤怒，以平息自己的傷痛，可惜幫助並不大。

她的心情到了傍晚還是沒有好轉。在這群人抵達後不久，女王就替這些貴賓舉辦了一個迎賓酒會。莉莎很快就發現女王非常熱衷於舉辦各種派對，在以往的生活中，她可能會覺得挺有意思的，但此刻她並不這麼想，最起碼參加這種派對時不是這麼想的。

可莉莎仍然收拾好自己的壞心情，開始扮演一個和善的皇室公主角色。女王似乎很高興看見莉莎有一個這麼「身分恰當」的皇室朋友，而且也很高興見到莉莎能夠讓自己介紹給她的皇室或貴客，留下良好的印象。只有一點不太好，莉莎的腿已經軟了，快要站不住了。

「在妳走之前，」塔蒂安娜說，「我們應該先看看妳的守護者。」

她和莉莎站在一群仰慕者和站得像衣架般整齊的守護者面前，他們都禮貌地和女士們保持了一定的距離。莉莎只是愣愣地盯著自己碰都沒有碰過的香檳，看著酒裡的氣泡不停往上升。終於，她抬頭開了口——

「女王陛下，『妳的守護者』是什麼意思？」

「哦，雖然這種說法不太優雅，但是現在，好歹妳都不能沒有人保護。」女王停下來，換了一個稍稍正式的口吻說：「貝里科夫是個非常稱職的守護者。」

我的名字她根本提都沒提，就好像我根本不存在一樣。她向來都不喜歡我，特別是在認為我會和艾德里安一起私奔之後。但因為這樣，莉莎也注意到，塔蒂安娜在看見愛瑞和艾德里安調情的時候，那若有所思的神情。很難判定女王的表情是不是不贊同。先把她的政治派別放在一邊，愛瑞是一個非常時尚的女生，這更堅定了塔蒂安娜要把莉莎和艾德里安湊成對的決心。

「我現在還不需要有人保護。」莉莎婉拒道，她的心在顫抖。

「對，可是妳馬上就要畢業了。我們為妳找到了幾個條件非常優秀的候選人，其中一個還是女性——多麼幸運的發現啊！」

「我希望珍妮・海瑟薇來當我的守護者。」莉莎突然說道。

雖然我此前毫不知情，但是在莉莎開口的同時，我從她的回憶裡瞭解了這件事的來龍去脈。在我離開後不久，我媽媽去找過莉莎，這讓我有點小驚訝。我媽媽對她現在的保護對象是十分忠誠的，這對她來說肯定是一個艱難的抉擇。

「珍妮・海瑟薇？」塔蒂安娜的眉毛挑高得都快碰到她的髮際線了。「我很確定她還有另外的任務。不不，我們還有更好的選擇，這位年輕的小姐只比妳大幾歲而已。」

比珍妮．海瑟薇更好的選擇？不可能。在認識迪米特里之前，我媽媽是我評估了這麼多優秀的守護者之後，認定的唯一一個金牌守護者。塔蒂安娜口中那位「年輕的小姐」，毫無疑問是聽她指揮的，而且重要的是，這個人不姓海瑟薇。

女王對我媽媽的厭惡，似乎不比對我的厭惡少多少。曾經，塔蒂安娜做過一件令我覺得備受羞辱的事，她提起我媽媽曾經愛過一個人，我一直都懷疑他是我的親生父親，而這個人的名字叫做亞拉伯罕。有趣的是，女王話裡的意思，透露出她似乎也曾經對這個人很感興趣，我懷疑這也是她不喜歡我們家人的原因之一。

莉莎勉強禮貌地向女王笑了一下，謝過了她的體貼。我和莉莎都明白後面的事情。這就是女王的一盤棋，所有人都是她棋盤上的棋子，這些棋子絕對不能反抗她。

有那麼一會兒，莉莎又產生了那種奇怪的想法，也就是維克多．達什科夫曾對她說過的話。如果不提及他瘋狂的殺戮行爲和綁架計畫的話，維克多同時也希望在莫里的世界裡推動一種改革，他認爲權力是可以分散的——這一點莉莎偶爾也會同意——他還說過權力的過分集中，會導致許多不公平的現象。但是這個想法轉瞬即逝。維克多．達什科夫是一個瘋子、是一個惡棍，他的想法絕對是錯的。

接著，在盡可能表現得殷勤周到之後，莉莎找了個藉口從女王身邊脫身，向大廳的另一邊走去。她覺得自己的憂傷和憤怒已經快要爆發了。結果，她差一點撞上愛瑞。

「上帝啊，」愛瑞說，「妳知道李德給我惹了多少麻煩嗎？有兩個人過來想要和他攀談，結果他居然把別人嚇跑了。他眞的要蘿比．巴蒂卡閉嘴？對，雖然她一直說個沒完沒了，可是這麼做還是不太好。」愛瑞戲劇般的誇張表情，在看見莉莎的神色之後垮了下來。「嘿，出什麼事了？」

莉莎回頭看了塔蒂安娜一眼，又轉過來看著愛瑞，她從自己朋友藍灰色的眼睛裡汲取到一絲安慰。「我必須離開這裡，」莉莎深吸了一口氣，冷靜下來。「還記得妳和我提起過的那些好玩的東西嗎？什麼時候帶我去看一看？」

愛瑞微微一笑。「只要妳想看，隨時可以。」

我回到自己的身體裡，愣愣地坐在大石頭上。我的情緒幾近抓狂，努力克制著不讓眼眶泛出淚水。我之前的懷疑得到了證實，莉莎不再需要我了……可是，我還是隱隱覺得有種古怪的感覺，卻又說不上來。我希望這是因爲莉莎聽了米婭的話之後感到內疚，或是她精神能力帶來的副作用更重了，可即使是這樣……她都不是原來的那個莉莎了。

有腳步聲響起，我抬起頭來。如果這裡眞的有人會找尋我，我想可能會是艾比或者維多利亞。結果都不是。

來的人是伊娃。

這個老婆婆站在我面前，窄窄的肩膀上圍著披肩，那雙凌厲、狡猾的眼睛正看著我，充滿了責備。

我嘆了一口氣。「怎麼了？有房子塌了砸到妳的姊妹了嗎？」也許我們兩個之間言語不通也是件好事。

她張開雙唇：「妳不能再留在這裡了。」

我的下巴差點掉在地上。「妳……妳居然會說英語？」

她哼了一聲，「當然。」

我站了起來。「可是一直以來妳都假裝自己不會？妳還讓保羅在中間當翻譯？」

「這樣比較省事。」她酷酷地說，「如果妳不會說英語，可以省掉很多討厭的閒聊，而且我發現和美國人聊天是最討厭的。」

我還處於驚嚇中。「妳甚至不認識我！可是從第一天開始，妳就一直不停地給我臉色看。爲什麼？爲什麼妳這麼討厭我？」

「我不討厭妳，可我很失望。」

「失望？怎麼會？」

「我夢見了妳要來。」

「我聽說了。妳經常作夢嗎？」

「有時候，」她說，月光映得她的眼睛熠熠發光，令她看起來更加空靈神祕，也讓我的後背冒出一股涼意。「有時夢很準，有時不準，我也夢見迪米卡死了，可是我不肯相信，直到我有了證據。妳就是我的證據。」

「所以妳是因爲這個失望嘍？」

伊娃將披肩裹緊了一點。「不是的。在我的夢裡，妳閃閃發光，耀眼得就像天上的繁星，我夢中的妳是個勇士，來這裡完成大事。可是呢？妳卻坐在這裡唉聲嘆氣，什麼都沒有做，也沒有達成妳來這裡的願望。」

我仔細地看著她，希望她眞的知道她說的話是什麼意思。「我來這裡是爲了什麼？」

「妳自己很清楚，我也夢見了。」

我等著她的答案，可是她沒有繼續往下說。我乾笑了兩聲。「眞是標準的含糊其辭。妳和我見過的那些騙人的算命師一樣差勁。」

雖然是在黑暗裡，我還是能看出她的雙眼冒出憤怒的火花。「妳來是爲了找迪米卡，試著要殺死他。妳必須要找到他。」

「妳說『試著』是什麼意思？」我不願意相信她，不願意相信她有可能會知道我的未來。可是，我還是沒有忍住。「妳夢見發生什麼事了嗎？我殺死他了嗎？」

「不是所有事我都會夢見。」

「哦，好極了。」

「我只夢見了妳必須找到他。」

「妳的夢就只有這樣而已嗎？可這些我早就知道了！」

「我夢見的就這麼多。」

我咆哮起來：「眞該死，我可沒時間來弄清這些含糊的線索。如果妳幫不了我，就閉上嘴。」

她沉默著。

我抓起背包甩過肩膀。「好極了，我這就走了。」正如我說的，我清楚自己應該走了。「轉告其他人……我很感謝他們爲我做的一切。還有，我很抱歉。」

「妳這麼做是對的，」伊娃說，「這裡不是妳應該待的地方。」

「這句話我也聽過了。」我喃喃地說，轉身走開。

我想著她會不會在背後說點別的，比如懲罰我、詛咒我，或者說一些能賜予我「智慧」的神祕咒語。可是她只是保持沉默，而我也沒有回頭。

我沒有家，這裡不是我的家，美國也不是我的家。我唯一擁有的就是完成我此行的使命。我對艾比說過我會遵守承諾。我會的。我也會像保證過的那樣離開拜亞。可我必須去殺死迪米特里，我同樣對自己承諾過。

現在我知道要去哪裡了，那個地址一直縈繞在我的腦海裡：卡薩克瓦大街八十三號。我不知道那個地方在哪裡，但是只要我能到達鎭中心，就能順著那個人走的方向找下去。那個地方很近，只有一英里的距離，我開始加快腳步。

當我找到那裡的時候，很高興地發現燈還開著。雖然我的心情依然很激動、很生氣，可我還是不想吵醒別人。我也不想碰見尼可拉，所以看見開門的人是鄧尼斯的時候，大大鬆了一口氣。

他看見是我，非常驚訝。雖然他之前在教堂外面撂了很多狠話，我還是不相信他眞的以爲我會加入他們。他不知道該說什麼好，所以我開口替他解圍。

「我改變主意了，打算和你們一起去。」我深吸一口氣，鼓起勇氣說出下面的話。我確實答應過艾比我會離開拜亞，可我並沒有答應他要回美國。「帶我一起去新西伯利亞。」

16

鄧尼斯和他那兩個沒有獲得認證的朋友，亞瑟和利威，都對我的加入欣喜若狂。但是如果他們希望我也會和他們一樣，狂熱得不顧一切去追殺血族，那可能就要大失所望了。事實上，在相處之後，我沒花太多時間，就讓他們意識到我對獵殺血族的態度和他們非常不一樣。利威有一台車，我們輪流開到新西伯利亞。整個路程大約有十五個小時，雖然我們中途還在某個旅館過了夜，但在車裡這麼狹小的空間內，得忍受這三個傢伙不停地談論獵殺血族的事，仍然讓我覺得時間過得很漫長。

最討厭的是，他們一直想要將我拉進他們的談話中。他們想要知道我到底幹掉過多少個血族，還想知道在學院的那場戰鬥的情況，同時也想知道我的本領有多大。可是當我細聽他們的談話後，腦中浮現的只有血腥和悲傷，我什麼都不想談。上路差不多六個小時之後，他們才終於後知後覺地發現，從我嘴裡套不出什麼資訊。

不過，他們還是興高采烈地不停吹噓著他們的豐功偉績。公平地說，他們也確實解決掉幾個血族，但是爲此失去的同伴更多，這些人都和他們年紀差不多。而我經歷的其實也差不多——我也失去了幾個朋友。可是，從整體來看，我失去的朋友要比他們多得多。

鄧尼斯這夥人的失敗，主要原因可以歸咎爲太過衝動，做事不經大腦。事實也是如此，他們這個去新西伯利亞的計畫就不怎麼可靠。他們反覆地講著，血族有多麼喜歡夜晚在人多的地方出現，比如夜店或者廢棄的小巷，這樣要尋找目標就容易多了，沒有人會注意有人在這種地方消失。所以鄧尼斯的計畫，基本上就是在這些熱門地段閒逛，希望瞎貓可以碰上死耗子。

起初我想甩掉這群人自己行動，可是，畢竟我的主要目的是來到新西伯利亞。就我目前掌握的情況來看，將這個西伯利亞最大的城市，當作下一個最佳目的地是很符合邏輯的，但我越想就越覺得，孤身一人闖進血族的地盤，和這些沒有被認證的傢伙的計畫一樣愚蠢。再說，我還沒有找到迪米特里所在的確切地點，我必須要想辦法獲取更多的情報。我需要有人幫忙。

我們在第二天的傍晚，終於開進了新西伯利亞。除了聽說過這裡的面積以外，我從來都沒有想過這裡能和莫斯科或聖彼德堡相媲美。事實也是如此，這裡其實並沒有那兩個地方大，可確實是貨眞價實的城市，到處都是摩天大樓、劇院和川流不息的上班族，還有和別處同樣美麗的建築物。

我們在他們一個朋友那裡過夜，他在城中有一套公寓。這個拜爾也叫塔瑪拉。她的英語說得不是很好，從談話中可以聽出來，她也是沒有經過認證的人，和其他人一樣對於闖進血族的世界非常興奮。她比其他人年紀稍大一點，這就可以說明她為什麼可以自己一個人住了。她長得十分可愛，皮膚有點黑，臉上有一些雀斑。聽起來她好像一直在這裡等，直到這些傢伙到來。我聽到這裡，不由得小聲說了一聲「阿門」，至少她沒有單獨行動。她看上去異常的高興，發現我們這群人裡居然還有另外一個女生，但是她馬上就發現，我並不像他們一樣熱情瘋狂。

我們獵殺血族的第一晚就要開始了，最後我順利地取得了領導者的位置。這種突然的變化一開始嚇了他們一跳，但是眾人很快就全神貫注地聽我分派任務，將我當做超級巨星般崇拜。

「好。」我一個一個地看了他們一下。我們正坐在塔瑪拉小小的起居室裡，圍成一個圈圈。「今晚的計畫是這樣的：我們先集體去夜店查看一下，然後再逐一巡查夜店後面的小巷——」

「等一下，」鄧尼斯打斷我，「我們通常都是分頭行動。」

「這就是你們喪命的原因！」我厲聲說道，「我們必須集體行動。」

「可是，妳不是自己一個人殺死血族的嗎？」利威問道。他的這群人裡個子最高的，身材瘦高，很像莫里的身材。

「沒錯，可那是我運氣好。」除此以外，還有一個原因我沒有說出口，那就是我的格鬥技能比他們任何一個人都要高。你可以說我狂妄自大，可我確實是一個很厲害的優秀守護者……或者說「準」守護者。「如果集合了五個人的力量，勝算會比較大。發現血族之後，我們要先將他們引到一個偏僻的地方再下手。」我沒有忘記雪梨的警告。「但是在我們幹掉他們之前，必須先讓我和他們談談，你們的職責就是不要讓他們逃跑。」

「爲什麼？」鄧尼斯說，「妳有什麼話要和他們說？」

「事實上，是他們有話必須要對我說。聽著，這不會佔用很長時間，你們最後還是可以幹掉他們，所以不用太擔心。不過……」

雖然下面要說的話有違我的要求，但是我知道這些話是必須要說的，我不會因爲私人原因而害他們喪命。「如果我們陷入了困境，比如說被人包圍或是陷入生死關頭，就忘掉我剛才說的話和那些限制。直接展開獵殺，保住自己的性命。」

很顯然，我的自信和強大的氣勢，令他們決定不管我說什麼都要繼續追隨我。我們的計畫還包括所謂的「易容」。任何一個靠近我們的血族，或是視力比較好的血族，在見到我們的時候，都會立刻發現我們的拜爾身分。避免引起別人的注意是很重要的事，我們得讓那些尋找獵物的血族毫無所覺，因此需要讓自己看上去像是個去夜店的人類。

我們打扮好之後，我有點驚訝這幾個傢伙看起來還挺人模人樣的。鄧尼斯，不管他精神正不正常，但看起來是最養眼的，他和他的弟弟尼可拉一樣，有著暗金色的頭髮和棕色的眼睛。至於我，因為我所擁有的衣服少得可憐，而且都不符合去夜店的要求，所以塔瑪拉從她的衣櫥裡翻出幾件衣服給我，而她似乎很享受幫我挑衣服的樂趣。我們的身材相差無幾，這眞是個好消息。莉莎身材高挑，且相當瘦，所以我們幾乎沒有辦法互換衣服；而塔瑪拉則和我的體重相近，身材也屬於豐滿型的。

她先拿了條緊身短裙給我，這件和維多利亞穿的那件看起來差不多。我搖了搖頭，將衣服還給了她。想起我們倆那晚的爭吵，我仍然覺得很心痛，並發誓絕不會重現那晚的情景，或再穿上類似吸血妓女的裝束。

這一回，塔瑪拉給我一條黑色的牛仔褲，上衣是一件黑色的小可愛。我接過來，配上合適的髮型和妝容，仔細看了看鏡子裡的自己。我必須承認她的眼光不錯，雖然這件衣服非常誇張，但是我穿上去確實顯得很漂亮。我鍾愛男生用讚賞而有禮的目光看我，而不是把我當成一塊生肉。塔瑪拉還幫我找了些首飾，但我堅持只戴脖子上那條母親送我的護身符。我還需要一件外套來放銀樁，可是她拿給我的卻是亮皮的緊身外套，完全沒有藏東西的空間。

我們終於走進夜色當中，我禁不住搖了搖頭。「我們是世界上最性感火辣的吸血鬼獵人了。」我小聲說。

鄧尼斯帶著我們走進一家他們曾經發現過血族的夜店。當然，這裡也是他們未經認證同盟的夥伴喪生之地。這家店在偏遠之地，我想這增加了血族在這裡出現的機率。店裡的客人大部分都是中年人，還有一些上流社會的年輕人，顯然是被這裡的「危險氣息」吸引來的。只是他們不知道這裡究竟有多危險。我曾經對迪米特里嘲諷地說過，俄羅斯和東歐人在音樂潮流方面，整整落後了十年，可是當我一走進這裡，馬上發現裡頭播放的、讓地板都微微顫動的電子舞曲，我在離開美國之前剛剛聽過。

這裡人山人海，光線陰暗，四處是雷射光束，雖然我們是拜爾，但是能見度仍然因而稍微打了折扣。每當我們的夜間視力剛剛適應裡頭的黑暗時，就會被突然掃過來的強光刺激到。在這種情況下，眼睛已經不管用，唯一可以依靠的是影吻者的感應能力，可是我卻沒有感應到這裡有血族出沒。

「來吧，」我對其他人說，「我們邊跳邊等，這附近沒有血族。」

「妳是怎麼知道的？」鄧尼斯好奇地盯著我問。

「我就是知道。注意別走散。」

我們的小圈子開始向舞池移動。我已經許久沒有跳過舞了，有些驚訝自己居然這麼快就能抓住節奏。雖然我內心深處知道不可以放鬆警惕，可是又覺得反正如果真的有危險，我的那套血族預警系統會馬上通知我。那種噁心的感覺是很難忽略的。

可是在跳了差不多一個小時之後，還是沒有血族出現。我們走出舞池，走到夜店的另一邊，然後沿著周圍對整間夜店進行了一番掃視，還是一無所獲。

「這附近還有別的店嗎？」我問。

「當然。」亞瑟說。他矮矮胖胖的，剃了個平頭，臉上帶著篤定的笑容。「兩條街以外就有。」

我們跟著他走，見到了同樣的場景：另一個隱藏在廢棄建築物裡的祕密夜店。裡面的燈光更加刺眼，人群更多，音樂聲音更大。我感到有些厭惡，最先受不了的就是這裡的味道。很多人都已經汗流浹背，毫無疑問這味道就連人類都可以聞得到，對我們來說就更加難以忍受了。我和塔瑪拉交換了一個眼色，皺了皺鼻子，不用語言就能表達出我們對這裡的厭惡。

我們再次衝進舞池，利威則打算離開我們先去喝一杯，我因而給了他手臂一拳。

他用俄語大喊了些什麼，我可以猜出那是髒話。「妳幹什麼打我？」他問。

「因爲你的愚蠢！你喝過酒之後，還有辦法迅速地出擊去殺死誰嗎？」

他聳了聳肩，毫不在乎，我則強壓住想改揍他臉的慾望。「又不會有人受傷。再說，又沒有任何——」

「閉嘴！」我突然起了一陣雞皮疙瘩，胃部的蠕動變得異常。我停止舞動，在人群中四處搜索起來。當我只能依靠對血族的感應時，要在人群中把他找出來還眞是有一點困難。我向門口走了幾步，噁心的反應減輕了些，我又向吧台移動了幾步，噁心的感覺變得比較強烈。

「這邊。」我對他們說，「假裝你們還沉浸在音樂中。」

我的緊張感也感染到了他們，每個人似乎都做好了準備——同時也有一點害怕。很好，也許這樣他們才會認眞。我們向吧台慢慢移動過去的時候，我力圖使自己放鬆，就好像我眞的是要去找東西喝一樣。可是同時，我的眼睛沒有一刻放鬆，不停地在人群中掃視。

在那兒，我找到了目標。一個男性血族站在角落裡，懷裡摟著一個和我年紀差不多大的女孩，在昏暗的燈光下，他看上去非常吸引人。我知道，一旦走近細看，便會發現他那過分蒼白的皮膚和血族特有的紅眼圈。可能是因爲處在這種黑漆漆的夜店裡，那個女孩沒有發現，要不就是血族對她施了催眠術。從那個女孩的笑容來判斷，也許兩者都有。血族的催眠能力和莉莎這樣的精神能力使用者一樣強大，甚至可以說更強。

在我們的注視之下，那個血族帶著女孩向一條無人注意的小走道走去，在走道的盡頭，我隱約可以看到有著出口字樣的燈箱。這是我推測的，因爲那些字是用古斯拉夫語寫的。

「你們知道那扇門通往哪裡嗎？」我問其他人。

男生們全都聳聳肩。鄧尼斯將我的問題翻譯給塔瑪拉聽，她回答完，再由鄧尼斯替我翻譯。

「這門通往他們堆放垃圾的後巷，它位在這棟大樓和一間工廠中間，通常沒什麼人去那種地方。」

「我們可以從夜店周圍繞過去嗎？」

鄧尼斯等著塔瑪拉的回答，然後說：「可以，那條巷子兩邊都有出口。」

「好極了。」

我們匆忙從前門走了出去，我將眾人分成兩小隊，計畫同時將血族堵在這條小巷的中間，但是又可以讓他的獵物逃出來。當然，他們兩個也有可能去了別的地方，不過我還是覺得這個可能性最大，他打算在後巷直接將她制伏，然後吸血，尤其是如果那裡眞的如塔瑪拉所說的，沒什麼人會去的話。

我猜中了。我們這群人在前門分開，然後分頭繞到夜店的後頭，而剛到路口，我就看見那個血族和那個女生兩人籠罩在垃圾桶的陰影裡。他已經俯在了她身上，用嘴貼著她的脖子。我心裡暗飆起髒話，他倒是一點都不浪費時間！希望這個女生還活著。

我悄悄地走過去，其他人跟在我後面。小巷的另一頭，鄧尼斯和利威也趕到了。血族在聽見腳步聲後，就立刻直起身，在還沒站穩前就施展出一記速度驚人的迴旋踢。同時，他放下手中的女生，似乎決定從鄧尼斯和利威這邊突圍，而不是朝我、亞瑟和塔瑪拉下手。這種選擇算明智，因爲那邊只有兩個人，而血族的速度非常快，他很可能希望自己能搶在我們趕過來之前，就突破包圍衝出去，把我們甩掉。

他幾乎就要成功了。他以一拳有力的出擊將利威揍飛，令我鬆了一口氣的是，牆邊的兩個垃圾桶擋住了利威，沒讓他直接撞上牆。雖然撞在這些東西上的滋味也不怎麼好受，可如果我有選擇，寧願選這些金屬桶子，也不願意撞上堅硬的磚塊。血族的下一拳是朝著鄧尼斯去的，不過鄧尼斯用實際行動證實了他的敏捷反應。可不幸的是，這些沒有經過認證的傢伙，並沒有眞正的實戰經驗。

我應該早點想到的，他們雖然和我接受過同樣的訓練，但缺乏實際經驗。

鄧尼斯避開了那一下，接著也低下身子，瞄準了那個血族的腿，結果他雖然正中目標，但是力道並不足以強大到將血族擊倒。他雙手銀光一閃，設法掃中了血族的臉頰，結果反被打出去，撞在我身上。這種小傷對血族來說並不是致命的，但是銀樁造成的傷口會很痛，我聽見他大吼一聲，尖牙上的唾液閃閃發光。

我飛快地向旁邊閃了一下，所以鄧尼斯沒有將我也一起撞倒。塔瑪拉抓住了他的手臂，及時扶住了他，所以他也沒有跌倒。塔瑪拉的動作也很快，鄧尼斯還沒有站穩，她就衝向了血族。血族一掌將她推開，但是力道不夠，並沒有將她推開太遠。這時我和亞瑟衝了上去，合力將他撞倒在牆上，可是他確實很強，眨眼間就站了起來，想要衝過我們兩個。

腦中突然響起一個非常恪盡職守的聲音——很可疑地像是迪米特里的聲音——這個聲音警告我，我得動手殺死他。這是最聰明的做法，也是最有效的，我有這個機會，而且銀樁就在我的手裡；可如果我這個瘋狂的計畫失敗，被他逃了出來，導致其他人死亡的話，這個責任就得算在我頭上。

再一次，我和亞瑟將他按回去。「快來幫忙！」我大喊。

塔瑪拉撲在血族身上，同時用無影腳快速地踢他的肚子。我有種預感，他可能打算把我們幾個全都甩掉。這時，鄧尼斯也加了進來。我們四個齊心協力將血族按倒在地上，可是事情還沒有結束，要一直按住他是很困難的，他想要掙脫的力氣非常大，四肢一直亂晃著。我直起身子，用力撲過去趴在他身上，將他按住，這樣其他人可以重新調整姿勢，以制伏他的雙腿。另一雙手也按在了他身上，我抬頭，看見利威已經憋紅了臉，用盡了全身力氣。他的嘴唇在流血，可臉上的表情卻很堅定。

血族還是沒有放棄掙扎，可是我很滿意他不可能再逃跑了，我們五個一起牢牢地按住了他。我換了個姿勢，將銀樁的尖端對準他的脖子。他愣了一下，暫時忘記反抗，但是不久又開始不老實起來。

我湊過去，逼近他的臉。「你認識迪米特里・貝里科夫嗎？」

他大喊了一長串我聽不懂的話，聽起來不是很友好。我用力將銀樁按了下去，在他的喉嚨上劃出一道長長的傷口。他因爲疼痛尖叫起來，瞳仁急速擴張，眼裡噴出憤怒的火花，同時嘴裡也沒有閒著，仍然繼續飆著髒話。

「翻譯一下我說的話。」我要求道，要他們隨便一個照做。

過了一會兒，鄧尼斯開始說起俄語，當我聽見迪米特里的名字，才確定他是在翻譯我的話。

那個血族低吼著回應了一大串後，鄧尼斯搖了搖頭道：「他說他才不會和我們玩這種遊戲。」

我又將銀樁貼在他的臉上，將鄧尼斯之前劃的傷口又刺開了一點。這個血族第二次痛叫，我則暗暗祈禱夜店的保全人員不要聽見。我向他微微一笑，眼中的惡毒和他不相上下。

「告訴他，我們會和他一直玩下去，直到他願意講爲止。無論如何，他今晚死定了，區別只在於他是願意痛痛快快地死，還是慢慢受罪。」

老實說，我眞不敢相信這些話居然是從我嘴裡說出去的。這些話也太刻薄了……呃，好吧，是惡毒。我這輩子從來沒有想過要折磨別人，哪怕他是血族。

這個血族在聽過鄧尼斯的翻譯之後，還是很嘴硬，所以我又用銀樁狠狠地在他身上戳了好幾下，這些傷口足以令任何一個人類、莫里甚至是拜爾喪命。

終於，他吐出了一串話，聽起來和剛才那種侮辱性的不太一樣。

鄧尼斯立刻翻譯給我聽：「他說他從來沒有聽過這個人，如果這個迪米特里是妳的朋友，他非常肯定這個人會備受折磨、非常痛苦地死去。」

我聽了這個血族最後的反抗，幾乎要笑起來。雖然我用這種方法得到的答案，很可能不是實話，但我也沒有辦法辨別，不過他的反應令我多少有些相信他說的是眞的。聽起來，他似乎認爲我說的這個人是個人類，或是個拜爾，而不是一個血族。

「他已經沒用了。」我說，直起身子看著鄧尼斯。「去了結他吧！」

這是鄧尼斯夢寐以求的事，他沒有猶豫，將銀椿快速而又靈巧地刺進血族的心臟。那強烈的掙扎在過了一會兒之後，終於停了下來，那雙紅眼中蘊含的邪惡光芒逐漸黯淡了下去。我們站起來，我發現這些同伴們看著我，眼神既崇拜又害怕。

「蘿絲，」鄧尼斯終於開口，「妳打算怎麼——」

「這你不用管。」我打斷他，走到那個已經昏迷、毫無意識的人類女孩身旁。

我單膝跪下，檢查了下她的脖子。他吸的血不多，傷口因而不大，而且只有一點點血跡。我碰觸她的時候，她微微地扭動了一下身子，呻吟出聲，我認爲這是個好現象。我小心翼翼地將她從垃圾桶後面拖出來，放在容易被人發現的路燈下，然後將這個血族拖到目所能及最陰暗的地方，讓人幾乎完全看不見他。

在做完這些之後，我向鄧尼斯借來他的行動電話，撥了上星期以來就一直放在衣服口袋裡的那個電話號碼。

響了幾聲過後，雪梨用俄語聽了電話。聽上去她好像還在睡覺。

「雪梨？我是蘿絲。」

那頭沉默了一會兒。「蘿絲？怎麼了？」

「妳已經到聖彼德堡了嗎？」

「對……妳在哪裡？」

「新西伯利亞。你們有人負責這裡嗎？」

「當然。」她謹慎地說，「怎麼了？」

「嗯……我有些東西需要你們幫忙清理。」

「哦，老天。」

「嘿，至少我還知道打電話，而且我又替這個世界消滅了一個血族，也不是什麼壞事。再說，妳不希望我通知妳嗎？」

「希望，希望。妳在什麼地方？」

我將電話交給鄧尼斯，讓他告訴雪梨這裡的具體地址。他說完之後，又把電話交回給我，我又將那個女生的事告訴了雪梨。

「她傷得很嚴重嗎？」

「看起來不像。」我說，「我們要怎麼做？」

「把她留下。前去處理的人會負責檢查她的狀況，看她是不是沒問題，也會確保她不會到處亂說。具體方法等他到了，會詳細地告訴妳。」

「喔喔，嘿，我不打算在這裡等他。」

「蘿絲——」

「我要掛斷了，」我對她說，「如果妳不把我打過電話給妳的事告訴別人——比如艾比，我會非常感激的。」

「蘿絲——」

「拜託，雪梨，千萬別說。如果……」我猶豫了一下，「如果妳說了的話，我以後就不會再打電話通知妳了。接下來，我們可能還要再幹掉幾個。」

上帝，我還要變多壞？先是折磨別人，現在又開始威脅了，更糟的是，我還在威脅一個自己很喜歡的人。當然，我是在說謊。我很明白雪梨身後的組織爲什麼這麼做，我不會冒風險讓自己的行蹤暴露，不過她不知道這點就是了。我希望她只會認爲我們的實力不夠，還沒到能冒險將我們暴露在世人面前的那個地步。

「蘿絲——」她還想再說，可我沒有給她這個機會。

「多謝，雪梨。我們再聯絡。」說完我就掛斷電話，將它還給了鄧尼斯。「走吧，夥伴們，我們今晚的任務還沒有完成呢！」

他們很顯然都認爲我瘋了，居然會想審問血族，可一想到他們偶爾也會魯莽行事，我的行爲似乎並沒有怪異到足以令他們喪失對我的信賴。很快地，他們的熱情就再次回來了，我們一致同意繼續這場獵殺之旅。我身上那種可以準確感應到血族的能力，令我在他們心中的地位提高了許多，我很有信心，他們願意追隨我到天涯海角。

晚上，我們又陸續抓住了兩個血族，用同樣的方式將他們制伏。結果也是一樣，聽了很多俄語髒話，沒有獲得新的情報。一旦我宣佈了這個血族對我們沒有價值了，就會直接讓「未經認證幫」的成員將他解決掉，他們也很愛做這件事。但是在幹掉第三個之後，我便發現自己身心俱疲，因而告訴他們可以回家了。

就在我們經過某座工廠的後方時，我感應到了第四名血族。

我們撲向他，在另一場惡鬥之後，漸漸地將他也制伏了。

「快上，」我對鄧尼斯說，「你知道該怎麼——」

「我要撕碎你的喉嚨！」那個血族大吼。

喔喔，這一個會講英語。

鄧尼斯正打算開口問話，我對他搖了搖頭。「我來問。」

和其他的血族一樣，這一個也在不停地飆髒話，用力掙扎，甚至連銀樁已經刺進他的脖子裡，讓他開口說話都變得困難了還是沒有停止。

「聽著，」我裝作很有耐心，但其實是很疲倦地對他說，「我們只是想問你幾個問題。我們正在找一個叫迪米特里．貝里科夫的拜爾。」

「我知道他，」血族洋洋得意地說，「而且他也已經不是拜爾了。」

我居然在不經意間，說出迪米特里是拜爾這樣的話。我大概是累極了，才會脫口而出，怪不得這個血族的語氣這麼得意，他以爲我還不知道迪米特里已經變成了血族。和其他自大的血族一樣，他高興地又繼續對我們說了更多，很明顯希望可以戳中我們的痛處。

「妳的朋友已經被喚醒了，他現在晚上也和我們一樣，到處去吸像妳這種蠢女生的血。」

一瞬間，我的腦子裡閃過成千上萬個念頭。我的天哪！我曾以爲到了俄羅斯，要找到迪米特里是件很容易的事；我曾經在他的家鄉感到失望透頂，差點放棄了這麼做；我還曾經克服了那個念頭，重新找回勇氣，打算完成這個不可能的任務。但他可能就在附近的想法，還是令人難以相信。

「你撒謊，」我說，「你從來沒有見過他。」

「我經常見到他，而且還和他一起殺過人。」

我的胃還是在抽痛，可這和感應到血族的那一套系統沒有半點關係。千萬別想迪米特里會殺人、千萬別想迪米特里會殺人。我在心裡反覆說著這句話，強迫自己冷靜下來。

「如果是眞的，」我聲音嘶啞地吼回去，「那我有話需要你幫我轉告給他。告訴他，就說蘿絲．海瑟薇正在找他。」

「我才不會當妳的跑腿。」他怒視著我說。

我手裡的銀樁往下劃，劃出一道血印，他痛得喊叫起來。「你的命就在我手裡，我隨時可以讓你死掉。現在，去把我說的話告訴迪米特里，說蘿絲．海瑟薇正在找他。」我用銀樁的尖端抵住他的脖子。「你重複一遍我的名字，好讓我知道你記住了。」

「我會記住妳，然後找妳報仇。」

我加強了手上的力道，血噴了出來。

「蘿絲．海瑟薇。」他很想將唾沫噴到我臉上，但是失敗了。

我心滿意足地直起身子。

鄧尼斯充滿期待地看著我，拿著銀樁，已經擺好了姿勢。「我們要幹掉他了嗎？」

我搖了搖頭。「我們要放他走。」

17

說服他們放了血族，特別是一個已經抓住的血族，並不是件容易的事。我的問題對他們而言不是理由，根本不能接受。居然要放走血族!?這種事眞是太太太瘋狂了，就算對「未經認證幫」來說也是一樣。他們彼此不安地看了看，我不知道他們會不會反對。最後，我的堅持和剛剛樹立的威信，獲得了勝利。他們希望我成爲領導，所以決定信任我的決定，不管這決定在他們看來有多麼的瘋狂。

當然，我們一放開他，馬上會有一個新的問題，就是怎麼保證他肯馬上就走。一開始，他還想要再反擊一下，可是在意識到自己有可能被重新制伏之後，他終於逃走了。臨走前，他在黑暗中意味深長地看了我們最後一眼。我想，打敗一群小孩並無助於挽救他的自尊。他狠狠瞪了我一眼，讓我想起他已經知道了我的名字，突然感到不寒而慄。可是現在也沒有什麼辦法了，我只希望自己的計畫可以行得通。

鄧尼斯和其他人很氣我放走血族這件事，所以那個星期我們又陸續幹掉了其他幾個。我們建立起一套固定的模式，去夜店和城裡最危險的地方調查，然後靠著我的直覺，告訴他們危險的人物在什麼地方。我覺得很有意思，這群人很快就依賴起我的領導。他們雖然聲稱自己不屬於任何一個守護者組織，也不受任何約束，但是他們卻令人驚訝地對我的吩咐惟命是從。

好吧，「幾乎」是惟命是從。每隔一段時間，我就會見識到某些魯莽的行爲出現——有人打算逞英雄，他看不起血族，經常獨自行動。最後，亞瑟差一點因爲腦震盪而掛掉。身爲我們之間年紀最大的一個，亞瑟有一點驕傲自大，因此被血族扔在牆上昏了過去。感覺到事態嚴重，我們全都束手無策地愣在那裡。我很害怕亞瑟會死掉，如果這種事眞的發生了，那就是我身爲領導的失職。

雪梨所屬的煉金術師協會底下的人也到了，雖然我之前一直竭力避免與他碰面，以免艾比發現我的行蹤。他檢查了一下亞瑟的情況，然後說亞瑟只要躺在床上休息幾天就好了。但這也意味著他有一陣子不能夠參加行動了，這對他來說很難接受，有一次他打算下床跟我們一起出去的時候，我不得不吼了他一頓，提醒他因爲他的愚蠢，曾經害死過多少自己的朋友。

在人類的世界中，拜爾也要遵守人類的作息時間。但現在，我仍舊遵守著夜間行動的作息時間，就像在學院時一樣。我不希望當血族在外面四處橫行的時候，我們還在屋子裡呼呼大睡。其他人也和我一樣，只有塔瑪拉除外，因爲她白天還有工作。

每回我們幹掉血族離開之前，我都會打電話給雪梨，同時告訴她這裡有一個血族團體正在製造大規模的破壞。如果我們放走的那個血族已經帶到了我的話，那麼有可能這些血族是在找我。

日子一天天過去，我們發現血族的數量日漸減少，這讓我不由得猜測道，如今血族變得小心謹愼了。我不知道這是好事還是壞事，但仍對其他人特別強調，之後要更加小心。他們已經開始將我看做是女神了，但我自認配不上他們的恭維。我仍然因爲莉莎和迪米特里的事而心痛，試圖用戰鬥讓自己麻痺，盡量將心思放在如何才能透過這群血族接近迪米特里。可是一旦我們不用出去追殺血族了，我就有了很多空閒時間。

因此，我又不斷地去察看莉莎的近況。

我知道有很多和米婭一樣的孩子，因爲他們父母工作的原因都住在皇庭。我不清楚究竟有多少個，但是愛瑞似乎認識所有人，而且毫不意外地（最起碼我並不意外），這些人大都是驕縱的富家子弟。

莉莎在皇庭裡空閒的時候，會去參加各種酒會和正式宴會。她聽這些皇室莫里談論政治的次數越多，就越覺得生氣。在她注意這些事以前，她就已經見過這種濫用權力的情況，以及分配守護者的不公平現象，就好像他們是自己的私有財產。而人們談論最多的話題，還是圍繞著莫里是不是應該和守護者一起並肩戰鬥。莉莎在皇庭遇見的大部分莫里都是老學究，仍然認為應該讓守護者獨自戰鬥，保護莫里。在見到了我和克里斯蒂安這樣的人努力的成果後，又聽見莫里皇室這種自私的論調，莉莎非常非常氣憤。

她每時每刻從想這種地方逃開，渴望和愛瑞一起四處瘋狂地玩樂。愛瑞總能叫上一大群人，然後舉辦各種和塔蒂安娜的派對性質完全不同的聚會。那種沉悶的皇庭政治永遠不會在這些派對上出現，但還是有很多事情令莉莎開心不起來。

追究其原因，還是因爲她對我的愧疚、憤慨和沮喪越來越深。她已經領教過精神能力副作用對自己情緒的影響，也提前發現了初期的預警現象，雖然她在這次旅途中並沒有主動地使用過精神能力。意識到自己的心情越來越糟，她至今仍在盡最大的努力，尋找分心的方法，以改善抑鬱的狀況。

「妳小心一點。」某一天晚上愛瑞警告她說。

這是回學校前的最後一晚，她和莉莎正在某個晚宴上。很多住在皇庭的人都沒什麼機會出去，這個派對是在一個姓澤爾斯基的人的別墅裡舉辦的，這人是一個莉莎不認識的議會委員的助手。莉莎當然也不認識這個別墅的主人，但這並不要緊，反正他的父母也不在城裡。

「小心什麼？」莉莎看著周圍問道。這棟別墅在外面，有一個露天的後院，院子裡插滿了火炬，和一串串高掛的霓虹燈。

派對上酒水和食物的提供都非常充足，有一個莫里男生拿出吉他自彈自唱，試圖用自己的音樂才能來吸引女生的注意，雖然他根本談不上有什麼才能。事實上，他彈得爛極了，也許這是他用來殺死血族的一種新方法。不過他本人長得倒是還不錯，所以他的擁護者並不在乎他的吉他彈得到底怎麼樣。

「這個，」愛瑞指了指莉莎手裡的馬丁尼。「妳想知道妳今天晚上一共喝了多少杯了嗎？」

「我已經數不清了。」艾德里安說。他正癱在一旁的沙發上，啜著手上的杯中物。

莉莎和他們比起來有點小巫見大巫。愛瑞雖然還是那副到處賣弄風情的狂野模樣，卻沒有十足蠢貨身上那種瘋狂和愚蠢的氣質。莉莎不知道愛瑞喝了多少，但是從她從沒有空手過的情況來看，應該也喝了不少。至於艾德里安，他從來就沒有離開過酒，他喝的酒多得可以讓他變成一個被酒醃漬過的人了。莉莎覺得其他人應該比自己喝的還多，她向來喝不多。

「我沒事。」莉莎撒了個謊，她已經有點頭暈了，尤其是看著院子那頭在桌子上跳舞的那些女生時。

愛瑞揚起了一抹笑容，雖然她的眼中流露出的是擔心。「好吧，別喝醉就行。周圍這麼多人，我們不能讓大家發現，原來德拉格米爾公主控制不了自己的酒量，妳還得維護家族的榮譽。」

莉莎一飲而盡。「不過我很懷疑，喝酒也包括在評判我們家族古老榮譽的標準之內。」

愛瑞將艾德里安推開，坐在他旁邊。「嘿，妳肯定會感到驚訝的。不出十年，這群傢伙就會成為妳在議會的同僚，而當妳要努力推動一些改革法案時，他們就會說：『還記得上次她在派對上喝到吐的樣子嗎？』」

莉莎和艾德里安聽了都哈哈大笑。莉莎不認為自己能喝到那個地步，但是如同擔心其他事一樣，過一會兒她就開始擔心起來。喝酒唯一的好處，就是能幫助她忘掉之前發生的事，不讓自己想起那些煩心事。

塔蒂安娜替她介紹了她未來的守護者：一個經驗豐富、名叫格蘭德的小夥子，還有那位「年輕的小姐」，她的名字叫塞琳娜。這兩個人雖然看起來也不錯，但是比起我和迪米特里還是有些微不足道，而且同意接受這兩個人，似乎像是對我們的背叛。不過，莉莎還是點了點頭，謝過了塔蒂安娜。

後來，莉莎得知，塞琳娜本來是想保護一個她從小就認識的莫里女生的，但是那個女生不是皇室。有時候，即使是非皇室也能被分派到守護者，有時還不只一個，但這要看當時守護者的總人數。當莉莎的守護者名額有了空缺後，塔蒂安娜就將塞琳娜從她朋友身邊調了過來。塞琳娜微笑地告訴莉莎說不要緊，服從命令是首要之事，而且她很高興能爲莉莎效勞。

可莉莎仍然不開心，她覺得將這兩個女生分開太殘忍了，而且也不公平。那種想法又冒了出來：至今仍無人努力定出一個制度，來抑制權力的不平衡。

那場會面結束後，莉莎再次詛咒起自己的儒弱。她想，就算她沒有勇氣和我一起走，至少可以堅持讓塔蒂安娜將我媽媽調過來。這樣一來，塞琳娜就可以回到她自己的朋友身邊，世界上就不會又有一對好朋友得面臨分離了。

馬丁尼的效力似乎放大了這種痛苦，令她的心情更加難過。老實說，藉酒消愁這一招似乎對莉莎並不管用。管他的，她這麼想。於是，她又叫住路過的侍者，想再要一杯。

「嘿，我能——安布羅斯？」她驚訝地看著站在眼前的這個傢伙。

如果要做一本以最帥的拜爾男生的泳裝照爲內容的月曆，這傢伙一定會登上封面的（如果不算迪米特里的話。我這算是一種偏見吧）。這個人名叫安布羅斯，我和莉莎上次到這裡來時見過他。

他有著古銅色的皮膚，灰色的低領襯衫下，有著形狀漂亮的肌肉。他是皇庭裡很奇特的存在，是一個拒絕成爲守護者的拜爾，卻在這裡爲人服務，比如說幫人按摩，或者和女王進行「非常羅曼蒂克的偶遇」——如果傳言是眞的話。這個人也令我感到害怕，因爲他會令我想起自己做過的不太光彩的事。

「德拉格米爾公主，」他露出一口白牙，展開非常完美的笑容。「一個意料之中的驚喜。」

「你過得怎麼樣？」莉莎問，看見他顯然非常高興。

「很好，很好，畢竟我擁有世界上最好的工作。妳呢？」

「也不錯。」莉莎回道。

安布羅斯頓了一下，看著她。他絢爛的笑容仍掛在臉上，但是莉莎打賭他並不相信自己的話，她可以看出他臉上不太贊同的表情。愛瑞指責她喝太多是一回事，可是被一個英俊的拜爾侍者看不起？她不能接受。莉莎的態度變得冰冷了許多，她伸出自己的酒杯。

「我要再來一杯馬丁尼。」她說，聲音裡透出十足的皇室傲慢。

安布羅斯感應到莉莎態度的變化，他友好的微笑也轉變成禮貌的笑容。「馬上就來。」他微微鞠了一躬，向吧台走去。

「老天！」愛瑞讚賞地看著他走開，「爲什麼不把妳的朋友介紹給我們認識一下？」

「他不是我的朋友，」莉莎怒氣沖沖地說道，「他什麼都不是。」

「同意。」艾德里安一把摟過愛瑞。「爲什麼當妳身邊坐著全場最帥的人時，還要再把眼光放到其他人身上呢？」如果我不是太瞭解他的話，肯定會認爲他這種帝王般驕傲的語氣下，絕對隱藏著一股醋意。「難道我沒有打破自己的原則，帶妳去和我的姑姑共進早餐嗎？」

愛瑞看著他，慵懶地笑了笑。「這是個好的開始，但是你還要繼續努力博得我的好感，伊瓦什科夫。」她說完向莉莎身後看去，顯得非常驚訝。「嘿，小尤物來了。」

米婭拉著吉兒從花園裡走過來，無視她的出現在男生中引起的轟動。那兩個人很明顯與這裡格格不入。

「嘿。」米婭走到莉莎他們面前，說：「我爸爸剛打電話來，我必須要走了，所以我現在要把吉兒還給你們。」

「沒問題。」莉莎毫不考慮地說道，雖然她非常不喜歡吉兒在這裡。莉莎一直覺得克里斯蒂安對她有種特別的興趣。「一切都還好吧？」

「對，只是公務而已。」

米婭和所有人道別後，便如同她來時一樣，旋風一般地離開了。她往外走的時候，不停地向那些對她吹口哨、試圖引起她注意的皇室翻白眼。

莉莎轉身看著吉兒，見到她戰戰兢兢地坐在一旁的沙發上，看著周圍的一切。「妳過得怎麼樣？和米婭在一起好玩嗎？」

吉兒回過頭看著莉莎，臉上因爲興奮而閃閃發光。「哦，是的。她眞是太棒了，她可以用水魔法做很多很多事，眞是想都想不到！她還教了我幾個格鬥的動作，我現在可以打右勾拳……雖然這個動作不是很難。」

這時，安布羅斯端著莉莎的酒杯回到了這裡，他默默地將酒杯遞給莉莎，看著吉兒的目光變得溫柔了些。「妳想喝點什麼嗎？」

吉兒搖了搖頭。「不了，謝謝。」

艾德里安仔細地打量著吉兒。「妳想待在這裡嗎？要不要我送妳回酒店去？」如同以前一樣，他的邀請並沒有什麼風流的成分在裡面，他似乎將吉兒當做自己的小妹妹。這很有意思，我從來沒想過，他也會有這麼體貼和想保護別人的時候。

吉兒再次搖了搖頭。「我沒事，你也不用一定要送我，除非……」她的表情變得非常擔心，「你們不希望我留在這裡嗎？」

「不會，」艾德里安說，「如果有人負起責任，願意照顧周圍這一團亂的話也不錯。如果妳餓了的話，可以去拿點吃的。」

「你眞是充滿母愛。」愛瑞揶揄他道，正好和我的想法不謀而合。

莉莎覺得自己應該去吃點東西，所以她站起來，向院子裡放滿食物的地方踱步而去……好吧，出於某種原因，莉莎認爲艾德里安說的「負起責任」這種個人看法，似乎是針對她說的。不過我完全沒有這種感覺，她現在似乎已經不能正常思考了。

那是之前的情況了，此刻桌子已經被跳舞的女生們佔領，有人將桌子上的所有食物全都放在地上了。莉莎彎下腰，拿起了一小塊三明治，一邊看著在桌子上跳舞的女生，一邊在想她們怎麼能在那個皇室男生嚇人的音樂裡找到節拍。

其中一個女生看著莉莎，微微笑著，她伸出手來：「嘿，上來一起跳。」

莉莎曾經見過她一次，但是不記得她叫什麼名字了。跳舞突然變成了一個很不錯的提議。莉莎吃完三明治，喝完了杯中的酒，握住那隻手上了桌子，這個舉動換來了周圍幾個人的喝彩。莉莎雖然覺得音樂不怎麼樣，但還是跳得非常投入，她和其他的女生從性感的熱舞一直跳到可笑的Disco模仿動作。莉莎跳得很開心，雖然愛瑞有可能會認爲，十年以後這也會成爲別人的把柄。

跳了一會後，莉莎和其他人打算跳那種舞步整齊的團體舞。她們先是高舉手臂在空中揮舞，然後又排成一隊開始踢腿，結果這個踢的動作引發了大災難，穿著高跟鞋的莉莎一步踏空，從桌子邊緣跌了下去。她的酒意頓時沒了，差點尖叫出聲，這時一雙手臂緊緊地接住她，幫她站穩了腳步。

「我的勇士。」莉莎喃喃地說。這時她看了一眼救命恩人的臉，驚叫出聲：「艾倫？」身爲莉莎的前男友，和擁有了莉莎第一次的這個人，此時正低頭面帶微笑地看著她，在確定她可以自己站穩之後，才鬆開她。

金色的頭髮和藍色的眼睛，艾倫從外表來說是非常帥的。我禁不住想，如果米婭看見她會有什麼反應。她、艾倫和莉莎曾經捲進了一場三角關係中，精彩程度堪比八點檔肥皂劇。

「你怎麼會在這裡？我們以爲你失蹤了。」莉莎說。艾倫在幾個月之前離開了學院。

「我轉學去了新漢普頓郊外的學校。」他回答道，「我來這裡做客。」

「哦，見到你眞好。」莉莎說。他們兩個分手時鬧得很不愉快，但是按照她目前的情況，這句話是眞心的。她喝得太多了，覺得在派對上見到任何一個人都是值得高興的事。

「我也是。」他說，「妳看起來眞美。」

他的這句話是莉莎萬萬沒有想到的，她覺得很吃驚，這也許是因爲，這裡的每個人都覺得她現在很墮落、不負責任。不管是不是已經分手了，莉莎仍然情不自禁地回想起他以前的好。老實說，她現在仍然覺得他很有魅力，只是不再愛他了。

「你還是應該打個電話來，」她說，「讓我們知道你到底去了什麼地方。」有一刻，她想著自己這麼說應不應該，尤其是在自己已經有男朋友的情況下，可是她立刻消除了擔心。和其他男生一起玩也沒有什麼不對，是克里斯蒂安自己不願意和她一起來的。

「我很高興聽見妳這麼說。」艾倫說，他的眼中閃爍著激動的目光。「雖然我知道不太可能，我還是想和妳要個晚安吻。看在我救了妳的份上，當做是對我的報答怎麼樣？」

這個要求有點過分，不過莉莎想了一會兒，笑了出來。這有什麼關係呢？克里斯蒂安是自己的愛人，但是朋友間的親吻又不能代表什麼。於是她抬起頭，允許艾倫低下頭捧起她的臉，讓他們雙唇相碰。不可否認的是，這個吻要比朋友間的親吻時間長很多。這個吻結束之後，莉莎發現自己笑得好像一個少不更事的女學生——雖然，嚴格來說她確實是。

「有機會再見。」她說著，轉身回去找自己的朋友。

愛瑞的表情雖然很可怕，但莉莎仍自顧自地沉浸在和艾倫的那一吻中。

「妳瘋了嗎？妳差點把腿摔斷了。以後再也不許做這種事了。」

「妳自己不是也很愛玩嗎？」莉莎指出，「這沒什麼大不了的。」

「愛玩不代表沒腦子。」愛瑞回敬道，表情非常嚴肅。「妳不能做這麼愚蠢的事。我覺得我們最好還是回去。」

「我很好。」莉莎說。她倔強地轉過頭，看到那邊有幾個在喝龍舌蘭的男生。他們似乎是在比賽，有一半的人已經喝得隨時準備掛掉。

「那要看『很好』的定義是什麼。」艾德里安在一旁添油加醋，不過他看上去也很擔心。

「我很好。」莉莎又重複了一遍，她又猛地轉頭看向愛瑞。「我又沒有受傷。」

她本來不希望提起艾倫的事，可是沒想到他們卻不願意放過自己，更驚訝的是，這件事是從另一個人的口中說出來的——

「可妳吻了那個男生！」吉兒身子往前傾，同時大喊道。她完全是一副被嚇呆了的樣子，可是卻不若以往那樣沉默寡言。

「那沒什麼大不了。」莉莎說，她很生氣吉兒將這件事當著其他人的面說出來。「而且也不關妳的事。」

「可妳的男朋友是克里斯蒂安！妳怎麼能對他做出這種事？」

「放輕鬆，小尤物。」愛瑞說，「喝醉以後亂吻人，比起喝醉後從桌子上摔下來不算什麼。天知道，我喝醉後吻過多少個男生。」

「可是，我今天晚上還沒有得到啊！」艾德里安喃喃地說，說完搖了搖頭。

「這不重要。」吉兒眞的急了，她似乎很喜歡也很尊敬克里斯蒂安。「重要的是妳欺騙了他。」說完這些話，吉兒似乎也想向莉莎揮出她剛學會的右勾拳了。

「我沒有！」莉莎大喊，「別揣測他的想法，並且無中生有。」

「那個吻可不是我想像出來的。」吉兒替自己辯解道。

「那個吻不是我們要關心的。」愛瑞嘆了一口氣，「我是認眞的，忘了吧，夥伴們。我們明天再說。」

「可是——」吉兒還打算爭辯。

「妳聽見了，別再提了。」一個新的聲音冒了出來。李德・樂澤不知道從什麼地方跑了過來，他站在吉兒面前，表情一如既往的嚴厲和嚇人。

吉兒張大了眼睛。「我只是實話實說……」想到她平時膽小的樣子，我很欣賞她此刻的勇氣。

「妳已經惹惱了每個人，」李德說著，彎腰揮了揮拳頭，「妳也惹惱了我。」

這是我聽他說話說得最多的一次。我一直以爲他是山頂洞人，一句話超不過三個詞。

「喔喔。」艾德里安站起來，站在吉兒旁邊，「你最好平息你的怒氣。怎麼，你打算和這個小女生打一場嗎？」

李德轉頭瞪著艾德里安。「你最好不要插手。」

「我他媽管定了。你這個瘋子。」

如果有人要我列出一個肯冒著危險英雄救美的騎士名單，艾德里安一定會是最後一名。但是此刻他站在那裡，表情堅定，大手保護性地摟著吉兒的肩膀。我對他肅然起敬，印象大爲改觀。

「李德！」愛瑞大喊。她也站了起來，站在吉兒的另一邊。「她又不是故意的。走開。」

姊弟兩人對峙著，四目相交，沉默了許久，愛瑞的表情是我從未見過的嚴厲。

李德怒視著她，往後退去。「好吧，隨你們便。」

他們驚訝地看著李德猛地轉身走開。音樂聲很大，只有幾個人注意到這邊的爭吵，他們停下來圍觀。愛瑞看上去頗為尷尬地又坐了回去，艾德里安依然站在吉兒旁邊。

「這他媽到底是怎麼回事？」艾德里安問道。

「我不知道。」愛瑞老實說，「他有時候會變得很奇怪，保護慾很強。」她向吉兒充滿歉意地笑了笑。「我真的十分抱歉。」

艾德里安搖了搖頭。「我覺得我們差不多該回去了。」

雖然莉莎的酒還沒有醒，可是她也同意了。李德的這一番胡鬧把她徹底嚇醒了，她突然對自己今晚的行為感到不安起來，派對上絢爛的燈光和迷人的雞尾酒此刻喪失了它們的魔力，其他那些喝醉了的皇室成員看起來荒唐而又愚蠢。她有種預感，也許明天自己會後悔參加這場派對。

我一回到自己的身體，心底也冒出一絲懼意。好吧，莉莎的情況顯然很不妙，雖然別人好像還沒有發現到。好吧，他們也不應該會注意到。艾德里安和愛瑞確實很關心她，可是我有預感，他們會責備莉莎喝醉了這件事。莉莎的行為令我想起，我們兩個剛剛回到聖弗拉米爾學院時的許多事，那時候精神能力剛剛在她身體中顯現，擾亂了她的思緒。除非……

我很清楚自己此刻藉著著血族來發洩身上的憤怒和焦慮，也是因為受了這種精神能力負面的影響，而這意味著我還在從她身上吸取這些能量。這些東西已經離開莉莎，不會再發生作用了，可是為什麼她現在還是這樣呢？那種短暫的憤怒、瘋狂的行徑和毫無來由的妒意，到底是從何而來的呢？精神能力的副作用會慢慢變大，然後慢慢籠罩我們兩個嗎？是我們刺激了它嗎？

「蘿絲？」

「什麼？」我抬起頭，發現自己剛才正茫然地盯著電視。

鄧尼斯正低頭看著我，手裡舉著電話。

「塔瑪拉必須要加班，她已經準備要出發回來了，可是……」

他朝窗外擺擺頭。太陽已經快要下山了，天空泛出紫色光暈，只有地平線的地方還有一點橘色。

塔瑪拉上班的地方走路就可以到，這樣可以降低危險度，但我不願意她在太陽下山後自己一個人行動，因而站了起來。「來吧，我們去找她。」我又轉頭對利威和亞瑟說，「你們留在這裡。」

我和鄧尼斯走了差不多半英里，來到塔瑪拉上班的小辦公室。她在這裡打雜，做些填表格或影印資料之類的事，而最近有不少工作需要她加班完成。我們在門口接到她，一路平安地走回去，同時討論著今晚的追殺計畫。我們回到公寓的時候，聽見對街有一種奇怪的哭泣聲，我們一同回過頭去，而鄧尼斯竊笑出聲。

「仁慈的主啊，又是那個瘋女人。」我喃喃地說。

塔瑪拉住的地方不是城裡那種魚龍混雜的地方，可是在任何一座城市裡，都會有流浪漢和乞丐。我們看見的那個女人年紀和伊娃差不多大，她總是在這條街上來來回回，嘴裡自言自語著。可今天，她卻躺在路邊，發出奇怪的哼聲，像烏龜一樣揮動著四肢。

「她受傷了嗎？」我問。

「不可能，就是發發瘋吧！」鄧尼斯說。

他和塔瑪拉轉身往回走，但我心裡總對那個女人不太放心。

我嘆了一口氣。「我一會兒就上去。」

街上靜悄悄地（除了那個老婦人的哼聲），我穿過馬路時完全不怕有車駛過。我走到老婦人身邊，伸手將她拉起來，盡量不去想她身上有多麼髒。就像鄧尼斯說的，她今天只是切換到了瘋狂模式而已，並沒有受傷。很明顯，她只是決定躺在街上而已。

我打了個寒顫，雖然最近在我和莉莎身上發生的事情都很奇怪，但是這件事是最最奇怪的，我眞的、眞的希望不是精神能力把我們弄到這步田地的。

這個流浪的老婦人很驚訝有人來幫她，可她還是拉住我的手，開始激動地用俄語說了一長串，爲了表示感謝，她還想要擁抱我。我退後了一步，舉起雙手擺了擺，表示要她「退後」。

她確實向後退了幾步，可是仍然高興地拉著我不停地說話，她拉起長大衣的兩邊，像是展開舞裙般開始在原地旋轉、歌唱。我大笑起來，驚訝地發現在我灰暗的世界裡，居然還有事情能逗我開心。

當我準備返回馬路對面，回到塔瑪拉的家裡時，老婦人停下舞步，又開始高興地和我聊起來。

「抱歉，我必須要走了。」我對她說，但是沒有什麼用。

突然，她停了下來。她的表情像要警告我什麼，但還是比我的反應系統晚了半步，一股強烈的噁心感湧上來，我轉身看著站在身後的那張臉，同時掏出了銀樁——我身後正站著一個血族，身材高挑，儀表堂堂，趁我分心的時候展開了偷襲。

蠢死了，蠢死了，我不同意讓塔瑪拉一個人回家，卻從來沒有想過危險正在外面等著我。

「不……」我不知道自己是在心裡面想的，還是眞的將這個字說了出來。但是沒關係，唯一重要的是展現在我眼前的事物。或者說，是我的眼睛以爲它們看見的事物。因爲，這一定、一定是我自己想像出來的，這不可能是眞的，永遠都不可能是眞的。

迪米特里。

我立刻認出了他來，雖然他已經……變了。我想，就算是在億萬個人當中，我也能一眼認出他來，我們兩個之間的聯繫是不會讓我錯認的。在失去他這麼久以後，我沉迷於他身上的每一個部分——今晚那一頭飄逸的深棕色頭髮披散著，微微地拂過他的臉，那熟悉的雙唇，此刻帶著一抹令人不寒而慄的玩味微笑。他甚至還穿著平時經常穿的那件風衣，那長長的皮大衣就像常出現在西部電影當中的那種。

然後……就是血族的特徵了。他原本深棕色的眼眸，那雙我愛的眼眸，現在外圍多了一圈紅暈，還有那蒼白得近似於死亡的灰白色皮膚。當他活著的時候，他的皮膚顏色和我一樣是小麥色的，這全要歸功於過量的戶外活動。如果他張開嘴，我知道還能看見他的尖牙。

我所有的注意力都放在了那雙眼睛上。我感應到他的時候，反應很快，可能比他預期的還要快，此外還有一個出乎他意料的反應，就是我的手上已經拿出了銀樁。銀樁正好對準他的心臟，我敢打賭，如果可能的話，我攻擊的速度可能會打得他措手不及。可是……

那雙眼睛。哦，上帝啊，那雙眼睛。

哪怕有那圈紅暈圍在他的瞳孔周圍，他的眼睛仍然讓我想起那個我曾經熟識的迪米特里。那雙眼睛毫無生氣，閃動著邪惡的光芒，已經不再是他原來的眼睛了，可是仍然和我心中的那雙眼眸那麼相像，完全推翻了我的反應和感受。我的銀樁已經準備好了，我所要做的就是將它揮出去，完成這次刺殺，我已經抬起了手臂……

可是我做不到。只要再給我幾秒，再給我幾秒，讓我好好看看他，我就可以揮出去了。

可這時，他開了口。

「蘿莎，」他的聲音和以前一樣動聽、低沉，帶著同樣的口音……只是多了份冰冷。「妳忘記了我教妳的第一課——不要猶豫。」

我只來得及看見他的拳頭朝我揮過來，然後就什麼都看不見了。

18

不出所料，我醒來的時候發現頭很痛。

我愣了幾秒鐘，想不起來剛才發生了什麼，也不知道我現在在什麼地方。等這陣茫然退去，我漸漸想起來在街上發生的那一幕。我坐起來，所有的防備全都回來了，除了頭部還有微微的嗡鳴感。現在，得先弄明白我在什麼地方。

我身處在一個黑漆漆的房間裡，坐在一張超級大的床上。不對，這裡不只是一個房間，更像是一個套房或者一個工作室。

我腦子裡閃過聖彼德堡裡的各式酒店，但是馬上就改變了想法。這間工作室裡有一半佈置得像普通臥室一樣，有床、衣櫃和床頭櫃之類的東西；另一半看起來像是起居室，有沙發和電視，牆上有一個系統書櫃，上面擺滿了書。在我右手邊是一個小客廳，客廳的盡頭有一扇門，很可能是洗手間的門。另一邊是個像巨幅畫作一樣的窗戶，窗戶上塗了顏色，和莫里平時用的窗戶差不多。

這扇窗戶上的塗層比我見過的都要深，接近厚厚的黑色，幾乎看不到外面的情況。我眯起眼睛努力看，只能憑藉著地平線區分出天空和大地，這令我知道外面現在是白天。

我滑下床，保持著高度警惕，同時評估著自己有沒有危險。我的胃已經平靜下來，這附近沒有血族。但是，這並不代表附近沒有別人，我不能再那麼大意，在街上就吃了這個虧。

不過，現在已經沒時間想那麼多了。如果我再想下去，可能就逃不出去了。

我從床上溜下來後，伸手打算從衣服口袋裡掏銀樁。當然，我沒有摸到。我四處找了找，沒有發現可以當做武器的東西，看來只能靠拳頭空手搏鬥了。

我四下查看的時候，用餘光掃見牆上有電燈開關。我按下開關後，保持不動，等著看燈下會有什麼東西或者什麼人出現。

但是什麼都沒有，也沒有人。我的第一反應就是看向房間的大門，正如我想的那樣，門是鎖著的，唯一能打開門的是一個數字密碼鎖。而且，這扇門很沉，好像是鋼製的，這令我想起了防火門。看來從這裡出去是不可能了，我轉回身繼續偵查。這眞是諷刺，在學校時，課堂上講的最多的就是怎麼盡可能仔細地檢查、搜索一個地方，可我很討厭這種課，總是想著要去學戰鬥技能。現在看來，這些看似沒用的課，在這種時候還是很有用的。

在燈光的照耀下，這個套房裡所有的擺設全都顯得光彩奪目，床上鋪的是緞面的象牙白鴨絨被，將整張床罩了個嚴嚴實實。我爬到客廳，客廳裡的視聽設備很高檔，而且是全新的；沙發也很不錯，表面的皮質是孔雀綠色。這種顏色的皮質不常見，但效果確實很好。這裡所有的傢俱，比如桌子、書桌、梳妝台，都是用光滑的黑色木頭做的。

在客廳的一角，我還發現了一個小冰箱。我跪下去，打開門看了看，裡面有一瓶礦泉水和一瓶果汁，還有各種水果，和一包切得很漂亮的乳酪。冰箱上還放著很多小零食，比如各種硬果、薯片，和光澤很誘人的酥皮點心。我的肚子看見這些，發出了咕嚕咕嚕的響聲，可我絕不會吃這裡的東西。

洗手間的裝潢和這個套房的其他地方，都是同樣的風格。淋浴間和碩大的水療按摩浴池都是用光滑的黑色大理石做的，上面的櫥櫃裡放了一排旅行用的香皂和沐浴乳，一面大鏡子懸掛在洗手池上方，不……它其實不是掛在上面的。鏡子是緊緊地嵌進牆面裡，這樣確保了鏡子能安穩地待在牆上，它的材質很奇怪，看上去像是利用金屬的反射照出人影，而非玻璃。

一開始我覺得這樣很奇怪，但是當我回到主臥查看的時候才明白過來。這裡絕對沒有任何可以被變成武器的東西。電視太大了，搬不動，螢幕也不容易弄壞，外殼的材料似乎是一種高科技的塑膠；桌子上也沒有任何玻璃製品、架子是鑲在牆上的、冰箱裡的瓶子全都是塑膠的。而窗戶……我跑到窗邊摸了一圈，和鏡子一樣，窗戶也是嚴絲合縫地嵌進牆裡的，沒有窗框，是光滑的一整片。

我又瞇起眼睛，終於看清楚了外面的情況，但是……一無所獲。這裡一片荒蕪，四處都是起伏的原野，偶爾有幾棵樹的影子，我想起了去拜亞時路過的那一片廣袤的荒野。很顯然，這裡已經不是新西伯利亞了。我往下看，發現自己在大約四層樓高的地方。不管是第幾層，從這裡跳下去都不可能安然無恙，腿肯定會摔斷，可是我還是打算這麼做。我不可能在這裡坐以待斃。

我拿起書桌旁邊的椅子對著窗戶砸過去，但不管是椅子還是玻璃，都沒什麼破損。「耶穌基督啊……」我喃喃地說。我又試了好幾次，但是幸運之神並沒有眷顧我。這些東西好像全都是用鋼做成的，也許這塊玻璃是防彈產物，而這把椅子……好吧，我該死的希望自己懂。這好像是用一整塊木頭雕出來的，完全看不見有接縫，甚至在我拿它去砸玻璃之後，仍是一條裂痕都沒有。但是我這輩子都沒有做過什麼理智的事，所以打算繼續拿它去砸窗戶。

在我試了差不多十五次之後，我的胃警告我有血族過來了。我轉過身，舉著椅子走到門邊，門開了，我將椅子向來人砸過去，而且特意將椅腳朝外。

來的人是迪米特里。

在街上的那種感覺又回來了，又愛又怕。這次，我拋開了自己的愛意，盡全力攻擊，一點餘地都不留。但是這並沒有什麼幫助，攻擊他的舉動就像剛才砸窗戶的結果一樣。他將我推了回來，我踉蹌著往後退，手裡仍然舉著椅子。我站穩腳跟，再次攻擊，這次，當我們兩個交手時，他一把抓住了椅子，將它從我手裡奪走。然後，他將椅子往牆邊一扔，椅子嵌進了牆裡，好像它一點分量都沒有。

我沒有了簡陋的武器，只能依靠自己身體的力量了。在過去的幾個星期以來，我一直這麼做，可今天不一樣。那時我還有四個人可以作爲支援，而且那些血族都不是迪米特里。即使是拜爾的時候，他都是很難戰勝的，而現在他不僅有技術、速度和力量，也較之以前有了極大的轉變。他還熟知我所有的招數，因爲是他一招一式教給我的。所以，我的行動不可能出乎他的意料。

可是我不可能什麼嘗試都不做。我被困在了這個小房間裡——事實上這個房間不但不小，還很豪華，可這並不重要——同時房間裡還有一個血族。血族！這是我一直告誡自己的。在這裡的是一個血族，不是迪米特里。我對鄧尼斯和其他人說過的每件事，在這裡都得力行：機靈一點，警惕一點，保護好自己。

「蘿絲。」他毫不費力地避開我踢過去的一腳。「妳是在浪費時間，住手。」

哦，那種聲音，迪米特里的聲音。那聲音就算我在晚上睡著後，仍然能夠聽見，那聲音曾經告訴我說他愛我……

不！不是他。迪米特里已經死了。在這裡的是一個怪物。

我絕望地想著自己怎麼才能戰勝他，甚至想過要那些幽靈。馬克說，當我激動得不能控制自己的時候，就會將他們召喚出來，而他們會爲我戰鬥。現在我的情緒已經非常激動了，可我還是沒有打算召喚它們。老實說，我不知道自己之前是怎麼做到的，可是僅憑希望是沒有辦法做到的。該死，如果我不能用它們來報仇，就算擁有了這種可怕的能力又有什麼用呢？

我從架子上拿起DVD機，光碟因而從牆上紛紛落下來。把這當做武器並沒有多大的殺傷力，但是我現在已經無路可走了。接著，我聽見一聲奇怪的、最原始的戰鬥吶喊聲，才隱約意識到這居然是我發出來的。再一次，我衝向迪米特里，用力將DVD機砸了過去。這也許可以發揮一點作用，如果能砸中的話。可惜，沒有。迪米特里又接住了，從我手裡奪過去，扔在地上。DVD機摔在地上，砸了個粉碎。與此同時，他一把抓住我的手臂，讓我無法再攻擊，也無法再去找別的東西。他抓得很用力，好像要擰斷我的骨頭，我仍然不顧一切地用力掙扎。

他再次想和我講道理，「我不會傷害妳的，蘿莎，求妳住手。」

蘿莎。我以往的暱稱。他第一次這麼叫我時，是我們陷入維克多下的情慾咒的時候，當時我們兩個已經一絲不掛地彼此用力擁抱著……

他已經不是妳認識的那個迪米特里了。

我的手已經不能動了，所以我用腳盡力地反抗，但效果也不大。我還得試圖站穩自己的身子，所以沒辦法用盡全力踢他。

而他，看上去頗爲煩惱，但似乎並不是認眞的，也沒有生氣。他重重地嘆了一口氣，雙手握住我的肩頭，將我轉過身釘在牆上，用力用身體壓住我，防止我再亂動。我掙扎了一下，但最後和我們在獵殺行動中制伏的血族一樣，不得不乖乖就範。

「別再反抗我了。」他吹出的氣息拂過我的脖子，暖暖的，他的身體正壓在我身上，我知道他的嘴唇近在咫尺。「我不會傷害妳的。」

我又踢出虛弱的一腳，呼吸變得粗重，頭也抽痛著。「你得明白一點——要我相信，最好等下輩子吧！」

「如果我要讓妳死，妳早就死了。現在，如果妳還想要繼續打下去，我就不得不把妳捆起來。

如果妳停戰，我可以放開妳。」

「你不怕我逃跑嗎？」

「不，」他的聲音非常冷靜，讓我的後背直冒涼氣。「我不怕。」

我們就這樣僵持了差不多一分鐘，我的腦子則飛快地轉著。

確實，如果他的目的是殺死我的話，我早就不在人世了，只是我還是沒有理由相信自己是絕對安全的。再說，我們剛剛還拚命打了一場。好吧，拚命這個詞並不準確，是我在拚命，他只是在應付我而已。我的頭被他打中又撞到地上的部位又痛了起來，這點也會令這場仗打得更加艱難。我必須保存實力，以便找機會逃跑，前提是我還活得到那時的話。此外，我也不能再往下想我們的身體接觸到底有多麼親密。在我們曾小心翼翼地拉開距離，有好幾個月的時間堅持不碰彼此後，這種接觸是很過分的。

我在他手中放鬆了下來。「好吧。」

他在放開我之前猶豫了一下，可能是在考慮要不要相信我，這又令我想起了我們曾經在學院周圍那個小木屋裡的時候。我當時狂躁且沮喪，被精神能力的副作用折磨得很痛苦，而迪米特里也是這樣令我冷靜下來的，他將我從那種可怕的境況中帶了出來。後來我們接吻，他的手撩起了我的襯衫，然後……不，不，不行，我不能在這裡想這些。

迪米特里終於鬆開了手，將我從牆上放下來。我轉過身，仍然有一種衝動想要衝過去再和他打上一場，但我厲聲提醒自己，要爭取時間，重新積攢力量，同時要探聽到更多的情報。可是，他雖然放開了我，卻沒有馬上離開，我們兩個之間只有一步之遙。

但我很快地違背了我的理智，開始再次打量起他，就像在街上時那樣。他怎麼能和過去這麼像，同時卻又這麼不同？我努力不要去想那些相同的地方，比如他的頭髮、我們身材的區別，和他臉部的輪廓。我將重點放在他血族的特質上，那雙紅眼圈和過於蒼白的皮膚。

我太過沉迷於自己的思緒中，過了一會兒才意識到他也沒有說話。他目不轉睛地仔細看著我，好像能把我看穿一樣。我打了個寒顫，他對我的著迷程度，幾乎——幾乎！——就像我對他的一樣。可是這已經不可能了，血族是不會有感情的，而且，如果我對他仍然可以產生影響，可能會讓我心中燃起一絲不必要的希望。

他的表情一直很嚴厲，讓人無法看透，而現在那上頭又戴了一層狡猾和冷酷的面具，令人更加無從得知他心裡究竟在想什麼。

「妳怎麼會在這裡？」他終於問道。

「因爲你打了我的頭，把我拖過來的。」如果我難逃一死，也要以眞正的蘿絲的方式死去。如果是原來的迪米特里，一定會被我逗笑，或者無可奈何地嘆一口氣。可是現在的他，只是面無表情。

「我不是這個意思，妳知道的。妳怎麼會來這裡？」他的聲音低低的，透出一絲危險。

我本來以爲艾比已經很可怕了，可是此刻比起來根本不算什麼。甚至是茲米比起他，也要靠邊站。

「來西伯利亞？爲了找你。」

「我來這裡就是爲了躲開妳。」

我嚇了一跳，覺得自己剛才說的話荒唐透頂。

「爲什麼？因爲我可能會殺了你？」

看著我的那張臉，透露出他認爲我的話眞是荒唐得可笑。「不是，而是這樣一來，我們就不會陷入這種情況了。可是現在，我們已經無法再逃避了。」

我不是很明白他說的這種情況是指什麼。「哦，如果你想避免的話可以放我走。」

他往旁邊走了一步，轉身向客廳走去，沒有回頭看我一眼。我想要試試看可不可以趁機偷襲，但是某種感覺告訴我，也許我連四步都走不出去，就又會被按回牆上。他在奢華的眞皮單人沙發上坐下，六英尺七英寸的身高擺出優雅的姿勢。上帝啊，爲什麼他一定要變得這麼複雜呢？他有原來的迪米特里身上的習慣，可是又混合了魔鬼的特質。我站在原地，背靠著牆。

「不可能了，在見到妳以後，就不可能了……」他再一次目不轉睛地看著我。

這感覺眞怪。我心裡有點被他這種熱切的目光所觸動，愛死了他這種從頭將我看到腳的方式；可是另一部分又覺得這樣的眼光很骯髒，感覺好像在我皮膚上塗了一層黏糊糊的爛泥。

「妳和我記憶中一樣漂亮，蘿莎。我本來以爲一切都會變得不一樣了。」

我不知道該怎麼回應。我從來沒有眞正地和血族聊過天，通常都是在戰鬥的時候聽到一些辱罵或者威脅的話，最近一場可以稱爲談話的對話，是被以賽亞抓住的時候。事實上，我當時是被用繩子綁起來的，而且對話有一大部分都是關於他要怎麼殺了我。可現在……呃，和那時不太一樣，但一樣的令人感到毛骨悚然。我環抱雙臂，靠緊牆，這是我所能表現出的最佳反抗姿態。

他仰起頭，細細地打量著我。他的臉被一片陰影籠罩住，這令他的紅眼圈變得很難辨認，反而更加突出了深色的瞳孔，讓它看起來和原來一模一樣，深邃而迷人，充滿了愛意和勇敢……

「妳可以坐下。」他說。

「我站著很好。」

「妳還有別的事想做嗎？」

「比如說放我走？」

有一刻，我以爲我看見他臉上又露出了那種熟悉的嘲弄表情。每次我開玩笑後，他都是這副樣子。我看著他，認爲這是我自己的想像。

「不，蘿莎，我是認眞的。妳在這裡還需要什麼嗎？比如別的食物？書？或者別的娛樂？」

我難以置信地看著他。「你說的好像這裡是什麼豪華酒店一樣！」

「就是，只是地點比較特殊。我可以告訴賈琳娜，她會滿足妳的要求的。」

「賈琳娜？」

迪米特里嘴角展開一抹微笑。呃，類似微笑的東西。我覺得他心裡很想笑，但是那抹微笑卻沒有帶出任何笑意，那是一種令人不寒而慄的、黑暗的、非常神祕的笑容。只是我不願在他面前示弱，直到他不再嚇唬我爲止。

「賈琳娜是我以前的導師，那時我還在就學。」

「她也是血族？」

「是的，她在幾年前就被喚醒了，是在布拉格的一場戰役裡。身爲一個血族，她算是很年輕的，但卻擁有很大的權力。這些產業都是她的。」迪米特里指了指我們周圍。

「你和她住在一起？」我問道，非常好奇。我確實很想知道他們究竟是什麼關係，但令我驚訝的是，我居然有些……嫉妒。可是不應該啊！如今他已經是血族了，已經非我族類了，而且這也不是他第一次陷入這種師生戀……

「我爲她工作，她是我被喚醒後，來到這裡的另外一個原因。我知道她變成了血族，所以希望由她來指導我。」

「你也想躲開我。這是另一個原因，是嗎？」

他不帶任何感情地點了點頭，算是回答了我。

「我們在什麼地方？已經不在新西伯利亞了，對吧？」

「是的，賈琳娜的地盤不在城裡。」

「有多遠？」

那抹微笑又加深了一些。「我知道妳想幹什麼，所以不會告訴妳這種事情的。」

「那麼你又想幹什麼？」我問道，所有的懼意在此刻都變成了憤怒。「爲什麼你要把我帶來這裡？要嘛殺了我，要嘛放了我，如果你打算把我關在這裡，用心理戰什麼的來折磨我，那我寧願你殺了我。」

「說得眞不錯，」他站起來往前走了幾步。「我幾乎就要相信妳了。」

「我說的是眞的。」我挑釁地回道，「我來這裡是爲了殺你。如果我做不到，寧願去死。」

「妳已經失敗了，在大街上。」

「沒錯，我在這裡醒過來的時候就明白了。」

迪米特里猛地轉過身，又突然走過來站在我面前，以血族那閃電般的速度。我的血族偵測系統始終在運作，但和他相處的時間越長，那種反胃的感覺就越輕，就像背景音樂一樣幾乎可以被忽略。

「我有點失望。蘿絲，妳那麼出色，那麼、那麼的優秀。妳和妳的朋友在街上四處追殺血族，眞的掀起了一陣恐慌，有的血族居然眞的害怕了。」

「可你不怕？」

「當我知道來的人是妳的時候……嗯。」他變得若有所思，瞇上了眼睛。「不，我很好奇，也很謹愼。如果有人能夠殺死我的話，那個人一定是妳，可是正如我說的那樣，妳猶豫了。這是我給妳做的最後一次測驗，可是妳沒有通過。」

我竭力使自己面無表情，但心裡仍然很懊惱自己爲什麼在街上要心軟。「下次我絕對不會猶豫。」

「沒有下一次了。不管怎麼樣，雖然我對妳有點失望，但我對自己還活著仍然很高興。這是毋庸置疑的。」

「你不是活著的，」我咬緊牙關。上帝啊，他又離我這麼、這麼的近了，就算他的臉變了，那精瘦、全是肌肉的身體還是和原來一樣。「你已經死了，不正常了。很久以前，你曾經對我說過，你寧願死也不願變成現在這個樣子，所以我才會來這裡，打算殺了你。」

「妳會這麼說，是因爲有很多好處妳還不知道，我當時也不知道。」

「聽著，我說的都是眞的，不是在和你開玩笑。如果你不打算放了我，就殺了我，OK？」

毫無預警地，他伸出手來，手指沿著我的臉頰滑行。我屏住呼吸，他的手很冰涼，但是撫摸我的這種方式……也和原來是一樣的。和我記憶中完全一模一樣。這怎麼可能呢？這麼熟悉……卻又這麼不同。突然之間，他教我的另一課浮現在我腦海裡。他說過，血族可以僞裝成你熟悉的樣子，這就是爲什麼人們經常容易心軟和猶豫的原因。不管血族看起來如何熟悉，他都已經不是你原來認識的那個人了。

「殺了妳……哦，不是那麼容易的事。」他說，聲音又變成了低沉的呢喃，就像一條蛇遊走在我身上，「還有第三種選擇，我可以喚醒妳。」

我愣住了，完全不能呼吸。

「不。」這是我唯一能說出來的。我的大腦無法理解這麼複雜的事情，原來的靈敏和聰慧已經不復存在。他的話太可怕了，我完全反應不過來。「不。」

「妳不知道這是一種什麼的感覺。這感覺……眞好，是超越一切的感覺，所有的感官都活了過來，世界變得更加靈動——」

「對，可是你已經死了。」

「我眞的死了嗎？」他抓住我的手，放在他的胸膛上。在手掌之下，我能感覺到堅實的心跳。我的眼睛因而張得大大的。

「我的心還在跳，我仍然要呼吸。」

「是沒錯，可是……」我竭力回想原來學到過的關於血族的一切，只是……「這些東西不是眞的還有生命，這……這只是用黑魔法維持著的，這種生命只是個幻覺。」

「這感覺比活著還要好。」他的兩隻手同時捧住我的臉。他的心跳仍然很平穩，可我的心跳卻變得很快。「就像神一樣，蘿絲。力量，速度，可以用妳從來沒有想過的方法控制這個世界。而且……與眾不同。我們可以永遠在一起。」

曾經，這是我唯一夢寐以求的事情。在我內心深處，仍有一絲這樣的想法，非常希望能和他永遠在一起。可是……我不想要這樣的長相廝守，這和原來的那種意義完全不一樣了。這是另外一種情況，而且這種事情是錯誤的。我忍不住嚥了口唾沫。

「不……」我幾乎聽不見自己的聲音，在他這麼撫摸我的時候，甚至連話都說不出來。他的手指是那麼纖細而溫柔。「我們已經不可以了。」

「可以的。」他的手指沿著我的下巴來到裸露的脖子處。「我可以很快地完成它，而且沒有痛苦，在妳還沒有意識之前就已經結束了。」

也許他說得對。如果你是被強迫變成血族的話，身上的血是要被全部吸乾的，然後就會有一個血族不停地將自己的血灌進你的嘴裡。我開始想像自己被吸血到一半時就昏過去的情景。

永遠在一起。

眼前突然變得有些模糊，我不知道這是因爲自己頭上的撞傷，還是對整個過程的恐懼。我出發來找迪米特里的時候，曾經預想過很多種情況，但是變成血族並不在其中。思及死亡——不管是他的或是我的——是唯一會讓我變得軟弱的事情，而讓我覺得自己很愚蠢。

突然，門被撞開了，打斷了我亂成一團的想法。迪米特里轉過身，用力將我推到身後，充滿保護慾地站在我身前。兩個人走了進來，在我還在猶豫要不要逃跑的時候就又關上了門。剛進來的這兩個人裡，其中一個是男的血族，另一個是端著托盤的人類女性，她低垂著頭。

我立刻認出了那個血族，這並不難，他的臉孔常出現在我的夢裡。和迪米特里相仿的身高，金色的頭髮垂在臉側，看起來他變成血族的時候也不過二十出頭歲。很顯然，在我和莉莎很小的時候他就見過我，但是我只見過他兩次。一次是在學院的操場上，我和他打了一架；另一次就是在那個山洞裡，我遇上了他。就是他咬了迪米特里，將他變成血族的。

這傢伙只是瞥了我一眼，然後就將怒火全都發洩在迪米特里身上。「這他媽的到底是怎麼回事？」我可以聽懂他的話，因爲他是個美國人。「你在這兒養了個寵物嗎？」

「和你沒關係，南森。」迪米特里的聲音冷冰冰的。在此之前，我本來以爲他不會透過言辭來表達情緒，現在我知道了，他只是把情緒隱藏得更深，令人不易發覺而已。此刻，他的聲音明顯充滿了挑釁，那是種警告其他人離遠一點的語氣。「賈琳娜已經同意了。」

南森的目光從迪米特里身上移到我身上，他的憤怒變成了驚訝。「是她？」

迪米特里微微移動腳步，現在他完全擋住了我。一股對血族天生的反感譴責著我，說我不需要接受血族的保護，除非……好吧，我接受。

「她是那個在蒙大拿學校裡的……我們打過一場……」他的嘴向後咧，露出尖牙。「如果不是旁邊有那個會用火的莫里娃娃，我早已經嘗過她的血了。」

「這裡沒你的事。」迪米特里重申。

南森瞪大了那雙紅眼睛，好像被激怒了。「你在開玩笑嗎？她可以帶我們找到那個德拉格米爾家的女生！如果徹底滅掉了那家人，我們的名字從此就是一個傳奇。你打算把她藏多久？」

「滾出去！」迪米特里低吼，「我不是在和你商量。」

南森指著我。「她很有價值，如果你打算將她當成玩物收藏起來的話，那麼最起碼她的血液我們應該共用。等我們玩夠了以後，得到想要的情報，就可以幹掉她了。」

迪米特里向前走了一步。「滾出去，如果你敢對她下手，我會殺了你的。我赤手空拳就可以擰下你的頭，然後看著它被太陽曬成灰。」

南森更加惱怒。「賈琳娜不會允許你和這個女生玩扮家家酒的遊戲的，就算是你也不能受到偏袒。」

「別再讓我說第三遍，我今天耐性不多。」

南森沒有再說什麼，兩個人站在那裡彼此怒視著。

我知道血族的力量和速度，是和他們的年紀有關的，南森很顯然是先轉變的，雖然我不知道確切的時間。可是看著他們兩個，我有種感覺，兩者中迪米特里是比較厲害的那個，不然至少也是旗鼓相當。我敢打賭，我看見南森那雙紅眼睛裡閃過一絲恐懼，但還沒來得及看清，他已經轉身走了。

「這件事還沒完。」他撂下狠話，向門口走去。「我會去找賈琳娜的。」

他走了以後，有那麼一會兒，屋子裡沒有人說話。後來，迪米特里看著那個人類女人，用俄語對她講了幾句話，她則站在那裡，恭恭敬敬地聽著。

她彎下腰，小心地將托盤放在沙發旁的飯桌上，打開了銀製的蓋子，托盤上放的是義大利臘腸披薩，上面還加了起司。要是換做在別的情況下，有人在血族的房子裡拿了一塊披薩給我，絕對是一件荒唐而可笑的事。但現在，在被喚醒的迪米特里想要將我變成血族，而南森又打算利用我找到莉莎的情況下，沒什麼事是可笑的了。就連蘿絲・海瑟薇都沒辦法用這件事來開玩笑了。披薩旁邊放了一塊大大的布朗尼蛋糕，上面撒了厚厚一層糖霜。迪米特里很清楚我愛吃的食物。

「午飯，」他說，「沒下毒。」

就連這托盤看起來都很誘人，可是我搖了搖頭。「我不會吃的。」

他揚起一邊眉毛。「妳想吃別的嗎？」

「我不想吃是因爲，我根本不打算吃這裡的東西。如果你不打算殺我，我自己來。」這倒是提醒了我，這裡沒有可以用來當武器的東西，可能也是防止關在這裡的人自殺。

「用餓死的方式？」他的眼中藏著一絲戲謔。「我會在妳餓死之前喚醒妳。」

「那你現在爲什麼不動手？」

「因爲我比較希望是妳自願的。」

上帝啊，他的話口吻聽起來是那麼像艾比。比起來，打碎別人的膝蓋骨似乎是一種溫柔的方法。

「那你要等上很長一陣時間了。」我說。

迪米特里突然大笑出聲。這種笑聲在他是拜爾的時候是非常罕見的，聽見他這麼笑，我爲之一動。只是這笑聲裡已經沒有了曾經可以融化我的溫暖，而是變得冰涼又刻薄。「我們等著瞧。」

在我能開口反駁之前，他又向我走過來。他的手掐住我的後頸，將我向他懷中一帶，然後抬起我的頭，將他的唇印上了我的。他的唇和他身上其他地方一樣冰涼……可是又帶來一絲溫暖。有個聲音在我心中尖叫，說這件事既噁心又可怕……可是與此同時，周圍的一切消失了，我沉溺於這個吻中，幾乎要以爲我們又回到了那個小木屋中。

他在更進一步之前及時將我推開，看著我大口地喘氣，眼睛張得大大的。他好像什麼事都沒有發生一樣，不經意地指著那個女人。「這是伊娜。」

女人聽見有人叫自己的名字，抬起頭來，我這才看清她其實和我差不多大。

「她也為賈琳娜工作，今後負責照顧妳，如果妳有什麼需要，告訴她就行了。她會的英語不多，但是她自會想辦法弄明白妳的意思的。」他說完，又對她說了幾句，她便恭順地跟著迪米特里走到門口。

「你要去哪兒？」我問。

「我還有事要做。而且，妳需要時間好好考慮。」

「沒什麼好考慮的。」我強迫自己用最強硬的口吻說。

但是，這句話聽起來可能沒有那麼火爆，因為我的話只換來了嘲諷的一笑。接著，他和伊娜一起離開，留我一個人待在這個豪華的監獄裡。

19

對於一個常常向鄧尼斯告誡要控制衝動的人來說，我並沒有做到一個好榜樣。一被單獨留在套房裡後，我便繼續嘗試各種可能逃出去的辦法……特別注意，是「嘗試」。

南森剛才的反應似乎說明，在房間裡關一個犯人似乎是件很不尋常的事，但是我可以打賭，這個地方就是為了專門關人才建造的。門和窗仍然打不開，不管我多麼用力，用什麼樣的物品，就是砸不壞。這次我沒有再用椅子，而是拿了客廳裡的一張邊桌，希望靠它的重量可以達成目的，結果還是不行。而既然這招不管用，我又開始胡亂地按起門口的密碼鎖，可同樣是浪費時間。

終於，我精疲力竭地癱倒在皮沙發上，想著還有沒有別的選擇，整個過程並沒有花費很久時間。

我被困在一個全是血族的房子裡了。好吧，事實上我也不是很確定，可是我知道這裡至少有三個，這對我來說不算多。迪米特里提到過，這裡是她的「產業」，這對我來說可不是好消息。會用到「產業」這個詞，規模一般都很大，事實上，我現在身處在四樓，就是一個確鑿的證據。一處很大的產業，意味著這裡可能還有許多房間，裡面住著許多吸血鬼。

唯一令我感到欣慰的是，血族的團隊精神似乎不是很好，大規模的集體行動在血族集團裡是很罕見的，不合作的情況我已經見識過多次，而像對學院的那次襲擊，則是為數不多的特例。他們能成功是因為學院的結界變弱了，這是令血族集結在一起的絕佳誘因。可是。雖然他們嘗試著協力合作，可是這種合作通常都是很短暫的。剛才迪米特里和南森之間的情況，就是很好的佐證。

迪米特里。

我閉上雙眼。我是因爲迪米特里才來到這裡的，爲了讓他從這種活死人的困境中解脫出來，可是正如他所說，我的計畫很快就失敗了。

現在，我陷入是否要變成他的同類的掙扎邊緣。喔，幹得好，蘿絲。我打了個寒顫，試著想像自己成爲他們之中的一員：我的瞳孔周圍也圍了一圈紅暈，原本小麥色的皮膚變得慘白。我不能想像這種畫面，如果這種情況眞的發生了，我可能永遠都不願意看到自己眞實的樣子，我的頭髮看起來一定會很蠢。

但最可怕的是心理上的變化，我可能會從此失去靈魂。不管是迪米特里還是南森，都是冷酷無情、充滿戾氣的，就算我沒有成爲他們戰爭的導火線，他們也會在往後的漫長生命中，尋找別的藉口彼此挑釁。我雖然好鬥，但經常是爲了保護別人，而血族的好戰是因爲他們嗜血的本性。我不想變成那樣，爲了享受而到處吸血、四處殺戮。

我也不願意相信迪米特里變成這樣，可是他的舉動證實，他已經是個道地的血族了。我也清楚，爲了生存，他這段時間不得不這麼做。血族對鮮血的需求和依賴遠比莫里要少，可那得等到他變成血族的一個月之後。毫無疑問的，他們也要進食，而血族比較喜歡先將獵物殺死，然後再吸血。我不能想像迪米特里……他已經不是我認識的那個男人了。

我張開眼睛。想到餵食，我想起了我的午餐。披薩和布朗尼蛋糕，這是這個星球上我最喜歡的兩樣食物。在我努力逃跑期間，披薩已經冷掉了，可我瞪著托盤，覺得它和布朗尼看起來一樣好吃。如果外面的天色可以作爲參照的話，自迪米特里把我抓來之後，雖然還沒滿二十四個小時，不過也差不多了。對於一個沒吃東西的人來說，這是很漫長的一段時間，我非常想吃那塊披薩，管它是不是冷的呢！我眞的不想要餓死。

當然，我也不想變成血族，可是目前的情況已經快速地脫離了掌控。餓了這麼長時間，我開始在想，也許迪米特里說的是對的，他會在我餓死的前一秒將我變成血族，我必須用別的方法自殺——上帝啊，這並非我所望——在此同時，我也決定繼續保存實力，找一個最佳的機會逃走。

一旦有了主意，我便抓起面前的食物，在不到三分鐘的時間內吃得精光。我不知道血族雇用的廚子是什麼人——見鬼了，血族和莫里不一樣，機乎很少吃東西——可是這些食物美味極了。同時，我哭笑不得地發現，用來盛裝食物的盤子居然都不是金屬的。看來，他們眞的以爲隨便什麼東西在我手裡都可以變成武器。

當我的嘴巴被最後一口布朗尼蛋糕塞滿時，門突然打開了，伊娜靈巧地鑽進來，然後門幾乎是立刻就又關上了。

「該死！」至少我還來得及在嘴巴塞滿東西的同時說出話來。當我在掙扎吃或不吃的時候，應該先頂住門。迪米特里說過伊娜會照顧我，我應該找個幾會把她先收拾了，可是，她卻趁我不注意的時候走了進來。再一次，我從沙發上站了起來。

和看見迪米特里以及南森時一樣，伊娜的目光極少和我交會。她的手臂底下夾了一疊衣服，走到我面前，將衣服遞給我。我猶豫地接過來，將衣服放在一旁的沙發上。

「呃，謝謝。」我說。

她指指空盤子，害羞地看了我一眼，棕色的眼睛裡佈滿了問號。

我看見抬起頭的她，驚訝於她居然這麼漂亮。她的年紀可能比我還小，我很好奇她要被迫在這裡工作到什麼時候。在理解了她的意思之後，我點了點頭。「謝謝。」

她拿起托盤等了一會兒，起初我不知道原因，後來才想到她一定是還在等待，看我是不是還有什麼需求。我很確定「門鎖的祕密」這幾個字肯定不好翻譯，只好聳聳肩，揮手讓她離開。我看著她走到門口，大腦飛快地轉動著。

我應該等她打開門，然後衝過去。我這麼想著。但很快地，內心又掀起了一陣掙扎，我猶豫著要不要攻擊一個無辜的人。同時，另一個想法也鑽了出來：我和她只能有一個人存活。我緊張起來。

伊娜已經走到門口，正在按密碼，但是卻故意擋住不讓我看。從她按密碼的時間來判斷，這個密碼顯然是很長的一串。門啰嗒一聲開了，我鼓起勇氣想要行動，但在最後一刻又突然改變了主意。

就我所知，外面肯定還有一個軍隊那麼多的血族。如果我利用伊娜逃了出去，那麼就只有奮力殺出一條路可以走，我需要好好計畫一下。所以，我沒有衝過去，而是輕輕移到一邊，透過門縫看出去。她的動作如同來時一樣靈巧，人一閃出去馬上就關上了門。但就是這麼一瞬間，我已經足以看見在短短的走道另一頭，還有另外一扇大鐵門。

有意思，我的監獄有兩道門。就算我眞的跟著她出去了，那扇門還是會把我擋下來，她有可能會在那扇鎖著的門前舉著托盤等著，直到血族回來。這令逃跑變得更加困難，但是瞭解地形至少可以替我帶來一線希望之光，接下來我需要搞懂怎麼對付這些東西，以靜制動。然而，此刻我唯一知道的，就是迪米特里打算走進來，然後把我變成血族。

我嘆了一口氣。迪米特里，迪米特里，迪米特里。

低下頭，我看了看伊娜替我拿來的東西。我現在身上的衣服還能撐一陣子，但是如果要在這裡待久一些，身上的牛仔褲和T恤可能就髒得不能穿了。

而就像塔瑪拉一樣，有人似乎希望我好好打扮一下——伊娜拿來的衣服全都是洋裝，而且都是我的尺寸。一件紅色的絲綢緊身連身裙，一件滾著鍛邊的長袖編織連身裙，還有一件高腰、長到腳踝的雪紡紗睡衣。

「哦，太好了，我變成洋娃娃了。」

我繼續往下翻了翻，發現還有幾件睡衣和睡褲，當然也有內衣。所有的質料不是緞面就是絲質製成的，這些衣服裡面最正常的，是一件森林綠的針織裙，但是就連這件，也是用最柔軟的羊絨做成的。我將它抖開，想像著自己穿著這件衣服逃跑的樣子。不行。我搖了搖頭，一古腦兒將這些衣服全都扔在地上。看來我這身髒衣服還要再穿一陣子了。

我繞著地上的衣服開始踱步，腦子裡想著各種不實際的逃跑計畫，雖然這些計畫我已經想了上億遍了。我一邊走著，才一邊意識到自己有多累，除了被迪米特里敲暈的那一段時間，我差不多一整天沒有合眼了。要怎麼處理睏意，就和怎麼處理飲食問題一樣掙扎。我到底要不要放棄反抗呢？我需要力量。但是……每次妥協都可能將我推向更危險的處境。

最後，我還是妥協了，而當我躺在這張超級巨大的床上時，一個念頭突然湧了上來。我不是完全沒有幫手的，如果艾德里安可以在我睡覺時來看我，我可以告訴他發生的這一切。沒錯，我上次對他說過不要再來打擾我，可是他之前從來不會聽我的，爲什麼這次會有所不同呢？我用力地想著他，等著睡意降臨，想著只要集中意念，就可以如同發送信號那般將他召喚過來。

可這招沒有奏效。沒有人到我的夢中來看我，然後我就醒了，同時很驚訝自己居然爲此感到傷心。除了艾德里安對愛瑞的迷戀，我禁不住回想起上次看見他們時，他保護吉兒的舉動。他也很擔心莉莎，而且沒有顯露出他往常那種蠻不在乎的樣子，他是認眞而……嗯，溫柔的。我覺得喉頭好像被什麼堵住了，雖然我對他沒有那種感情，卻還是很想念他。現在，我既失去了我們的友誼，也沒有機會透過他來尋求幫助了。

一陣輕柔的、悉悉簌簌的紙張聲打斷我的沉思，我猛地坐了起來——有人在客廳裡，背對著我坐在沙發上，我馬上就認出了那個人。迪米特里。

「你在這裡做什麼？」我爬起來問。在我手忙腳亂的時候，甚至沒有注意到胃裡的翻騰感。

「等妳起床。」他說，似乎並沒有打算回頭看我。他大概很有自信我不會過度殘害自己，就如同他也不會一樣。

「你眞無聊。」我走進客廳，站在離他遠遠的地方，背靠著牆站好。我雙臂環胸，再次用這種防備性的姿勢自在地站著。

「沒有那麼無聊，我有伴。」他看了我一眼，舉起了手裡的書，是一本西部小說。

這點就如同他已經改變的外表一樣令我震驚。這種事……似乎太過正常了。他是拜爾的時候愛死了西部小說，我經常揶揄他，問他是不是想要變成一個西部牛仔。不管怎樣，我或多或少都曾想過，在他變成血族以後，那些舊有的習慣是不是也會隨之改變。基於某種不合理的期望，我仔細地看著他的臉，想著那些血族的特質可能已經不見，或許他趁我睡著的時候又變了回來，也許之前的那一個半月只是一場夢。

可惜沒有。看著我的還是那紅色的眼睛和嚴厲的表情。我的希望落空了。

「妳睡了很久。」他又說了一句。

我很快地往窗外看了一眼，外面已經全都黑了，現在是夜晚了。該死，我本來只打算小憩兩個小時而已。

「而且妳還吃光了東西。」

他聲音裡的戲謔惹怒了我。「對，沒錯，我就是喜歡吃義大利的臘腸披薩。你能拿我怎麼樣？」

他將書籤夾在書裡，把書放在桌子上。「來看看妳。」

「眞的？我以爲你唯一的目的就是把我變成活死人。」

他沒有承認，這讓人有種挫敗感。我討厭每次當我不得不說些什麼的時候，結果卻被人無視。而他雖然沒有接話，卻試著要我坐下。

「妳一直站著說話不累嗎？」

「我剛睡醒而已，而且，既然我能丟傢俱丟一個小時，站一下也不算什麼。」

我不知道爲什麼自己還能用往常那種冷嘲熱諷的方式說話。老實說，按照目前的情況，我應該不理會他，應該保持沉默，和他耗下去才是。我猜，我想用這種開玩笑的方式說話，是因爲想在他身上找到原來的那個迪米特里的反應。我老毛病又犯了，忘記迪米特里教過的，血族已經不是原來的那個人了。

「坐下來也沒什麼大不了。」他回答我說，「我告訴過妳，我不會傷害妳的。」

「『傷害』是個主觀的動詞。」這時，我突然走過去，在他對面的單人沙發上坐下，一副無所畏懼的樣子。「現在滿意了？」

他昂起頭，幾縷棕髮從綁在腦後的小馬尾裡跑了出來。「妳還是那麼漂亮，即使在睡了一覺跟打了一架後。」他看著我扔在地上的衣服。「沒有妳喜歡的嗎？」

「我又不是來這裡和你玩換衣遊戲的，這些高檔衣服並不能讓我突然改變主意，加入血族俱樂部。」

他深深地盯著我，好像要把我看透。「爲什麼妳不相信我？」

我也看了回去，目光帶著不信任。「你怎麼會問出這句話？你拐走了我，爲了生存殺死了無辜的人，你已經變了。」

「可我變得更好，我說過了。至於無辜……」他聳了聳肩，「沒有人是真的無辜的，而且，這個世界就是由支配者和犧牲者所組成的，那些強有力的人一定會征服軟弱無力的人，這是自然的定律。妳曾經很認同這種理念，如果我沒有記錯的話。」

我別過頭去。在學校的時候，我最喜歡的非守護者課程就是生物。我很喜歡看主題有關動物行爲、適者生存之類的書籍。迪米特里曾經是我心中最佳的領導者，在所有競爭者當中，他是最強的一個。

「但這不一樣。」我說。

「情況並不是像妳想的那樣。爲什麼對妳來說，吸血是件這麼奇怪的事呢？妳也曾經見過莫里吸血，而且也讓莫里吸過妳的血。」

我抖了一下，不是很想回憶起，過去我和莉莎一起生活在人類社會時，是怎樣讓她吸我的血的。我尤其不願想起，被吸血時那種腦內啡飆升的感覺，我差點對此上了癮。

「可他們不會殺人。」

「那是他們的遺憾。眞令人難以置信……」他做了個深呼吸，閉上眼睛，一會兒又張開。「吸別人身上的血，看著生命從他們身體裡消失，感受著那些生命力注入自己體內……這是世界上最棒的體驗。」

聽著他大談殺戮，令我感到噁心。「這種做法不僅變態，還很噁心。」

事情發生得這麼突然，我甚至沒有時間反應——迪米特里衝過來抓住我，將我摟向他，然後讓我平躺在沙發上。

當他的手臂摟住我的時候，他調整了一下姿勢，改讓身體半壓在我身上，另一半則躺在我身側。我完全嚇傻了，不知道該怎麼反應。

「不，不是那樣的。妳必須相信我，妳肯定會愛上這種感覺的。我想和妳在一起，蘿絲，眞的和妳在一起，從別人強加在我們身上的束縛中解脫出來。我們現在就可以在一起，成爲強者中的強者，擁有想要的一切。我們甚至可以變得和賈琳娜一樣強大，並擁有像這裡的地方，而且是屬於我們自己的。」

他裸露在外面的皮膚仍然冰涼，但是其他壓在我身上的地方卻很溫暖；他的那雙紅眼睛距離我如此之近，顯得格外地紅，當他說話時，我能看見他露出的尖牙。我也曾經見過莫里的尖牙，可是他的……卻令我感到厭惡。我曾經閃過一個想法，想要掙脫他，但是隨即又打消了。如果迪米特里想要擁抱我，我不會抗拒。

「你說的我都不感興趣。」我說。

「妳不想要我嗎？」他邪惡地笑著問。「妳曾經是想要我的。」

「不想。」我說，知道自己在撒謊。

「那妳想要什麼？回到學院去？去替那些會毫不猶豫將妳扔到危險當中的莫里拚命？如果妳想過那種生活，爲什麼要來這裡？」

「我來是爲了讓你解脫。」

「我已經自由了。」他回答道。「如果妳眞的想殺了我，我現在已經死了。」他輕輕地移動，將臉貼在我的脖子上。「可妳下不了手。」

「是我搞砸了，可是絕不會發生第二次。」

「假設妳說的是眞的，假設妳現在可以殺死我，能夠從這裡逃出去，然後呢？妳會回去嗎？妳會回到莉莎身邊，讓她將那該死的精神能力副作用繼續傳給妳嗎？」

「我不知道。」我僵硬地說。這是實話，我的計畫只到找到他爲止。

「它會慢慢地摧毀妳，妳知道的。只要她繼續使用那種能力，不管妳離多遠，還是一樣會感應到她的副作用。至少在她活著的時候是這樣。」

我在他懷中身子一僵，轉回頭。「這是什麼意思？你打算和南森一起去追殺她嗎？」

「她怎麼樣不關我的事。」他說，「我只關心妳。如果妳被喚醒了，莉莎對妳而言就不再是一個威脅。一旦妳自由了，那種心電感應也就不存在了。」

「可是她會怎麼樣呢？那就只剩她一個人了。」

「我說了，這不在我的考慮範圍之內。只有妳，我關心的只有妳。」

「眞的？好吧，可我不想和你在一起。」

他將我的臉轉向他，這樣一來我們又四目交接了。再一次，我產生了那種奇怪的感覺，這個人是迪米特里，卻又不是迪米特里，讓人既愛且怕。

他瞇起眼睛。「我不信。」

「隨你便，我不再想要你了。」

他又露出了那種可怕的、似笑非笑的笑容。「妳撒謊，我敢打賭。妳從來都瞞不過我。」

「我說的是眞的。我以前是想要你的，可是現在不想了。」如果我一直這麼說，千謊也成眞。

他向我貼得更近了，我呆住了。如果我再往前挪半英寸，我們的唇就要碰在一起了。「我的外表、我的力量……沒錯，是不一樣了，可變得更好。至於其他的部分，都沒有變。蘿莎，我的氣味沒有變，我和妳之間的默契也沒有變，只是妳還看不到而已。」

「所有的事情都變了。」隨著他唇瓣的靠近，我不斷想起上次在這間屋子裡，我們兩個之間那激情四射的短暫一吻。不，不，不，不要想。

「如果我眞的全變了，爲什麼不用強迫的方式將妳喚醒？爲什麼我要給妳選擇的機會？」

一陣反駁已經衝到嘴邊，可是突然間我又語塞了。眞是個好問題，爲什麼他要讓我選擇？血族是不會給自己的獵物選擇機會的，他們只會殘忍地將獵物殺死，然後取其所需。如果迪米特里眞的想要我變得和他一樣，那他一定會在抓住我的第一時間將我變成血族，可現在已經過去一天之久了，他卻只是將我關在這樣一個豪華的地方。爲什麼？如果他將我喚醒了，毫無疑問我會變得像他一樣瘋狂——這樣所有事情就變得簡單了。

見我沉默，他繼續說道：「如果我眞的變了，爲什麼之前妳會回吻我？」

我還是不知該怎麼回答，他笑得更開心了。「不用回答，妳知道我說的是對的。」

他的唇突然再次壓上了我的，我掙扎著哼了一聲，想要躲開他的包圍。可是他太強大了，而過了一會兒，我也不想逃了，之前那種感覺又回來了。他的唇雖然冰冷，但是這個吻卻在我們兩個之間燃燒，就像冰與火。他說的對，我確實回吻他了。

我心中殘存的理智拚命地尖叫，告訴我這麼做是不對的。而上一次，是他在事情失控前結束了這個吻；可是這次，他沒有。

我們繼續親吻著，那個理智的聲音越來越小，而我心中對迪米特里的愛佔了上風，對於他的身體再次覆上我而滿心歡心，沉醉於他用手撩撥我頭髮的方式、那種用手指弄亂我頭髮的方式。他的另一隻手滑向我的後背，溜進T恤裡面，冰冷的皮膚貼上我溫暖的皮膚，我則讓自己迎合他，同時從他越來越用力的親吻中，感覺到他迸發出來的慾望。

就在這時，我的舌頭輕輕地舔到了他某顆尖牙的頂端，這無異於在我身上澆了一盆冷水。我用盡剩餘的力量，猛地轉頭，從這個吻中掙脫出來。我猜這是因爲他稍微鬆懈了一些，我才有辦法這麼做。

我的呼吸變得粗重，身體仍然渴望著他，可是我的意識卻漸漸清醒了，至少現在是如此。上帝啊！我在做什麼？這不是我認識的迪米特里了，眼前的這個人不是他。我剛才吻的是個魔鬼。可是，我的身體卻不這麼想。

「不。」我喃喃地說，驚訝地發現自己的聲音聽起來是如此的楚楚可憐。「不，我們不能這麼做。」

「妳確定？」他問道，大手還糾纏在我的頭髮裡，於是他迫使我轉過頭，這樣我們又再次面對面了。「妳似乎不是很介意。一切都可以變得和從前一樣，像我們在小木屋時……妳肯定想回到那時……」

小木屋……

「不，」我一直重複著，「我不想。」

他用力吻著我的臉頰，然後令人驚訝地一路吻了下去，來到我的脖子。再一次，我覺得自己的身體渴望他，我討厭自己變得這麼軟弱。

「這樣呢？」他問道，聲音近乎於呢喃。「妳想要這樣嗎？」

「什——」

我感覺到了，當他將唇印在我的脖子上時，那尖尖的牙齒陷進我的皮膚。很快地，一種熟悉的感覺傳來，疼痛又可怕。接著，如同那時一樣，疼痛消失了，一種幸福和歡愉的感覺湧遍全身。這種感覺是這麼的甜蜜，我這輩子從來沒有感覺這麼美好過。

這令我想起了莉莎從我身上吸血時的感覺，那種感覺十分美妙，可是……可是現在的感覺比那時還要美妙十倍，甚至一百倍。血族的咬齧比莫里帶來的快感還要多，感覺就彷彿我是初次陷入愛河，想要燃燒自己的一切，享受無盡的歡愉。

當他抬起頭，我感覺全世界的幸福和歡愉似乎都突然消失了。他一隻手撫著我的嘴唇，我張大眼睛瞪著他，本能地想要問他，爲什麼要停下來？可是這時，我慢慢地開始清醒，可以和他帶給我的那種歡愉抗爭了。

「爲什麼……怎麼……」我的話斷斷續續，「你說過會讓我自己選擇的……」

「現在仍然是這樣。」他說，眼睛同時也瞪大了，呼吸同樣變得粗重。他的感覺似乎和我一樣美好。「我不是要喚醒妳，蘿莎。這麼咬是不會將妳變成血族的，這麼做……哦，這種做法只是爲了享受……」

說完，他的嘴又貼上我的脖子開始吸血，我的整個世界頓時迷失了。

20

之後的日子就像是一場夢。事實上，我眞的不知道已經過了多少天，也許只有一天，也許過了一百天。

我也失去了白天和黑夜的概念。我的時間區分成兩種時段，一是迪米特里在，一是他不在。他就是我的整個世界。

當他不在的時候，就是痛苦的時候，我會盡可能找事情來打發時間，可是這段時光漫長得就像永遠。這種時候，電視就是我最好的朋友。我可以在沙發上一躺就是好幾個小時，但是只有一半是眞的在認眞看。住在如此豪華的套房裡，而且擁有衛星電視，因此我可以看到幾個美國的節目，可是有大半時候，我分不清電視上說的是俄語還是英語，對我來說有什麼區別。

伊娜仍然按時來看我，她會送飯給我，幫我送洗髒衣服——現在我已經開始穿那些洋裝了——然後默默地等待著，看我是不是還有其他吩咐。我永遠都沒有其他的需要，至少沒有她能給的。我唯一的需要就是迪米特里。

每次她一離開，我的內心深處就有某個想法，覺得自己應該要做些什麼……比如說跟著她，就是這樣。我本來是計畫拿到密碼之後，利用她逃跑出去的，不是嗎？現在，這個計畫對我來說已經沒有吸引力了，因爲那似乎是件很麻煩的事。

然後，終於，我等到了迪米特里。單調、無聊瞬間全都不見了，我們一起躺在床上，緊緊摟著彼此。我們從來沒有做過愛，但是我們彼此親吻、撫摸，沉迷在對彼此身體的探索中，有時幾乎是一絲不掛。這種情況維持一段時間後，我發現自己當初居然會害怕他這副新的外表，是相當令人難以置信的。沒錯，那雙眼睛是有點嚇人，可是他仍是那麼迷人……仍是令人難以置信的性感。

我們聊完天以後，通常會纏綿一陣子——有時可能是幾個小時——然後我會允許他咬我，接著得到那種快感……那種美妙的、如潮水般的快感，沖走了我所有的問題。我曾經對上帝是否眞實存在的懷疑，在那些時刻統統不見了，因爲當我沉浸在被咬的快感中時，我眞的、眞的感覺到了上帝。這裡就是天堂。

「讓我看看妳的脖子。」有一天，他這麼說。

我們像平時一樣躺在一起，我側過身子，他蜷著身子從身後擁著我，身體貼著我的後背，一隻手搭在我的腰上。我翻了個身，鬆開頭髮，垂落的髮絲沿著我的脖子分成兩邊。我今天穿的洋裝是一件套頭的海軍條紋背心裙，材質很輕，具有彈性。

「已經好了嗎？」我問。

他通常在臨走之前才肯咬我，我心底每每對此抱有期待，雖然每次似乎都等得很不耐煩，希望那令人愉悅的快感快點到來，可其實我還是很享受這種等待的滋味。當腦內啡在我身體裡的效用降到最低時，我得以和他閒聊一陣，比如談談過去我們一起經歷的戰鬥，或是他想像著當我變成血族後我們兩個的生活。雖然顯得有點多愁善感，可感覺好極了。

此刻，我已做好準備等著他來咬我，迫不及待地弓起了背。令我驚訝的是，他沒有低下頭將牙齒嵌進我的皮肉裡，而是從衣服口袋裡拿出了一條項鏈。

我沒辦法確切分辨這條項鏈的材質，只知道不是白金就是鉑金，上面有三顆深藍色的寶石，每顆都如鴿子蛋那麼大。這個星期以來，他每天都會送我漂亮的珠寶，而我每次新戴上的，都比上次的更加漂亮。

我驚訝地欣賞著它的美麗，藍寶石在燈光下泛出璀璨的光芒，他則幫我戴上項鏈。接著，他用手指撫著項鏈的邊緣，讚賞地點點頭。

「美極了。」他的手指來到背心裙的肩帶旁，從肩帶底下穿過，在我的皮膚上激起一陣電流。

「和妳相配極了。」

我笑了起來。過去，迪米特里幾乎從來不送我禮物，他從來沒有想過，而我也不稀罕。可是現在，我被他接二連三的禮物攻勢逗得眉開眼笑，幾乎他每次來都有禮物送我。

「你是從哪弄來的？」我問。項鏈貼著我的皮膚，涼涼的，可是這仍比不上他的手指冰冷。

他狡猾地笑了笑。「我自有我的辦法。」

我心中的罪惡感，偶爾會設法穿透眼前這種虛假生活的迷霧，令我覺得自己好像和一群吸血鬼的黑幫狼狽爲奸。可這種警告通常只是一閃而過，很快就會被現實的夢幻之雲所吞沒了。項鏈這麼漂亮，我怎麼可以生氣呢？我突然覺得這很可笑。

「你很像艾比。」

「誰？」

「我遇見過的一個人，艾比・馬祖爾。他像個黑幫老大……而且一直在跟蹤我。」

迪米特里聽了身子一震。「艾比・馬祖爾在跟蹤妳？」

我不喜歡他突然變得陰沉的臉。「對，怎麼了？」

「爲什麼？他想從妳身上得到什麼？」

「我不知道。他一直想知道我爲什麼來俄羅斯，不過問不出來後就放棄了，只是希望我馬上離開。我想大概是有人雇用他來找我吧！」

「我不喜歡妳接近艾比．馬祖爾，他是個危險的人物。」迪米特里生氣地說，他這種樣子也很令我厭惡。過了一會兒，他的怒意減消，手指再次沿著我的手臂輕撫，將肩帶又往下拉了一點。「當然了，如果妳被喚醒，那種人對妳便不再是威脅。」

在心底的某處，我有種感覺，認為迪米特里可能有我想要的答案，也許他知道艾比這個人的來歷，也知道他到底是做什麼的。可是沒想到我一提起艾比，他居然這麼生氣，我有點害怕他這副模樣，猶豫著要不要換個話題。

「你今天都做了什麼？」我問，盡可能地用平時的語氣小聲地和他聊天，但是在腦內啡和他的撫摸的雙重作用下，要成功做到有點困難。

「幫賈琳娜做事，吃晚餐。」

晚餐，這意味著有人死了。我皺起眉頭，心底產生的排斥感似乎更接近於……嫉妒。

「你吸他們的血也是為了……享受嗎？」

他的唇貼著我的脖子四處遊走，尖牙雖然觸碰到我的皮膚，卻沒有咬下去。我深吸一口氣，又緊緊地貼了過去。

「不，蘿莎。他們是食物，僅此而已，很快就結束了。妳是唯一一個能讓我開心的人。」

我的虛榮心得到了滿足，可是那討厭人的聲音又在我的腦海裡響起，指出這不過是騙人的把戲，為的是要轉變我的觀念。此時我有些希望他可以馬上咬我，這樣可以令那個討厭的聲音馬上閉嘴。

我伸手去摸他的臉，然後將手指插進那頭我一直鍾愛的、迷人的、如絲綢般的頭髮裡。「你一直想要喚醒我……可那時我們就不能這麼做了。血族是不會吸血族的血的，對嗎？」

「對。」他肯定地說，「可這代價是值得的，我們可以做點別的的……」

他不再往下說，給我留下無盡的遐想，一股興奮的電流因而走遍全身。親吻和吸血已經點燃了我的熱情，而經過這些天以來，我確實很想……呃，做點別的。我們現在這麼親密，令我不禁回想起當初做愛時的情景，我很希望可以重新體驗那種激情。

可不知出於什麼原因，他從來沒有再往下進行一步，不管我們有多麼激情。我不知道他是打算用這個來做誘餌，引誘我答應變成血族，還是說血族和拜爾之間是不可能發生關係的。一個活人和一個死人可以這麼做嗎？曾經，我認爲和他們做愛是一件很噁心的事，可是現在……我已經顧不了這麼多了。

雖然他並不想繼續再進一步，可是他卻經常挑逗我，比如若有似無地碰觸我的大腿、鎖骨和其他比較危險的地方。而且，他還會提醒我回憶起上次做愛時的感覺，想起那時有多麼美妙，我們的身體是怎樣的迫不及待……可他的這些話裡，挑逗的意味似乎比懷念的意味更濃。

老實說，當我在半清醒的時候，也會覺得很奇怪，我居然還沒有答應要變成血族，畢竟腦內啡的作用幾乎令我答應了他要求的所有事。我已經非常自然地墮落到每天爲他梳妝打扮，乖乖待在豪華監獄裡的地步，也接受了他幾乎隔兩天就要殺死一個人的事實。可是，就算是在最意亂情迷、對他的渴望那麼強烈的時刻，我仍然沒有同意變成血族，這可能是我拒絕妥協的本能反應。

大部分時候，他會嘲笑我的拒絕，就像我是在講笑話一樣。可是每次拒絕之後，我都會從他的眼睛裡發現有憤怒的火花一閃而過。他的那種樣子嚇壞了我。

「又來了。」我揶揄他道，「你又開始推銷了，什麼永恆的生命、戰無不勝、沒有什麼可以阻擋我們。」

「我不是在開玩笑。」他說。哎呀，我的拒絕又觸動了他的憤怒神經，方才透露出來的慾望和寵溺的表情，現在已經碎成了片片，隨風而逝。他剛剛還撫摸著我的手，轉而攥住了我的手腕，將我拉向他，他則低下頭。「我們不能永遠這樣下去，妳也不能永遠住在這裡。」

喔喔。心裡那個聲音又冒了出來。要小心哦，看起來情況不妙。他抓得我很痛，我經常在想，這到底是他有意爲之，還是眞的無法控制自己的脾氣。

當他終於鬆開我之後，我張開雙臂摟著他的脖子，想要吻他。「這種事我們不能等會兒再談嗎？」

我們的唇黏在一起，立即火花四射，一種急切的渴望在我身體內湧動。我敢打賭，他也有一樣的渴望，可是過了幾秒，他躲開了，臉上還是那種冷酷的神情。

「來吧，」他說著，將我拉了起來，「我們走。」

他站起來，我則傻傻地看著他。「去哪裡？」

「外面。」

我坐在床上，腦子完全當機。「外面？可是……這不是被禁止的嗎？我們不能出去。」

「我們可以做任何我想做的事。」他厲聲道。

他伸手將我拉起來，我跟著他走到門口。他和伊娜一樣有技巧地擋在密碼鎖前面，不過現在這已經不重要了。而且就算我看見了，也記不住這麼一長串數字。

門嗶嗒一下應聲而開，他牽著我走了出去，我好奇地四處看著，昏沉沉的腦袋仍然試圖體會自由的感覺。正如我那天看到的，這扇門外面還有一條很短的走道，通往另外一扇門。那扇門看起來一樣很沉，同樣有著密碼鎖。迪米特里打開這道門後，我則想著這兩個密碼肯定不一樣。

他挽著我的手臂，領著我走出門，來到另一個走道。如果不是他用力拉著我，我可能會愣在當場——也許我不應該對面前突然出現這麼富麗堂皇的景象感到驚訝，畢竟我住在這裡的其中一個套房裡，可是通往我房間的走道看起來都是冷冰冰，充滿工業化風格，所以令我誤以爲這裡其他的地方，也同樣規規矩矩的，有著像監獄一樣的風格。

可我想錯了。事實上，我覺得自己好像是處在一部老電影的場景中，就是那種人們會在陽臺享受下午茶的老電影。長毛地毯上有著金線織出的圖案，地毯向走道的兩頭延伸而去，牆上點綴著看上去年代久遠的畫作，畫中人都穿著古代的精緻衣裙，令我的裝扮相形見絀；整個走道的照明都來自天花板上的水晶吊燈，大概每隔六英尺就會有一盞；水滴形的水晶映射著蠟燭的火光，在牆上投射出一道又一道迷你彩虹。我看著這一切，深深地爲這些奪目的光芒和色彩所征服，而這也是我忘了看走道其他擺設的原因。

「你在幹什麼!?」南森冷厲的聲音，猛地將我從水晶帶來的暈眩中驚醒過來。

他本來是斜倚在我房間對面的牆上，但是此時立刻站直了身子，看著我們。他臉上那種冷酷的表情非常符合血族的身分，這種表情偶爾迪米特里也會顯露出來，但是卻無損於他的魅力和「善良」。

迪米特里的姿勢立刻變成了戒備。「我帶她出去走走。」他的語氣好像在談論一條狗，可是對南森的恐懼令我沒有出口反駁。

「這不合規矩。」南森說，「你帶她走到這裡就已經很過分了。賈琳娜有命令，你不能帶她走出房間一步。我們不能讓低賤的拜爾四處溜達。」

迪米特里揚起下巴，朝我擺了擺。「她的樣子看起來像有威脅嗎?」

南森的眼睛飛快地瞄了我一下。我其實不是很清楚他到底看見了什麼，也不覺得自己看起來和以前有什麼不同，可是他的嘴唇溢出一抹小小的微笑。但這只是曇花一現，他轉回去看迪米特里的時候又換回原來的表情。「不像。可我接到命令，負責看守這扇門，我不能因爲替你放行，而令自己惹上麻煩。」

「賈琳娜怪罪下來我負責，我會告訴她是我強迫你的。」迪米特里咧嘴一笑，露出尖牙。「對這一點，她應該不難相信。」

南森看著迪米特里的樣子令我非常不安，我不斷地往後退，一直推到牆邊。

「你太自信了。如果不是我喚醒你，你還可以裝作好像這裡是你說了算。可惜，喚醒你的人是我，如此一來你的力量和知識就全都歸我們所有了。你應該聽命於我。」

迪米特里聳了聳肩，他拉起我的手，轉身便走。「如果你沒有足夠的力量，就沒辦法讓我聽你的話，這可不是我的錯。」

這時，南森突然大吼一聲衝了過來，迪米特里則迅速地回擊。我猜他可能早就料到了，他立刻鬆開我的手，轉身抓住南森，將這個血族狠狠地丟到牆上。南森也馬上站了起來，看起來這招對他這種血族不太管用，不過迪米特里也已經想到了。他迎頭揍了他的鼻子一拳，一下、兩下、三下，中間沒有停頓過。

南森倒了下去，臉上全是血，迪米特里用力朝他的肚子踢了一下，將他踢翻了過去。

「不用再試了，」迪米特里說，「你還是會輸的，」他擦掉自己手上沾上的血，然後再次和我十指相扣。「我說過了，賈琳娜那裡我來負責。不過，還是謝謝你的關心。」

迪米特里再次轉過身，很顯然認爲不會再有障礙。確實沒有。我跟著迪米特里往前走，不自覺地回頭看了一眼坐在地上的南森，發現他的眼睛狠狠地瞪著迪米特里。我很確定，這輩子從沒有見過這種帶著純然恨意的目光——至少是在他將目光轉向我之前。我渾身竄起一股寒意，趕忙快走幾步追上迪米特里。

南森的聲音在我們背後響起：「你們不會得逞的！不管是你還是她。她只是午餐，貝里科夫，午餐。」

迪米特里握著我的手更緊了，他加快了腳步，我能感覺到他心裡的怒火，突然之間不太確定我到底應該害怕誰多一些，是南森還是迪米特里呢？

迪米特里很厲害，不管是過去還是現在。以前，我也見過他無所畏懼、毫不猶豫地發起攻擊。他的表現一直都很優異，正如同我告訴他家人的那般，他是那麼英勇。可是在那段時間，他每次出手都是有理由的，通常都是爲了保護自己。

可他和南森的對峙，就不完全是爲了保護自己了，已經變成了宣示權力的手段，以及獲取鮮血的機會。迪米特里似乎很享受這種事，他會不會也想用那種方式將我轉變成血族呢？如果我一直拒絕他，逼著他對我動手，他是不是也會這樣對待我，直到我點頭同意？

「南森嚇壞我了。」我說，但是不想讓迪米特里知道我也很懼怕他。我覺得自己十分軟弱，完全喪失了保護自己的能力，這種情況在我身上並不常見。一般情況下，我都是隨時準備好面對任何挑戰的，不管陷入多麼絕望的境地。

「他不敢碰妳。」迪米特里冷硬地說，「不用擔心這些。」

我們來到一段樓梯前，走了幾步之後，我很清楚知道自己根本不可能走完這四層樓。除了他的咬齧一直令我渾渾噩噩之外，失血過多也令我變得虛弱，後果就此顯現出來。迪米特里二話不說，一把將我抱在懷裡，毫不費力地將我抱到一樓，然後再輕輕地將我放下來。

這棟大廈的主要樓梯和樓上的大廳一樣富麗堂皇，入口上方是一片很大的拱型天花板，上面也有精緻的水晶吊燈，和我見過的那些小型燈具差不多。我們面前是兩扇雕工精美的大門，門上鑲嵌著的玻璃塗上了顏色。

同時出現在我們面前的還有一個血族，他坐在椅子上，很明顯是在執勤。在他身旁的牆壁上嵌著一塊面板，上面有很多亮著燈的按鈕，那是一套非常現代化的保全系統，卻和這裡古老氛圍相處融洽。他的姿勢在我們走過去時變成戒備狀態，一開始，我以爲這只不過是一個保全人員本能的反應，直到我看清他的長相才知道並非如此。

他就是我到了新西伯利亞的第一晚後，在街上折磨過的那個血族，那個我放了他、讓他帶話給迪米特里，說我在找他的血族。

他微微一笑，盯著我的眼睛。「蘿絲·海瑟薇。我還記得妳的名字，就像妳希望的那樣。」除此之外，他什麼都沒有再說，但是我在經過他身邊時，仍抓緊了迪米特里的手。這個血族的視線始終沒有離開過我，直到我們走到外面，關上大門爲止。

「他想要殺了我。」我對迪米特里說。

「所有的血族都想殺了妳。」迪米特里回答道。

「可他是眞的……因爲我折磨過他。」

「我知道。自那次事件後，他顏面盡失，在這裡已經毫無地位可言了。」

「那並沒有讓我覺得好過一點。」

迪米特里似乎不太放在心上。「馬倫這個人妳不用擔心。妳和他的那場打鬥，只能向賈琳娜證明，妳在這裡可以成爲頂尖分子。他得聽命於妳。」

我還是覺得不太安心，我已經給自己樹立了太多個血族敵人。不過，這並不代表我眞的希望能夠交到什麼血族朋友。

毫無疑問，現在是夜裡，不然迪米特里不會帶我出來。剛才的大門讓我以爲我們是從前門出來，但是周圍這一大片花園，又讓我覺得我們好像是在後院，或許這棟樓被綠色的植物包圍了。我們周圍是一個灌木叢迷宮，這些灌木叢被精心修剪得很漂亮，迷宮中間圍出了一個小花園，裡面點綴著噴泉和雕像。

到處都是鮮花，滿園的鮮花，空氣中瀰漫著濃郁的花香。我這才想起來，應該是有人花費了極大力氣，才弄來這些在夜間開放的鮮花。唯一一種我立刻就能認出來的是茉莉花，它長長的、開滿了小白花的藤蔓纏繞在籬笆格子上，以及灌木叢中的雕像上。

我們默默地走了一會兒，我發現自己完全淪陷在這種羅曼蒂克的情調中了。我和迪米特里在學校的時候，我一直都在擔心我們的關係會曝光，或者要忠於職守，像現在這樣，在春天的星空下於花園裡漫步，聽起來像是一場瘋狂的夢，我完全不敢想像。

雖然沒有親身經歷下樓梯的艱難，但在走了這麼長一段路後，仍是令我變得氣喘吁吁。

我停下來，嘆了一口氣。「我累了。」

迪米特里也停下來，扶著我坐下。乾燥鬆軟的草坪貼著我的皮膚，感覺有點癢，我躺了下去，過了一會兒，他也躺了下來。我有種似曾相識的奇怪感覺，想起我們製做雪天使的那個下午。

「這感覺眞棒。」我看著天空說。天空清澈乾淨，見不到雲彩。「對你來說是什麼感覺？」

「嗯？」

「雖然這裡的光線可以令我看得很清楚，可是比起白天來還是要暗很多。你的視力比我要好很多，都看見了什麼？」

「對我來說，現在和白天一樣明亮。」他見我沒有回應，又繼續說：「妳也可以有這樣的感覺。」

我想像著那樣的畫面。那些影子從此以後看起來還會覺得神祕嗎？月亮和星星會變得更加耀眼嗎？「我不知道，我好像還挺喜歡這種黑暗的感覺的。」

「那時因爲妳還沒看見更好的。」

我嘆了一口氣。「你可以接著往下說。」

他翻了個身看著我，將我臉上的髮絲撥開。「蘿絲，這已經快讓我發瘋了。我已經不想再等了，我希望我們兩個在一起。妳不喜歡這些嗎？我們擁有的這一切？其實還可以變得更好的。」他的話聽起來非常浪漫，可惜語氣並不是這樣。

我愛現在這樣，我愛現在這種迷幻的狀態，愛這種如墜入五里霧般的感覺，所有擔心全都煙消雲散。我喜歡能夠離他更近，愛他吻我的方式和他對我說他想要我……

「爲什麼？」我問。

「什麼爲什麼？」他似乎有些迷惑，這種迷惑的語氣我還沒有從一個血族嘴裡聽過。

「爲什麼想要我？」我不知道自己爲什麼會這麼問。很明顯，他也不知道怎麼回答。

「爲什麼不想要妳？」

他說得那麼理所當然，好像這是世界上最蠢的一個問題。也許吧，我想。可是……我還是希望能聽到另一種答案。

這時，我的胃開始抽痛起來。在我和迪米特里相處的這些時光中，我總是想法設法將對血族的排斥反應抽離我的雷達範圍。可是，當有別的血族出現時，依然會有反應。我剛才就從南森身上感應到了，現在這種感覺又來了。我坐起來，迪米特里也坐了起來，我們兩個的動作幾乎是同時的，但他是因爲超絕的聽力而發現的。

一個黑影籠罩著我們，在星空下露出一個輪廓，是個女人。迪米特里站了起來，我沒有動，仍然坐在原地。

她非常的美麗，是那種冷酷而令人心生敬畏的美麗。她的身材和我差不多，這說明她在沒有變成血族之前並不是個莫里。以賽亞，曾經抓住過我的血族，他的資歷已經算是很老了，他身上的力量，就有一種掩藏不住的鋒芒。而這個女人，她出現的時間並不長，可我已經能夠感應到她的資歷比迪米特里老，而且力量在他之上。

她用俄語對迪米特里說了些話，聲音和她的人一樣如同冰雪般美麗。迪米特里回答了幾句，語氣雖然自信，卻也非常恭敬。我聽見他們說話時，提起了好幾次南森的名字。隨即，迪米特里伸手拉住我，幫助我站起來。對於自己常常需要他幫助這件事，我感到微微有些尷尬，曾經我的力量和他的不相上下。

「蘿絲，」他說，「這是賈琳娜。她就是那個同意妳留下來的好心人。」

賈琳娜的表情看起來和好心沾不上邊，幾乎是不帶任何感情，我覺得自己的整個靈魂好像都赤裸裸地展現在她面前。雖然我對這裡的很多事都還不瞭解，可也立刻意識到，我留在這裡這麼長一段時間，是非常罕見且不可思議的一件事。我忍不住嚥了下唾沫。

「謝謝。」我用俄語說道。我不知道「見到妳很高興」用俄語應該怎麼說，而且說老實話，我也不知道自己見到她是不是眞的很高興，簡單的一句「謝謝」已經足夠了。

如果她是他的前任導師，而且也在普通的學院裡教過課，她可能也會說英語，只是像伊娃一樣裝作聽不懂。我不知道她爲什麼這麼做，但是如果妳可以輕易擰斷一個年輕拜爾的脖子，那麼當然有資格隨心所欲。

賈琳娜的表情——如果她有的話——並沒有因爲聽了我的道謝，而有所改變，她又看向了迪米特里。他們把我撇在一邊，自顧自地聊天，談話中迪米特里還指了我好幾次。我能明白，他是在強調某些事。

終於，賈琳娜說了些什麼，似乎是下了個結論，然後就留下我們轉身走開，連再見都沒有說。我和迪米特里都沒有動，直到我身體裡那種反胃的感覺終於消失。

「走吧，」他說，「我們該回去了。」

我們穿過灌木叢迷宮走回來，而我搞不懂他是怎麼知道該往哪邊走的。眞有意思，我到這裡的第一天，一直夢想著能走到戶外，想辦法逃跑。我現在已經身處外頭了……可，逃跑似乎已經變得不再重要了，平息賈琳娜的憤怒才是首要的。

「她不太喜歡妳這樣留在這裡，要我喚醒妳，要不就殺了妳。」

「喔。呃，你打算怎麼辦？」

他沉默了一會兒。「我想再等等看，然後……再作決定。」

他沒有說明自己會做什麼樣的決定，而我幾乎要再次重申原來的想法——我寧願死也不想變成血族。可是我突然改變了想法，問道：「等多久？」

「不會太久，蘿莎。妳必須要作出決定，作出正確的決定。」

「比如說？」

他舉起我的手。「選擇所有的這些，選擇我們永遠在一起。」

我們從迷宮裡走出來，我盯著眼前的房子和周圍美麗的花園。這個房子從外面看不是一般的大，就彷彿在夢裡才會出現的情景。除此以外，無盡的鄉村風情蔓延開來，漸漸地消失在夜空中，和黑色的天幕匯成一線，只除了地平線處，那星星點點連成一片的柔和紫光。我皺起眉頭，仔細地看著，然後又轉頭看向迪米特里。

「然後呢？我也一樣要爲賈琳娜工作嗎？」

「時間不會太久。」

「『不會太久』是多久？」

我們走到屋子門口，停了下來。迪米特里低頭看著我的眼睛，我則因爲他過於興奮的表情而嚇得往後退了一步。

「直到我們殺死她的那天，蘿絲。我們殺死她，然後這些便全都歸我們所有了。」

21

迪米特里沒有再多說，我被他的話嚇壞了，完全不知道這個晚上接下來是怎麼過的。他牽著我的手走了回去，經過那個執勤的血族，上樓回到我的套房。南森已經沒有守在外面了。

有那麼短暫的一會兒，那個討厭的聲音又在心底開始大聲說話，讓我從驚愕的狀態中恢復。如果大廳裡沒有了守衛，那麼等伊娜再來的時候，就是我絕佳的機會，可以威脅她幫我開門，然後逃出這裡。老實說，那代表我將要面對這棟樓裡上帝才知道到底有多少個的血族。可那時我逃跑成功的機會，還是要比待在這個房間裡大很多。

這個念頭剛剛冒出來，便又消失不見了。迪米特里猛地伸過手臂，將我擁進懷裡。方才外面很冷，雖然他的身體也是涼的，但是他的衣服和外套還是帶著一定的溫度，我用力貼近他，任由他的手撫摸著我的後背。我以爲他想要咬我，可是他的唇找到的卻是我的唇，動作狂猛又熱烈。

我將手指插進他的頭髮裡，想要將他拉得更近，同時，他的手指也沿著我光滑的大腿，向上掀起我的裙子，幾乎將它捲到了腰部，他的手帶著渴望和熱情，點燃了我身體的每一個部分。我夢想著回到小木屋的那一刻，已經想了很久，可是從來沒有眞的想過，這種事會再次發生。現在，它卻實現了，我很震驚自己居然這麼地迫不及待。

我的手也順著他的襯衣，將鈕釦一顆一顆解開，以便撫摸他的胸膛。他的皮膚冷得像冰，和我的熱情似火形成了鮮明的對比。他的唇從我的唇往下移，移到了脖子和肩膀，之後將我的肩帶撥開，在上頭留下一串飢渴的吻。他的手仍然撫摸著我光滑的臀部，我狂亂地想要將他的襯衫全都扒開。

突然，這一切毫無預警地就中斷了，他猛地抽身將我推開。起初，我以爲這不過是我們前戲的繼續，最後終於發現他是認眞要將我推開的。

「不，」他的聲音非常嚴厲，「現在還不行。在妳沒有被喚醒之前，還不行。」

「爲什麼？」我絕望地問。除了他的愛撫，我腦子裡一片空白，好吧，還有他的咬齧。「這有什麼關係？是因爲……某種原因，所以我們不能這麼做嗎？」在我到這裡之前，我從來沒有想過和血族做愛這種事……也許這是另外一種禁忌。

他俯身看著我，雙唇貼著我的耳朵。「不，只是如果妳被喚醒之後，感覺會更好。讓我喚醒妳吧……讓我喚醒妳，然後我們就可以百無禁忌了……」

這是個交換條件，我模糊地意識到。他想要我，這已經寫在了他的臉上，可是他正在用性作爲誘餌，企圖引誘我上鉤。想聽實話嗎？我眞的差一點就接受了。我的身體已經制伏了我的理智——幾乎是這樣。

「不，」我喃喃地說，「我……我怕……」

他臉上危險的表情放得柔和了些。雖然他現在確實不像曾經的迪米特里，可是看上去也不太像是血族的那個他。

「蘿絲，妳眞的以爲我會做出傷害妳的事情嗎？」

不知怎麼的，我想起了那次爭論。是要選擇變成血族，還是選擇死亡？後者似乎會很痛，所以這次我沒有再提起。

「可是咬的話……會痛……」

「我告訴過妳了，那種感覺就像是我們經常做的那樣。妳會很享受，而且不會很痛。我發誓！」

我轉過頭。該死，爲什麼他變得不那麼邪惡和嚇人了？把我直接放倒，霸王硬上弓還比較容易點。雖然心中充滿了渴望，但我還是可以拒絕。但是不知怎麼的，看見他這個樣子，冷靜而講理……哦，這和我愛的那個迪米特里簡直太像了，要拒絕他變得很困難。這是我第一次覺得，也許變成血族……也沒有那麼壞。

「我不知道。」我輕輕地說。

他放開我，坐了下來，臉上全是挫敗的表情，但又像是鬆了一口氣。「賈琳娜的耐心已經不多了，我也是。」

「可你說了，我們還有時間……我只是需要再好好想一想……」我還能用這個藉口拖延多久？他瞇起的眼睛告訴我，時間所剩不多了。

「我該走了。」他粗聲說道。我打賭，我等不到之後的撫摸和親吻了。「我還需要去處理一些別的事。」

「對不起。」我說，既迷惑又害怕。我不知道自己喜歡哪樣的迪米特里，是嚇人的那個，還是充滿慾望的那個，亦或是「看起來像但又絕對不會是」的溫柔的那個。

他沒有再說什麼，便毫無預警地低下頭來，在我喉嚨嬌嫩的皮膚上咬了一口。不管剛才我想過什麼逃跑方針，此刻都消失了。我閉上眼睛，差點昏過去，唯一的支持就是他摟著我的強壯手臂。就像我們親吻時一樣，他貼著我身體的嘴唇變得溫暖，他的舌和他的尖牙在我身上激起一陣電流。

如同突然的開始一樣，結束也很突然。他直起身，舔了舔嘴唇，手臂仍然摟著我。

那種輕飄飄的感覺又回來了。世界變得如此美好、幸福，什麼都無需再擔心，不管是南森還是賈琳娜，此刻對我來說都算不上什麼了。我剛才的害怕……我對激情時刻半途而廢的失望……我的疑慮——當人生變得這麼美好時，那些都無需再費精力去想了，我只知道自己是那麼深愛著迪米特里。

我對他微笑，想要再抱住他，可是他已經把我放在了沙發上。

「我晚點再來看妳。」說完，他一眨眼就到了門口，這令我很傷心。我想要他留下來，永遠地留下來。「記住，我想要妳，而且也不會允許有什麼人或事傷害到妳，我會保護妳的。可是……我堅持不了太久了。」

就這樣，他離開了。他的話令我笑得更加開心。迪米特里想要我。模模糊糊地，我記起剛剛在外面的時候，我問他為什麼想要我。我到底為什麼要這麼問呢？我想聽到什麼答案？為什麼這個答案這麼重要？他想要我，這就夠了。

我躺在沙發上，胡思亂想著，腦內啡的效用麻痺了我，我覺得昏沉的睡意向我襲來。走回床上去似乎是件大工程，所以我乾脆就這麼躺著，等著睡神的眷顧。

可是，我沒有想到，自己居然會再次置身於艾德里安的夢境當中。

我幾乎已經放棄能再見到他的想法了。在我剛來到這裡，想要逃出去的時候，我才終於讓自己相信他不會再來了，是我要他這麼做的。可是，此刻他就在這裡，站在我面前——哦，好吧，至少在夢裡是這樣。

我們在夢中會面的地點通常是森林或者花園，可是今天卻站在我們第一次見面的地方，在愛達荷州滑雪場的陽台上，太陽當空，四周群山巍峨聳立。

我高興地咧開嘴。「艾德里安！」

我從來沒有見過他像現在這樣驚訝。想到我每次見到他時說話都那麼刻薄，他現在的感受是可以理解的。

「哈囉，蘿絲。」他說，聲音有些猶疑，似乎在擔心我有什麼陰謀。

「你今天看起來很帥。」我對他說。

這是眞的。他穿著一條黑色的牛仔褲，單排釦印花襯衫，綠色的海軍款式和他深綠色的眼睛非常相配。可是，那雙眼裡卻充滿了擔憂。有點奇怪，在夢裡，他是整個世界的造物主，只要他想，甚至連我們的樣貌都可以改變，只要稍稍努力一下就能辦到。他可以令自己看起來非常完美，而不是帶著現實世界中這副苦瓜臉。

「妳也是。」他的語氣還是很謹愼，然後從頭到腳將我看了一遍。我身上仍然穿著那件貼身的洋裝，頭髮披散著，脖子上戴著那條藍寶石項鏈。「這似乎是我一直想讓妳做的打扮。妳是穿著這身衣服睡覺的嗎？」

「沒錯。」我往下拉了拉裙子，覺得這樣看起來更好看。我不知道迪米特里是不是喜歡我這麼穿，雖然他沒有說特別喜歡，卻一直不斷地誇我漂亮。「我不知道你還會來看我。」

「我本來也是這麼想的。」

我抬頭看著他，發現他和平時很不一樣。「你還是想問我究竟在什麼地方嗎？」

「不，我已經不想再費這個力氣了。」他嘆了口氣，「我唯一關心的事情是妳不在這裡。妳應該回來，蘿絲。」

我環起手臂，跳起來，坐在陽台的圍欄上。「艾德里安，我可沒準備進行下一場戀——」

「我不是爲了自己！」他急急地喊，「是爲了她。妳爲了莉莎，也應該回來。這才是我來的原因。」

「莉莎……」我清醒的那部分從腦內啡的影響中跳了出來，我試著回想自己爲什麼要擔心莉莎。

艾德里安向前走了一步，仔細地看著我。「對，妳還記得吧？莉莎，妳最好的朋友？那個和妳有心電感應，妳發誓要用一生來保護的人？」

我前後搖晃著腿。「我從來沒有發過誓。」

「妳該死的到底是怎麼了？」

我不喜歡他這種不安的語氣，它毀了我此刻的好心情。「你才怎麼了？」

「妳看起來一點都不像妳自己了。妳的靈光……」他皺起眉頭，說不下去了。

我大笑起來。「哦，對，終於說到這個了。那個有魔法的、神祕的靈光。讓我猜一猜，黑色的，對嗎？」

「不……它……」他又用力看了我一會兒，「我看得不是很清楚，它似乎到處都是。這是怎麼回事？蘿絲，現實世界到底發生什麼事了？」

「什麼事也沒有。」我說，「除了這是我有生以來第一次過得這麼開心。爲什麼你突然變得這麼奇怪？你以前都很有趣的。是因爲看見我終於過著好日子，所以覺得無聊和奇怪嗎？」

他單膝跪在我面前，表情非常嚴肅，見不到一絲玩笑的意味。「妳眞的很不對勁，我說不出具體——」

「我說過了，我很好。爲什麼你每次來都會毀了我的好心情呢？」說眞的，不久之前我眞的非常希望他能來，可是現在……哦，已經無所謂了。我在這裡和迪米特里過得很開心，唯一要做的就是找出對付那些不太開心時候的辦法。

「我也說過了，我來不是爲了自己，而是爲了莉莎。」他抬起頭看著我，眼睛張得大大的，誠意十足。

「蘿絲，我現在求妳回去，莉莎需要妳。我不知道到底哪裡出了問題，也不知道怎麼才能幫助她，別人也做不到。我想……我想只有妳有辦法。也許是因為妳們兩個分開，傷害到了她；也許這也是妳現在變得不對勁、表現得這麼奇怪的原因。回來吧，求求妳了。我們可以想辦法治好妳們兩個，我們一起努力。她的表現也很奇怪，她對什麼都不在乎，對什麼都不關心。」

我搖了搖頭。「分開對我沒什麼影響，也許對她也沒有影響。如果她眞的擔心精神能力的副作用的話，可以繼續吃藥。」

「可她一點都不擔心，這才是最奇怪的。該死。」他站起來，開始不停走來走去。「妳們兩個到底是怎麼回事？為什麼誰都看不出來現在有問題？」

「也許不是我們有問題，」我說，「也許這一切都是你自己的想像。」

艾德里安又向我走過來，看著我。「不，肯定不是我。」

我一點都不喜歡現在這樣，不喜歡他的語氣，不喜歡他的表情，也不喜歡他說的話。剛見到他的時候，我是很高興的，可是現在我覺得他已經破壞了我的好心情。我不想再糾纏下去了，這讓人難以招架。

「聽著，」我說，「本來我今天晚上是很高興看見你的，可現在已經不高興了，因為你一直不停地指責我，然後向我提出要求。」

「我沒這麼想過。」他的語氣又變得溫柔，怒火不見了，「我最不願意做的一件事，就是令妳不高興。我關心妳，也關心莉莎，我希望妳們兩個都能高高興興地過自己想要的生活……可是妳們兩個現在全都在通往毀滅的道路上，我不能放任不管。」

他幾乎要說服我了，這些話聽起來幾乎很合情合理。我甩了甩頭。

「不要多管閒事。我現在待在自己喜歡的地方，不會回去的。莉莎也可以對她自己負責。」我從圍欄上跳下來。眼前有一點暈，我踉蹌了幾步，艾德里安抓住我的手，我猛地一下甩開。「我沒事。」

「妳有事。老天，我發誓妳是喝醉了，可是……妳的靈光又不像是喝醉的樣子。到底是怎麼回事？」他的手胡亂地抓著自己的頭髮，這是他激動時的典型動作。

「我在這裡待得夠久了。」我說，盡可能顯得禮貌一些。我究竟爲什麼那麼想要見到他？這似乎是我到這裡來之後，覺得很重要的一件事。「送我回去，拜託你。」

他張大嘴巴想要說什麼，卻突然愣住了。「妳脖子上的是什麼？」

他伸過手來，我不管這麼做是否會讓自己頭暈，仍然設法躲了開來。我不知道他在我脖子上發現了什麼，也沒有興趣知道。「別碰我。」

「蘿絲，那些東西很像——」

「送我回去，艾德里安！」我的禮貌到此爲止。

「蘿絲，讓我幫——」

「送、我、回、去！」我大喊出聲。

這是我第一次設法將自己拉出艾德里安的夢，而我成功拋開了那個夢，從沙發上醒了過來。房間仍然一片寧靜，唯一的聲音是我粗重的呼吸，我感到心亂如麻。通常來說，在剛被咬完之後，我都會有飄飄欲仙的感覺，覺得很快活。可是，和艾德里安的會面卻讓我覺得有些傷感。

我站起來，掙扎著走向洗手間，光線刺得我微微顫抖了一下，因爲客廳裡並沒有這麼亮。等眼睛適應了眼前的光線，我湊到鏡子前，撩開頭髮，爲自己看到的景象倒吸了一口冷氣。我的脖子上到處都是瘀痕，當然還有剛才咬完的新鮮傷口，在迪米特里剛剛咬過的地方，還能看見乾涸的血跡。

我看起來……就像是一個吸血妓女。

爲什麼我以前從來沒有注意過？我沾濕了一塊毛巾，擦拭著脖子，試圖將那些血跡擦乾淨。我一直一直擦著，直到把脖子都擦紅了。只有這麼多嗎？別的地方還有嗎？那好像是最糟糕的一處。我想著艾德里安究竟看見了多少，然後重新將頭髮攏過來蓋好，小心地檢查，不讓脖子部分的皮膚露出來。一種叛逆的心情突然升起——艾德里安看不看得見又有什麼關係？他又不明白這是怎麼回事，他又不可能找到這裡。

不管怎樣，我和迪米特里在一起。沒錯，他是變了……可是改變得不是很多。我很確定我可以在不用變成血族的情況下想出一個好辦法，解決這個問題，只是現在還沒有想到而已。

我一遍又一遍地試圖說服自己，可是那些瘀傷一直瞪視著我，於是我走出洗手間，重新躺在沙發上。我打開電視，可是並沒有眞的看進去，過了一會兒，那種輕飄飄的感覺又席捲了我。不一會兒，我就關上電視，重新睡著了。這一次，我是在自己的夢裡。

迪米特里還要一會兒才會回來。我說的「一會兒」，意思就是一整天。我被這個想法折磨著，一部分原因是我想他了，另一部分原因是我想念那種被咬的感覺了。通常，他每天都會來兩次，所以這次是我在失去腦內啡作用的情況下，等待時間最長的一次。我覺得應該替自己找點事情做，於是一心一意地將自己打扮得更加漂亮。

我埋頭在衣櫥的衣服堆裡頭，選出一件象牙白絲綢連身長裙，上頭點綴著精美的紫色花朵，是直接畫上去的。這件衣服穿在身上，感覺就像戴著手套。我想把頭髮盤起來，但是在看見了那些瘀痕之後，放棄了這個念頭。我最近爭取到了捲髮器和化妝品，所以可以任意做出造型，最後，我將頭髮尾端捲出好看的捲度。畫完妝，我高興地看著鏡子裡的自己，相信迪米特里看了也會高興的。現在，我只需要再從他送我的珠寶裡挑出合適的首飾來。

當我轉身準備出去的時候，餘光瞥見背後有個鉤子沒勾好。我伸手想去勾，但是卻又搆不著，那個地方剛好在我伸手能及的範圍之外。

「該死。」我喃喃地說，仍然想要去抓那個鉤子，這會是美中不足之處。

就在這時，我聽見從另外一個房間傳來開門聲，緊接著就是托盤放在咖啡桌上的聲音——這真是幸運之聲。

「伊娜！」我大喊著衝出洗手間。「我需要妳幫我——」

我一踏進客廳，胃裡便一陣翻騰，而引發這種反應的人不是迪米特里，而是南森。

我的下巴差點掉下來。伊娜站在他身邊，靜靜地等著取回托盤，目光仍然像往常那樣低垂著。

我立刻決定不去理會她，直接看向南森。也許，他還是負責守門，可是他的職責從來不包括房間內的事情。這麼久以來，我的戰鬥本能首次冒了出來，同意了逃跑這個選擇。恐懼令我想向後退，可是那樣我會把自己困在洗手間裡，最好的辦法就是站著不動，哪怕沒辦法離開這裡，也能有多一點空間閃躲。

「你在這裡做什麼？」我問，同時驚訝於自己居然可以這麼冷靜。

「來處理點麻煩。」

我不需要提示就能明白他的言外之意。我就是那個「麻煩」。

再一次，我的戰鬥本能升起。「我從來沒有惹過你。」

老實說，這種邏輯對血族來講根本不成立，他們的獵物也從來沒有得罪過他們。

「妳的存在就是麻煩。」他說，「妳住在這裡，根本是在浪費大家的時間。妳知道怎麼找到她——德拉格米爾家的那個女孩——可到目前爲止，卻連一點有價值的線索都沒有提供，就因爲貝里科夫那個傢伙堅持要先喚醒妳。而且，賈琳娜還命令我浪費時間看守著妳，還要協助他，因爲他打算說服妳自願加入我們。」

這些抱怨聽起來眞是很有意思。「所以……呃，你想怎麼樣？」

只一瞬間，他就竄到我面前。看著他站在我面前，距離我這麼近，記憶的扳機因而被扣動，我想起就是他咬了迪米特里，他是這一切的罪魁禍首。一股怒意湧上來，但是並沒有爆發。

「我會不擇手段得到消息。」他嘶啞地說，「告訴我她在什麼地方。」

「妳又不是不知道，她在學校。」就算告訴了他事實，也沒有什麼用。反正他知道她在哪裡，也知道學校的位置。可他看著我的樣子告訴我，他似乎很不滿意我說出口的，是他已經知道的事。

他伸手揪住我的頭髮，猛地將我的頭往後扯。「她在哪？她不會永遠都待在學校裡的。她不在大學裡嗎？皇庭呢？他們肯定已經爲她做好了安排。」

痛死了！可是他這樣做也起不了什麼作用。「我不知道他們的計畫，我已經離開好一陣子了。」

「我不相信！」他低吼著，「她太重要了，她的未來肯定早就被安排好了。」

「如果是這樣的話，也沒有人通知我。我離開得太倉促了。」我聳聳肩，算是給了他一個回答。

他雙眼閃動著怒火，我發誓，那雙眼睛變得更紅了。

「妳們兩個有心電感應！妳一定知道，現在就告訴我，我還能讓妳死得痛快。如果妳不說，我也會喚醒妳，然後拷問妳，最後再殺了你。我會像點燃篝火一樣把妳活活燒死。」

「你……就算我變成了你們的一員，你還是會殺了我？」眞是個蠢問題。血族對自己的同伴向來沒有忠誠可言。

「對，而且我也會殺了他，只要賈琳娜知道他有多麼沒用以後，我就會重新奪回自己在她身邊的地位，特別是在我滅了德拉格米爾全族之後。」

「下地獄去吧你！」

他微笑地摸著我的臉，手指沿著我脖子上的瘀痕來回游走。「哦，我會的。如果妳現在就告訴我，事情眞的會變得比較容易，妳也可以馬上就死去，不會體驗到復活的痛苦。我們兩個都會很享受這件事的。」他收緊手指，用力掐住我的喉嚨。「雖然妳是個不折不扣的麻煩，但妳確實很漂亮，特別是妳的喉嚨，我明白他為什麼想要妳……」

理智與情感在我內心交戰。理智上，我知道這是南森——一個我痛恨他把迪米特里變成血族的罪魁禍首；可是另一方面，身體對腦內啡的渴望也同時冒了出來，它根本不管這個血族是不是南森。它唯一關心的，是南森的牙齒離我的脖子只有一點點距離，他是不是會答應帶給我那種甜蜜的快感。

他一隻手掐著我的喉嚨，另一隻手滑落到我的腰，然後落在我的臀部上。南森的聲音顯示出他正處於渴望的邊緣，似乎除了咬我還想要做其他的。在經受了迪米特里那麼多次性感的挑逗之後——雖然那挑逗都沒有令我們跨越最後的界限——我的身體已經不在乎撫摸它的人到底是誰了。我可以閉上眼睛，是誰在用牙齒咬我，或者是誰的手撕開我的衣服，都已經不再重要了，只有快感最重要。我也可以閉上眼睛，假裝它是迪米特里，沉迷在南森的唇輕觸我皮膚帶來的快感之中……

可是，另外一點僅存的理智又令我記起，南森不只是想要和我做愛、吸我的血，他還想慢慢地殺了我。這眞是莫大的諷刺。我剛來這裡的時候，一心想要尋死，唯恐自己變成血族，可是現在，可以幫我完成心願的居然是南森。雖然他的計畫是先喚醒我，然後再殺了我。可不管怎樣，我都不會以血族的身分永遠地活下去，這麼一想，我應該感謝他。

可就在這時，就在我身體中的毒癮已經因他的咬齧和帶來的快感而尖叫時，我突然意識到一個令自己感到震驚的事實：我不想死。也許是因爲我已經有差不多一天沒有被咬，所以那小小的反抗本性在心中甦醒了。我不能讓他對我做這種事，也不能讓他再去傷害迪米特里，而且我很清楚，絕對不能讓他去傷害莉莎。

我衝出籠罩在周圍的腦內啡雲霧，努力召喚出自己身上的意志力。我往心靈深處探索而去，想起我接受多年的訓練，還有迪米特里曾經教過我的東西。雖然那些記憶一時很難全都回憶起，可我仍是多少喚醒了一些，而那已經足以令我做出反應了——我向前一頂，揍了南森一拳。

可是成效不佳。

他動都沒動。該死，我甚至不知道他會不會覺得痛。他臉上的驚訝漸漸變成了玩味，用血族那種可怕的方式哈哈大笑，殘忍且沒有任何眞心的笑容。這時，他帶著極度愉悅的心情推了我一掌，讓我直飛到客廳的另一頭。在我見到迪米特里，攻擊他的時候，他也做過同樣的事，只是那時我並沒有飛出去很遠，而我的攻擊也不像此刻這樣軟弱無力。

我摔倒在沙發的後面。仁慈的上帝啊，那眞的很痛。一波暈眩籠罩著我，我知道在持續失血一個星期之後，再和比我強大許多的對手打架，無疑是一種很白癡的行爲。我想要站起來，就算拚了命也要繼續攻擊。南森站在原地，似乎不急著對我的進攻做出反應，事實上，他仍笑個不停。

我看了看四周，想到一個十分可笑的計畫。伊娜就在我旁邊。疼痛減緩了我的速度，但是仍比我想得要快一點，我轉到她身邊，用手臂勒住了她的脖子。她驚訝地喊出聲，我則更加用力地將她按住。

「出去！」我對南森說，「滾出這裡，不然我殺了她。」

南森停止了大笑，瞪著我看了好半天，然後笑得更厲害了。「妳是認眞的嗎？妳眞的以爲我對付不了妳嗎？妳眞的以爲我會在乎？動手吧！殺了她。這裡還有好幾打像她這樣的人。」

沒錯，聽見他這種說法，我其實不應該感到驚訝，可是我還是有一點被嚇到，他居然可以這麼容易地就犧牲掉一個忠實僕人的性命。

好吧，是時候執行計畫B了……或者是計畫J？老實說，我已經不知道該怎麼辦了，似乎沒有一個是好辦法。

「噢！」

伊娜突然用手肘頂了我的胃一下，出乎我意料的是，我居然鬆開了她。她發出怪異的尖叫，轉身對著我迎面就是一拳。她的這一下沒有南森的一拳那麼疼，但是仍然將我擊倒了。我想要在半空中借力站穩，可是什麼東西都沒有抓到，最後我摔倒在地，後背重重地撞在地板上。我本以爲她會繼續向我衝過來，可是她卻跑向房間的那一頭，令人無語地擋在南森的面前，做出一副保護的姿態。

在我尙未弄明白眼前這種奇怪的情況，不知道她爲什麼要去保護一個對她的生死毫不在乎的人時，門突然打開了。「喔！」我又叫了一聲，因爲門板打中了我，將我掃到一邊。

迪米特里飛快地衝了進來。他看著屋裡的每個人，毫無疑問地，我的臉上有著被南森和伊娜兩個人毆打過的痕跡。迪米特里攥緊了拳，轉身看著南森。這令我想起他們在走道裡打的那一架，想起了那火爆、噁心、充滿嗜血慾望的那一幕。我畏畏縮縮地，鼓起勇氣準備觀看另一場可怕的戰鬥。

「別出手。」南森警告他，臉上帶著洋洋自得的表情。「你知道賈琳娜說了什麼，敢再碰我，你就得滾出這裡。」

迪米特里慢慢地走過去，站在南森面前，飛快地將伊娜掃開，好像她只是一個布娃娃。「就算惹她生氣也值得，而且我會告訴她，是你先動手的。蘿絲臉上的傷就是最好的證明。」

「你不敢。」南森指著伊娜，她正坐在地上，看著迪米特里剛剛將她掃開的位置。我不顧自己也有傷，向她爬了過去。我必須去檢查一下她是不是受傷了。「她會如實相告的。」

現在輪到迪米特里洋洋得意了。「你眞的以爲賈琳娜會相信一個人類的話？不，當我告訴她你處於嫉妒狀態，是怎麼襲擊了我和蘿絲以後，她就會原諒我。事實上，你這麼容易就被打敗，也證明了你的軟弱。我可以輕易擰下你的頭，把蘿絲的銀樁從地庫裡拿出來，趁你還有最後一口氣的時候，讓你親眼看見她是怎麼將銀樁刺進你的心臟的。」

我的天哪！這幾句比起南森威脅要將我燒死的話，一點都不遜色——等一下，我的銀樁？

南森的臉色變得非常難看，至少在我看來是這樣。我想此刻迪米特里一定獲得了極大的滿足，覺得自己佔了上風，他明顯地放鬆下來，嘲諷的語氣變得更加強烈。

「兩次，」迪米特里輕輕地說，「我饒了你兩次。再有第三次的話……再有第三次的話，你就死定了。」

我伸出手，輕輕地握住伊娜的手，小聲說道：「妳還好嗎？」

她怨恨地看了我一眼，抽回了手，迅速避開我。南森看著我，向門口退去。

「不，」他說，「是我饒了她兩次。再有第三次的話，她就死定了。這裡是我說了算，不是你。」

南森打開門，伊娜也站了起來，一瘸一拐地向他走去。

我瞪大了眼睛，無言地看著這一幕。我不知道哪個人更令我討厭。我抬頭看著迪米特里，決定先讓他把我扶起來。剛才這裡發生了什麼事？爲什麼伊娜要保護南森？爲什麼迪米特里要放他走？可是，當我張開嘴後，這麼多問題卻沒有一個問得出口。

我突然哭了起來。

22

我不是經常哭的人，而且我非常討厭自己哭。最後一次哭，是當著迪米特里的面，當時他立刻抱住了我。可是這次，我得到的只是冷冰冰的表情和憤怒。

「這全都是妳的錯！」他喊道，拳頭握得緊緊的。

我畏縮地往後退了退，張大眼睛。「可他……他襲擊了我……」

「對，還有伊娜，一個人類！妳居然會讓人類打倒！」他根本不想掩蓋話語中的不屑。「妳太弱了，居然沒辦法保護自己——這些全都是因爲妳不肯被喚醒！」

他的聲音這麼可怕，他看我的表情……喔，幾乎和南森一樣嚇人。他向前走來，猛地將我從地上拉起來。

「如果妳剛才死了，完全是妳自己的錯。」他說，手指掐進我手腕上的皮膚，猛烈地搖晃著我。「妳是有機會變成不平凡的人，擁有不可思議的力量的！而妳卻盲目得看不到這點！」

我用力吞回眼淚，用另外一隻沒被抓住的手擦乾眼睛。毫無疑問地，方才精心打扮的妝容此刻全都花了。我感覺心臟好像快要從胸膛裡跳出來，害怕極了。我本來以爲只有南森才會暴跳如雷、令人害怕，而迪米特里不會。

妳忘了他是個血族。有個聲音在我腦海中喃喃地說道。

我的身體裡已經有很長一段時間沒有補充腦內啡，所以有了足夠的腎上腺素，令我警惕起來，那個聲音在我心裡變得越來越大，這已經是很久沒有出現過的情況了。迪米特里說我會如此虛弱是因爲我不是血族，可是還有比這更重要的原因——我會如此虛弱，並且被南森和伊娜打倒，是因爲我現在是個癮君子，因爲我過著一種只想追求虛幻的幸福，而完全置我的身體和意志不顧的生活。這種念頭一旦產生，便一發不可收拾，可此刻我對腦內啡的渴望又開始高漲，這兩種想法在我心裡交戰著。

但我仍然清醒著，沒有輕易表露出這兩種想法中的任何一種，而是試著先撫平迪米特里的火氣。「我覺得我可能永遠都打不過南森，就算我變成——被喚醒以後。」

他一隻手撫摸著我的頭髮，冰冷的聲音變得若有所思。他現在似乎冷靜了下來，可是眼睛仍然閃動著憤怒和不耐煩。「也許不會馬上超過他，但是妳身體的力量和堅強的意志力，可以彌補這一點。他的資歷沒比我們多多少，少到可以忽略不計，這就是爲什麼我們兩個吵架的時候，他一直退讓的原因。」

「爲什麼你也一直在忍？」我看得出來他的身體一僵，知道自己的問題也許對他的權威是一種挑釁。我吞咽了一口唾沫，淚水又湧了出來，此時，他仍沒有鬆開我的手腕，反而攥得更緊了。

「因爲他說的有一點是對的。」迪米特里冷硬地說，「殺了他只會讓賈琳娜懲罰我們倆。這種懲罰我還承受不起，目前是這樣。」

「你之前說過，你……我們……必須要殺了她。」

「對，一旦我們成功的話，要接收她的財產、控制她的組織就易如反掌了。」

「她的組織到底是做什麼的？」如果我能讓他一直分心，那他的怒火也許就會慢慢消退了，那個魔鬼一樣的他也可能會不見。

他聳了聳肩。「各種事，她的財富並非不勞而獲。」

「藉由犯法和傷害人類嗎？」

「這有什麼不對嗎？」

我根本懶得回答他。「可是賈琳娜曾經是你的老師，你真的能夠殺了她？我指的不是說實際行動……我是說，你不會感到掙扎嗎？」

他想了想。「我曾告訴過妳，這是個優勝劣汰、獵物和獵人的世界。如果我們可以打倒她——對此我深信不疑——那麼她就是獵物。一切就會結束。」

我微微顫抖著。這句話太冷酷無情了，這是多麼殘忍可怕的一種世界觀。迪米特里這時才想起要鬆開我，我鬆了口氣，心中的大石因而落地。我雙腳顫抖地走回沙發上坐下，有那麼一刻，我很怕他會再抓住我，可是他沒有，反而在我身旁坐了下來。

「為什麼伊娜要攻擊我？為什麼她要保護南森？」

「因為她愛他。」迪米特里毫不掩飾他的厭惡。

「怎麼會……」

「誰知道呢？也許是因為他答應過她，一旦她在這裡服務期滿，就會喚醒她。」雪梨的警告迴盪在我耳邊，那些關於煉金術士為什麼害怕人類得知吸血鬼存在的原因：因為人類可能也會想要變成吸血鬼。「大部分的人類僕人都聽說過這種話。」

「聽說過？」

「因為一般人都沒有這個資格。或者這麼說吧，只要有人餓了，就會隨時抓一個人類來充飢。」

我覺得自己的胃很不舒服，尤其是還和迪米特里坐得這麼近。「剛才的事太可怕了。」

「事情本來不用演變成這樣的。」他不會再對我動手了，但是他的眼睛裡依舊閃動著危險的光芒。這個魔鬼離我只有一步之遙。「時間快到了。我已經很有耐心了，蘿莎。如果換了是別人，我根本不會這麼仁慈。」

「爲什麼？爲什麼你一定要這麼做？」我想要、必須聽他親口說，這麼做是因爲他愛我，這一切都是因爲愛，他永遠都不會強迫我做我不願意的事。我需要聽見這些話，才能忘記出現在這幾分鐘的恐怖、嚇人的魔鬼。

「因爲我知道妳的想法，也知道喚醒妳，可以令妳有屬於自己的自由，讓妳成爲一個更加重要的夥伴。妳獨立，而且很有自己的想法，這就是妳與眾不同的地方。」

「夥伴，嗯？」不是他愛的女人。

他挪了挪身子，以便轉過頭來看我。「我難道沒有告訴過妳，我會永遠在妳身邊嗎？現在，我就在這裡，我會保護妳，我們可以永遠在一起。我們注定要在一起，妳知道的。」可他的聲音裡，不耐煩的意味似乎比愛意更多。

他吻了吻我的唇，將我拉近了些，那股熟悉的熱情又包圍了我，我的身體立刻回應了他。可是就算我的身體順從了，心底還是存留著很多疑問。我一直都認爲我們是注定要在一起的，他也曾經對我說過永遠都會在我身邊，而我也一直都這麼想。可我不希望只有自己一個人付出，也希望能得到他愛的回應，我希望我們兩個是平等的，可以彼此守護的。

可今天並不是這種感覺，我始終處於無法自保的弱勢之中。我這輩子從來、從來沒有這種感覺，就算害怕，就算情況危急，也會奮起反抗。不管再怎麼樣，我應該還是有著些許反抗意願的，而不是像現在這樣，一直生活在恐懼之中，一直渾渾噩噩，除了坐在這裡傻乎乎地等著別人來拯救我，什麼都做不了。我居然還讓人類騎在了頭上。

迪米特里說我變成血族，是解決這個情況的最好辦法。過去這一個星期，這種話他反覆地說了又說，我沒有同意，可也沒有像原來那樣嚴詞拒絕。最近，這種想法被擱置在一旁，我們兩個要在一起的夢似乎越來越遙遠。可我確實很希望能和他在一起，特別是像現在這樣吻成一團，任憑慾望吞噬我們兩個。

可是這一次……這股慾望並不像平時那樣強烈，雖然仍舊存在，可他原來的樣子卻在我腦中揮之不去。這令我突然驚醒，原來我正在和一個血族約會。這眞是……不可思議。

迪米特里喘著粗氣，抽身開來，直直地盯著我看。就算他有著血族的外表，我還是能看出來他想要我——不管從哪一方面來說。這令人相當困惑，他是迪米特里，卻又不是迪米特里。他又湊了過來，吻我的臉頰，接著是下巴，然後是脖子，他的嘴張得大大的，我被他的尖牙嚇了一跳。

「不要。」我掙脫出來。

他愣住了。「妳說什麼？」

心臟又開始怦怦直跳，我鼓起勇氣又說了一遍。「呃……不要。今天不行。」

他直起身子看著我，似乎震驚又生氣。

趁他還沒有開口，我繼續給自己找理由：「我身體不太舒服……很痛。我害怕流那麼多血，雖然我很想……」迪米特里一直說我根本騙不了他，可我還是必須要嘗試一下。我用自認最美好、最熱情、最無辜的表情看著他。「我很想要……我很喜歡你咬我，可我想先休息一下，讓身體變得強壯一些……」

「讓我喚醒妳，妳就會變強壯了。」

「我知道。」我繼續用那種迷死人不償命的聲音說，同時轉開頭，希望可以增強那種迷茫的效果。好吧，有鑑於我最近的生活型態，要裝迷茫一點都不難。「而且我開始在想……」

我聽見一聲重重的吸氣聲。「開始想什麼？」

我回過頭看他，希望能夠讓他相信我是眞的在考慮。「我再也不希望這麼軟弱了。」我能看透他的想法，他相信我。可是，我最後那句話不是假的，我眞的不希望再那麼軟弱了。

「拜託嘛……我只不過想要休息一下。我想再考慮一陣子。」

又來了，氣氛又開始變得沉重。事實上，我不僅是在騙他，也是在欺騙我自己。因爲說眞的，我希望他能咬我，極度渴望。我已經很久沒有被咬了，我的身體在呼喚它，我需要腦內啡，需要它勝過空氣和食物。

不過，此刻我才離開它一天不到，思緒卻已經漸漸清晰了起來。只是，那股對歡愉、對那飄渺的幸福的渴望，並不在乎我的意識是不是已經清醒了些，這意味著我還需要再和內心抗爭一番，抑制住自己最強烈的渴望。

在想了許久之後，迪米特里點點頭，站了起來。他認爲我的這些話代表我的想法已經有了轉變，只差一點就會點頭了。「那好好休息吧！我們稍後再談。可是蘿絲……我們只剩兩天了。」

「兩天？」

「兩天以後，就是賈琳娜給的期限。她只能給我們這麼多時間，然後我就要決定如何處置妳。」

「你會喚醒我嗎？」我不知道「死亡」這個選項，是不是依然被列入考量之中。

「對，如果我們沒有達成共識的話，這麼做對我們都好。」他跳下沙發，站了起來。之後，他稍微停留了一會兒，從口袋裡掏出一樣東西。「哦，我帶了這個給妳。」

他遞給我一個鑲滿了蛋白石和碎鑽的手鐲，一副這只是個不値錢的小玩意兒的樣子。手鐲很炫目，每顆蛋白石都折射出千萬種色彩。

「哇哦，這……這太漂亮了。」我將它套上手腕，可不知怎麼的，這禮物所代表的意義遠不如從前了。

迪米特里滿意地俯下身子，吻了吻我的額頭。他向門口走去，留我躺在沙發上，一個人絕望地壓制著內心渴望他回來咬我的念頭。

剩下的時間我都在煩悶當中度過。

我讀過很多關於上癮方面的書籍，知道當人們在戒酒或者戒毒的時候是多麼難受，我甚至曾經親眼見過一個餵食者，因爲學校不再雇用他而發狂。因爲他的年紀太大，考慮到腦內啡對他健康的影響，所以學校決定不再讓他替莫里提供血液。我當時驚訝地看著他跪下來，求學校讓他留下來，他發誓自己不介意冒這個風險。雖然我早就知道他是個成癮者，卻還是不明白爲什麼這件事居然值得他拿生命來交換。現在，我明白了。

當「毒」癮發作時，我也願意冒著生命危險換來再次的咬齧，但如果我再繼續這麼做，就眞的會爲此付出生命。我毫不懷疑，如果再過幾天這種飄飄欲仙的日子，我肯定會答應迪米特里的要求。不過，隨著難捱的時光一分一秒地過去，吸血帶來的幻覺一點點消散後，我的意識開始變得異常清晰。哦，但是要想完全脫離吸血鬼的腦內啡帶來的幻境，還需要很長的一段時間。當我們被關在斯波坎的時候，艾迪曾被當做血族的血液來源，之後他用了很長一段時間才慢慢恢復正常。

每當我的理智多回來一點，我就更加清楚地意識到，不能再被咬是多麼重要的一件事。停止吸血可以令理智輕易地就回到我的身體裡。

可是，我還有很多艱難的問題沒有解決。似乎不管我是不是同意，最後的命運都還是會被變成血族。迪米特里希望喚醒我，這樣我們就可以一起橫掃吸血鬼的世界，像雌雄大盜邦妮和克萊德一樣。南森希望我變成血族，是為了要追查到莉莎的下落，然後再殺了我。很顯然，迪米特里的提議比較有吸引力，可是仍然不夠，而且對我再也不具有誘惑力了。

昨天，我好像說過一些例如「我不再那麼擔心變成血族了」之類的話。但現在，嚴肅的現實問題就擺在我面前，過去曾有過的想法又再度浮現腦海。是自殺，還是要變成血族一樣的生物，繼續存在？當然，如果變成魔鬼的話，就代表我可以和迪米特里在一起……

除非那個人已經不是迪米特里了。真的是這樣嗎？這真是一個足以令人想破頭的問題。我再次提醒自己他許久之前說過的話：不管血族看起來和妳之前認識的人多麼像，他們都已經變了。可是現在的這個迪米特里說，他之前的想法是錯的。

「這是因為腦內啡的作用，蘿絲。那就像是毒品……」我坐在沙發上，呻吟著將臉埋在手裡。太好了，我現在已經開始自言自語了。

就算能衝破這個迪米特里帶給我的幻境，從這個自認為誤解了血族的狀態中抽離……嗯，然後呢？我還是會面臨進退兩難的境地。我手裡沒有能和血族戰鬥的武器，也沒有可以自殺的武器，可能又會落在他們手裡。可是至少，我現在已經打算好好地打一場了。沒錯，就算這是必敗的一場仗，但如果我能再更清醒一些，至少制伏伊娜是沒問題的吧！這就已經足夠了。

關鍵的問題是，要如何擺脫對腦內啡的癮頭。每次我想逃跑的計畫想到要撞牆的時候，體內的需求就會自然而然地湧現。我想要再次體驗那種快感，想要那輕飄飄的虛幻感覺，我需要它回來，不然我就要死去了。要是我這樣死掉的話，就再也不用煩惱會不會變成血族了……

「該死！」我站起來，開始踱步，希望能令自己分神。電視做不到這點，這已經是毋庸置疑的了。如果我能再堅持一會兒，就能將那種癮頭徹底趕出身體，我就能想到辦法拯救自己、拯救莉莎了……對了，莉莎！

我毫不猶豫地潛進她的意識。如果我在她的身體和意識裡，也許就可以暫時忘記自己的事情。我的癮頭就能快點消退。

莉莎那一票人已經從皇庭回來了，但是氣氛比起前去之前低落了許多。清晨慘澹的陽光，令莉莎不敢相信她居然在昨晚的派對上做了那麼多蠢事。在桌子上跳舞不是世界上最丟人的事，但回想起這個週末參加過的其他派對，和愛瑞帶她參加的一系列活動，她禁不住要想是什麼讓她變成這樣。有時候，她覺得自己變得都不像自己了。還有和艾倫的那一吻……哦，那是所有事裡頭令她最爲內疚的一件。

「別想了，」愛瑞在飛機上對她說，「人喝醉的時候都會做蠢事。」

「可我不會，」莉莎呻吟著說，「我已經不像我了。」雖然這麼說，莉莎在回程的途中還是喝了一杯摻了柳橙的含羞草口味香檳。

愛瑞笑著說：「雖然我沒有這種經驗，但是我覺得妳的行爲還好。不管怎麼說，妳沒有打算和一個人類或者是非皇室的傢伙私奔。」

莉莎也微微一笑，眼睛看向了吉兒。吉兒坐在她們前方的座位上，艾德里安剛才和這個小女生聊了會天，不過現在她正忙著看書，最大的希望就是離李德遠遠的。李德還是和西蒙坐在一起，莉莎則驚訝於這個守護者居然用懷疑的目光看著吉兒。也許李德告訴過西蒙，說這個小女生可能是個威脅。

「妳擔心她嗎？」愛瑞順著莉莎的目光看去。

「也不是……我只是忘不掉她昨天晚上看我的眼神。」

「她還小，很容易就會被嚇到。」

莉莎也希望這是眞的。可不管她是不是還小，吉兒昨天對她說的話確實很誠懇，而且令人覺得刮目相看。這令莉莎想起了我可能也會這麼做。對於一個這麼關心自己的人，莉莎是不可能無動於衷的，因此她站起了身。

「我一會兒就回來。」她對愛瑞說，「我去找她談談。」

當莉莎突然在她身旁坐下時，吉兒明顯感到很驚訝。這個小女生將書籤放進書中，雖然心裡七上八下，臉上還是帶著笑容，眞誠地和莉莎打了個招呼。「嘿。」

「嘿。」莉莎說。她的香檳喝得不多，所以還能看見吉兒的靈光。她的靈光是鮮豔的藍綠色，周圍則是紫色和深藍色。很好，是很強大的靈光。

「聽著，我想對昨天晚上的事道歉……我說的那些話……」

「哦，」吉兒急忙說，「沒關係，眞的。我是說，事情變得有點失控，我知道妳喝醉了。至少，我是這麼認爲的。不過我也不是眞的很清楚，我從來沒有喝過酒，所以也不太確定。」吉兒這副緊張的模樣，總是令她看起來不知道是想長篇大論還是沉默不語。

「對，嗯，我在那之前可能就已經喝醉了，而且我對李德的那件事也很抱歉。」莉莎壓低了嗓音，「雖然我想不起來詳細情況如何，不過他對妳做的事跟說的話，都不太適當。」

兩個女生同時轉頭看著李德。他似乎看書看得正入迷，可是突然間，他好像感應到有人在看自己，將目光轉向了吉兒和莉莎。他瞪著眼睛，女生們立刻將頭轉了回來。

「那絕對不是妳的錯。」吉兒說，「而且，妳也知道，艾德里安保護了我，所以最後沒發生什麼事。」

莉莎努力想繃起臉。艾德里安就坐在她們視線所及的範圍內，如果不是那樣，莉莎猜吉兒很可能也會用那種夢幻的目光看他。艾德里安最近和愛瑞走得很近，莉莎看得出來吉兒在他面前，永遠都是小妹妹的角色。雖然照現在的情況看來，吉兒很顯然是有了一點想往前發展的衝動。這種情況很有意思，而且莉莎雖然認爲自己這麼想很愚蠢，可仍然禁不住對吉兒的目標是艾德里安而非克里斯蒂安，感到微微鬆了口氣。

「哦，眞希望當時我沒有那麼做。」莉莎說，「也希望不會有人因此而看不起我。」

「我不會，」吉兒說，「我相信克里斯蒂安也不會的。」

莉莎皺起了眉頭，猶豫了片刻。「呃……這種事沒必要告訴他，徒增他的煩惱吧？這是我自己犯下的愚蠢錯誤，我會處理的。」

現在輪到吉兒皺眉了。她開口之前，猶豫了一會兒，原來的緊張感又回來了：「可是妳必須告訴他，妳必須把眞相告訴他，不是嗎？」

「這又不是什麼了不起的事。」莉莎說完，很驚訝自己的反應居然這麼大。那種莫名其妙的憤怒又來了。

「可是……你們兩個不是很認眞地在談戀愛嗎？妳應該要對他誠實，對吧？我是說，妳不能騙他。」

莉莎翻了個白眼。「吉兒，妳從來沒有很認眞地談過一場戀愛，對不對？妳和人約過會嗎？我不會騙他的，只是不想告訴他會令他吃飛醋的事情。這和欺騙他並不一樣。」

「這就是欺騙。」吉兒爭論道。我敢打賭，對莉莎回嘴這件事對她來講很艱難，不過我很欣賞她的勇敢。「他有權利知道。」

莉莎惱怒地嘆了一口氣，站了起來。「算了，我本來以爲，我們可以像大人一樣好好聊一聊，可惜顯然是我想錯了。」她看著吉兒那種嚴厲的表情，嚇得吉兒直發抖。

可是，回到學校以後，內疚一直不斷啃噬著莉莎的內心。克里斯蒂安看見她回來非常高興，熱情地吻她、擁抱她。莉莎仍然堅信吉兒是反應過度，可是每當她看著克里斯蒂安的時候，就一直想起和艾倫的那個吻。這種事眞的如同吉兒說的那樣不可饒恕嗎？可那是喝醉了之後，偶爾才會發生的事情。

聽著莉莎的分析，愛瑞同意這種事不用太放在心上。可是，看著她望著莉莎的目光，我有種感覺，她似乎更擔心如果莉莎和克里斯蒂安分手以後，會有什麼情緒反應。道德的事可以先放在一邊，愛瑞更想要保護莉莎。

這一切似乎就要這麼慢慢地淡去了……直到當天晚上，莉莎約了克里斯蒂安一起吃晚飯。他走進莉莎的宿舍大廳時，臉上烏雲密佈，淡藍色的眼睛看上去似乎可以劈出閃電。

「妳打算什麼時候才告訴我？」他問，聲音很大，有幾個路人驚訝地轉過頭。

莉莎急忙將他拉到角落裡，降低嗓門問：「什麼事？」

「妳知道我說的是什麼。妳把這個週末，當成了釣男生的機會。」

她瞪著他好長一段時間，突然明白了過來。「是吉兒告訴你的！」

「對，是我逼她說的。她來和我練習，可是一直一副眼淚汪汪的模樣。」

莉莎那股無名火突然爆發了出來。「她沒有這個權利！」

「妳也沒有。妳眞的認爲在做了那種事之後，還是能把我蒙在鼓裡嗎？」

「克里斯蒂安，那只不過是喝醉了之後的一個愚蠢的吻而已。老天作證，那是我從桌子上跌下來，他救了我之後的一個玩笑。什麼意義都沒有。」

克里斯蒂安的臉色變得更難看了，莉莎以爲他肯定會同意自己的說法，但他沒有。「本來是沒有什麼意義，」他終於說，「如果是妳自己告訴我的話。我不應該從別人口中知道這件事的。」

「吉兒——」

「她不是關鍵，妳才是。」

莉莎愣了好一會兒。「你說什麼？」

「我……」克里斯蒂安突然看起來很疲倦，他揉了揉眼睛。「我不知道，只是……這件事來得太突然了，我……我不知道自己是不是能夠接受。妳在去之前還一直要邀我一起去，可是現在怎麼會這樣？」

「為什麼妳不明白呢？那件事根本沒什麼！愛瑞也同意的。」

「哦，」克里斯蒂安嘲諷地說，「如果愛瑞同意了，那就肯定沒問題了。」

莉莎的脾氣也上來了。「你這麼說是什麼意思？我以為你很喜歡她。」

「我是很喜歡，但不懂為什麼最近妳對她的信任，比對我的還多。」

「可是我信任蘿絲，你就沒有意見。」

「愛瑞不是蘿絲。」

「克里斯蒂安……」

他搖了搖頭。「聽著，我也沒心思和妳吃晚飯了。我要一個人冷靜一下。」

「我什麼時候能夠再見到你？」她慌亂地問。莉莎的憤怒已經被恐懼所取代了。

「我不知道，也許晚一點吧。」他沒再說什麼，轉身走了。

莉莎看著他的背影，愣愣地看著他走出大廳。她想追上去，求他回來原諒自己。可是這裡的人太多了，她也不想讓人看笑話，或者是強迫他做任何事。所以，她跑去找唯一一個能夠找的人——愛瑞。

「沒想到今天還能再看見妳。」愛瑞打開房門後說，「妳怎麼……老天，出了什麼事了？」

她將莉莎帶進屋，問她到底是怎麼回事。莉莎一邊哭，一邊說著她和克里斯蒂安剛才發生的事，幾乎已經快要歇斯底里了。

「我不知道他是什麼意思。他是想要分手嗎？之後他還會來找我嗎？」莉莎將頭埋進手裡。

「哦，上帝，妳說他和吉兒之間不會有什麼吧？對嗎？」

「那個小尤物？不！」愛瑞大聲說道，「當然不會。聽著，妳現在需要冷靜，妳把我嚇壞了。會沒事的。」愛瑞的臉上顯出一絲焦慮，她走去替莉莎倒了一杯水，隨後，她想了想，將杯子裡的水倒掉，換上了酒。

莉莎獨自坐在那裡，覺得有種強烈的感情在折磨著她。她討厭自己現在這個樣子，總覺得有些不對勁。一開始，她先是失去了我，現在又輪到了克里斯蒂安。為什麼她不能把自己的朋友留在身邊？是什麼把他們帶走了？她真的瀕臨瘋狂了嗎？她有種很深的無力感，絕望極了，而且她——

砰！

突然，毫無預警地，我被推出了莉莎的意識，她的想法完全消失了。既不是我自己主動退出來的，也不是因為我這邊發生狀況而突然中斷的。

我獨自站在房間裡，一邊踱步一邊想著。這種事從來、從來沒有發生過，就像是……呃，像是被人推了一把，又好像有一面玻璃牆或者屏障之類的東西，突然在我面前倒了下來，迫使我不得不向後躲。這是一個來自外部的力量，而不是來自於我。

但怎麼會這樣？莉莎也面臨同樣的情況嗎？就我所知，她永遠都不可能用她的意識感應到我。現在情況變了嗎？是她把我踢出來的嗎？還是說她情感的波動力量，已經強大到容不下我了？

我不知道，什麼都不知道，當事情發生時，除了感覺到自己被人推出來之外，其他什麼奇怪的感覺都沒有。就好像我的意識正漂浮在半空中，突然有人走進來抓住了它。我感覺到短暫的冷熱交替的變化，然後一切就靜止了，我已經被踢出了她的意識，就好像她能感覺到有人入侵一樣。

而且這種感覺，也令人覺得很……熟悉。

23

不幸的是，我一點都記不起來什麼時候感覺到過。想到最近發生在我身上的其他事，事實上我根本回憶不起來什麼有價值的事。我的記憶有點凌亂，卻還是盡最大的努力想將它們拼湊在一起，試圖想起我的意識曾在什麼時候被人抓住過。可還是一無所獲，想到最後，我終於決定放棄，還是先想想怎麼從這裡逃跑吧！

隨著時間的流逝，我越來越明白自己絕對需要一個逃跑方案。雖然沒有腦內啡的迷幻作用很痛苦，但是隨著它存在我體內的劑量越來越少，思路也變得越來越清晰，也讓我相當驚訝之前怎麼會允許自己那麼任性。從允許迪米特里咬我的那一刻開始……我的一部分就已經墮落了。我已經喪失了理智，丟掉了所有的力量和戰鬥技巧，我變得溫柔、腦筋簡單到近乎愚蠢。

好吧，並不完全是如此。如果我完全地墮落了，我現在已經變成血族了。我對此感到安慰，雖然被咬得欲仙欲死，仍然沒有忘記這點，有一部分的我仍然還在反抗，拒絕屈服。

在想清楚自己其實並不如想像中那樣軟弱，令我又有了前進的勇氣。這讓無視身體的叫囂這件事變得簡單了許多，我努力將注意力放在別的地方，比如看電視，比如吃光冰箱裡剩下的食物。我甚至一直強忍著不睡，直到把自己折騰得精疲力竭為止。這招很管用，我的頭一挨上枕頭，立刻進入了甜蜜的夢鄉，那種難受的感覺也因此消失無蹤。

不知道過了多久，我被吵醒，因為有人上了床躺在我身旁。我張開眼睛，剛好對上迪米特里那雙紅眼睛，這是這麼久以來第一次，我看著他的時候只有害怕，沒有愛。但是我並沒有表現出來，仍然微笑地看著他，伸手拍了拍他的臉。

「你回來了，我想你了。」

他抓住我的手，吻著我的掌心。「我有事要忙。」

籠罩在他臉上的陰影變換著，我發現他的嘴角有一小點、幾乎令人難以察覺的乾涸血漬，微笑著用自己的手指將那血漬抹去。「我也這麼想。」

「這是生理的需要，蘿絲。妳還好嗎？」

「好點了，只是……」

「什麼？」

我別開眼睛，內心又開始激烈地交戰。他的眼神裡頭不只是好奇，還有關心，雖然只有一點點，但畢竟還是有。他還關心我。可也只是兩秒鐘之前，我擦去了他臉上的血漬，那是屬於一個可憐之人的血，他的血在過去幾個小時被吸得一滴不剩。

「我剛潛進了莉莎的意識裡，」最後我說道。讓他知道這點也沒什麼害處，和南森一樣，他也很清楚莉莎現在人在學院。「然後……我被推出來了。」

「推出來了？」

「是的……我像往常一樣，透過她的眼睛看著她周圍發生的事，可是有股力量……我不知道，好像是一隻看不見的手，把我推了出來。我從來沒有遇過這種事情。」

「也許這是她最新的精神能力？」

「也許吧。可是我一直定期去看她，從來沒見她練習過這樣的能力，也沒感覺到她有這種想法。」

迪米特里微微聳了聳肩，伸手摟住我。「被喚醒之後，妳的感覺會更靈敏，和這個世界的聯繫會更親密。只是那並不能讓妳變得無所不知，我也不知道爲什麼會發生這種事。」

「確實不是，不然南森就不會這麼想知道關於她的消息了。爲什麼他要這樣做？爲什麼血族這麼想要滅掉一整個皇室家族的成員？我們知道他們——你們——已經滅掉好幾個了，可是爲什麼？這有什麼用呢？難道單獨的獵物就不是獵物了嗎？尤其，有很多血族以前都是莫里的皇室。」

「原因很複雜。其實，有很多血族是很害怕以莫里的皇室爲目標的。在你們原來的世界裡，皇室的地位高於所有人，因此他們身邊有最優秀的守護者，有最好的保護措施。」沒錯，事實就是這樣，莉莎在皇庭時就已經見識到了。「如果我們在這種情況下，仍然能夠成功，那麼這些人還能怎麼說呢？那意味著沒有人是安全的。這種做法可以製造恐慌，而恐慌能令人做出許多傻事，這樣要獵殺他們就容易多了。」

「眞可怕。」

「這是優勝——」

「對對，我知道，優勝劣汰。」

他的眼睛微微地瞇起來，很明顯不喜歡被我打斷。但是，他很快跳過這點。「而且瓦解了莫里的高層還有另外一個好處，就是可以動搖軍心。」

「也許沒有人領導的話，他們會過得更好。」我說。迪米特里奇怪地看了我一眼，我也被自己嚇了一跳，又想起了維克多・達什科夫。我意識到自己應該閉嘴，現在的我和那個被腦內啡控制、意識模糊不清的我不太像。「還有別的原因嗎？」

「別的……」他微微一笑，「別的原因就是爲了聲望。我們是爲榮譽而戰，因爲榮譽可以帶來滿足感，令我們知道，我們可以做到別人花了好幾百年都無法做到的事情。」

絕對的血族本性，嗜血、殺戮和死亡。他們其實不用給自己找這麼多別的藉口。

迪米特里的目光順著我看向一旁的桌子，那上面放著我睡覺時摘下來的首飾。他給我的所有禮物都在那，閃閃發光著，好似海盜的寶藏。他伸出手，挑出其中一條掛著魔眼護身符的項鏈。「妳還帶著它。」

「對，不過沒有你的禮物漂亮。」看見這魔眼，令我想起我的母親。我已經很久沒有想起過她了。在拜亞的時候，我一直將歐琳娜當做我的乾媽，可是現在……現在我有點想念自己的親生母親了。

珍妮・海瑟薇也許不會做飯，不會做家務，可是她聰明又有責任心。我開始明白，從某種意義上來講，我們兩個其實是很像的。我身上的叛逆來源於她，特別是在現在這種情況下，我看得更加清楚。如果是她，絕對不會放棄逃跑的希望。

「這個我以前沒有見過。」迪米特里說。他放下護身符，拿起馬克送我的銀戒指。

自從我離開貝里科夫家以後，就沒有再戴過它了，一直把它和護身符一起放在桌子上。

「這是我在——」我停了下來，這才發現我從來沒有提起過去新西伯利亞之前的事。

「在什麼？」

「在你的老家，在拜亞的時候，別人送我的。」

迪米特里手裡把玩著那個戒指，在一個指頭上套了一下，又換到另一個指頭上。當他聽見我提到那個名字之後，停下了手裡的動作。「妳去過哪兒？」

眞奇怪，我們居然沒有聊起過這件事。我之前曾經好幾次提起過新西伯利亞，但也僅此而已。

「我本來以爲你會在那裡。」我解釋道，「我不知道這裡的血族通常都在大城市出沒。我和你的家人一起住了一陣子。」

他的目光又落回到戒指上，繼續在指間把玩著它。

「還有呢？」

「還有……他們人都很好，我很喜歡他們，還經常和維多利亞一起出去。」

「她怎麼沒在學校？」

「那時是復活節假期。」

「啊，對。她還好嗎？」

「不錯啊。」我飛快地說。我沒辦法告訴她我離開之前，她和羅蘭之間的事。「卡洛琳娜也很好，她總能讓我想起你。她眞的很厲害，嚇得幾個愛惹麻煩的拜爾屁滾尿流。」

迪米特里又笑了，顯得非常……美好。我是說，雖然他的尖牙還是很噁心，可是並沒有我想的那種邪惡感，他的臉上也露出寵溺的神情，那種眞情流露讓我覺得有點不可思議。「我能想像。她有小寶寶了嗎？」

「有了……」我稍稍被他的笑容融化了，「是個女生，叫佐婭。」

「佐婭，」他重複了一遍，還是沒有看我。「名字不錯。索婭呢？」

「哦，我見到她的時候不多，她脾氣有點暴躁……維多利亞說，可能是因爲她懷孕的緣故。」

「索婭也懷孕了？」

「嗯，是的。應該有六個月了吧。」

他的笑變得有點勉強，不過仍充滿關心。「我知道這種事早晚會發生的。她一直都沒有卡洛琳娜那麼聰明，卡洛琳娜的孩子是計畫好的……我猜索婭懷孕是因爲意外。」

「是的，我也有這種感覺。」

他又一一問了家裡其他人的情況。「我媽媽和祖母怎麼樣？」

「呃，很好，都很好。」對話進行到這裡，變得更加奇怪了。不只是因為這是我到這裡以後，我們第一次聊這麼正常的話題，而且也是他第一次對別的事情感興趣，期間沒有摻雜過別的，比如親吻、吸血的。我們之前聊天的內容，除了一起追憶曾經並肩戰鬥的時刻，就是互相揶揄在小木屋那次的做愛。「你的祖母有點嚇人。」

他哈哈大笑，我不由得一震。這和他原來的笑聲是那麼、那麼的接近，幾乎和我印象中的沒什麼區別了。「對，她就是那種人。」

「而且她還假裝聽不懂英語。」這其實是所有事當中最微不足道的小事，但我就是很生氣。

「對，她是會那麼做。」他仍然帶著微笑，聲音透出無限寵溺。「她們還住在一起嗎？還住在原來的地方？」

「對，我還看見了你對我提起過的書。那些書很漂亮，可惜我看不懂。」

「那是我第一次愛上美國西部小說的地方。」

「老天，我愛死了拿這些事開你的玩笑。」

他咯咯笑起來。「對，除了這些，妳還取笑過東歐落後的音樂，還一直喊我『夥伴』，妳有很多梗可以用。」

我也哈哈大笑起來，「『夥伴』和音樂的事真的太離譜了。」我幾乎忘了他曾經的暱稱，這個名字和現在的他一點也不相配了。「可是，你總是裝扮得像西部牛仔一樣，穿著那樣的皮風衣和——」我突然停了下來，差一點就提起他的職責是幫助那些有需要的人，可是現在這已經不在他的考慮範圍內了。

他沒有發現我的口誤，繼續問道：「後來妳離開他們，到了新西伯利亞？」

「對，我和那些愛惹麻煩的拜爾在一起，然後到處追殺……和那些未經認證的拜爾一起。可我差點留在那裡，你的家人都很希望我能留下來，我考慮了很久。」

迪米特里對著燈光舉起戒指，被陰影覆蓋的臉陷入沉思，而後嘆了一口氣。「妳眞應該留下。」

「她們都是好人。」

「沒錯，」他溫柔地說，「妳留下的話，應該能過得很幸福。」

他伸出手，將戒指放回到桌子上，然後又轉過來看著我，吻了過來。這是他成爲血族之後，吻得最溫柔、讓我覺得最甜蜜的一次，讓我更加震驚了。

可是，只過了幾秒，那種溫柔便逃走了，我們的吻又恢復了原樣，帶有強迫的味道，還有飢餓。我總有種感覺，他飢餓的感覺令他不滿足僅僅有一個簡單的吻，雖然他剛剛才吃飽。這令我覺得更加疑惑，他在談起他家人的時候，變得那麼的……嗯，正常和和善。我開始動腦筋想著，要怎麼躲過之後的那一咬而不被懷疑。我的身體仍然虛弱，非常渴望他咬我，可是在我心裡，我更偏向原來的自己。

迪米特里結束了這個吻，我在他做別的事情之前，將剛剛想到的事情說了出來：「那是什麼樣的感覺？」

「什麼什麼樣的感覺？」

「接吻。」

他皺了皺眉頭。

我贏得一分，成功地令一個在晚上出沒的不死怪物，暫時忘掉了吸血。雪梨一定會爲我感到驕傲的。

「什麼意思？」

「你說過，被喚醒之後，所有的感官都會變得更敏感，親吻的感覺也會有不同嗎？」

「啊，」他恍然大悟，「確實，有一點。我的嗅覺和以前比起來，變得比較靈敏，所以妳的味道變得更加強烈……妳的汗水、妳用的洗髮精的味道……和一切妳能想像到的味道，簡直令人陶醉。當然，那些原本就強烈的味道會變得更加強烈。」他低頭又吻了吻我。

他的描述令我有些不安。真沒想到會這樣，我本來是希望能夠分散他的注意力，可並不是用的身體來令他分神。

「那天晚上我們出去的時候，那些花的香味聞起來特別濃烈。如果我都這麼覺得了，對你來說味道豈不是更強烈？我是說，那些味道會令你難以忍受嗎？」

他又開始解答這個問題。就這樣，我不斷地想問題，不斷問他血族生活的各個方面。我想知道那是一種什麼樣的生活，和他的感受……我好奇而熱情地問著每件事，在恰當的時候輕咬下唇，裝作若有所思。我能看見我問問題的時候，他的興趣越來越濃，雖然他的態度仍然刻薄冷漠，再不像我們剛才那場充滿感情的談話時那種罕見的樣子。他似乎希望我問完了所有問題之後，就會點頭同意變成血族。

提問繼續，但同時我也覺得越來越疲憊。我打了很多個哈欠，問的問題也沒有了思路。終於，我用手背揉揉眼睛，又打了個哈欠。「還有好多事情想要知……道哦……」

「我說了，那種感覺很奇妙。」

老實說，聽起來是有一點，但是大部分都像地獄一樣骯髒噁心。可是如果你能夠克服整個喚醒的過程，和那些邪惡的部分，變成血族還是有好處的。

「我還有很多問題。」我喃喃地說。說完，我閉上眼睛嘆了一口氣，然後又張開，強迫自己保持清醒。「可是……我太累了……還是有點不舒服。你說我會不會是被撞得腦震盪了？」

「不會，一旦妳被喚醒了，就什麼事都沒有了。」

「可是你還沒有回答完我的問題。」這句話說得很含糊，因爲我又打了個哈欠。

可他馬上聽明白了，想了一會兒才作出回應。「好吧，等我都回答完好了。可是我對妳說過，時間已經不多了。」

我輕輕地閉上眼睛。「但是還沒有到最後一天……」

「對，」他靜靜地說，「還沒有。」

我躺在那裡，盡可能地讓呼吸均勻。我的表演蒙混過關了嗎？他極有可能還是會咬我，雖然他知道我睡著了。我是在拿自己下賭注，一旦他咬下去，之前所有的努力就都將化爲烏有，一切都要從頭來過。可就算從頭開始，我也不確定還能不能躲過下次……不過，那時候也不會有下次了吧！我應該已經變成血族了。

迪米特里在我身邊又躺了一會兒，然後我感應到他動了，於是悄悄提高警覺。該死，來了，要咬了。我非常確定，接吻就是他引誘我、讓我同意他吸血的手段，現在，這一步他已經完成了……

可是，我想錯了。所有我假設的事情都沒有發生，一切結束了，他沒有咬我。

他坐起來，然後離開。

當我聽見關門的聲響時，幾乎要認爲這是他使出的伎倆。他只是假裝走出去，其實還站在房間裡，看我是不是僞裝的。當我感應到血族的那股反胃感也消退之後，我才相信他是眞的走了。他眞的放過了我，認爲我需要休息，看來我的演技很眞實。

我立刻坐起來，仔細想著存留在心中的疑問。

他這次來，似乎……呃，令我想起了原來的那個迪米特里。沒錯，他從裡到外都還是血族，但是又摻雜了很不一樣的東西。他的笑聲裡帶了一絲溫暖，而他聽見家人的名字時，那種關心和感情也是眞誠的。會是這樣嗎？當他聽見自己家人的消息時，扣動了他埋藏在怪物外表下的靈魂機關？我承認，一想到他有可能因爲家人改變態度，而不是因爲我，我確實有點嫉妒。可是他在談起我們之間的事的時候，也令人覺得很溫暖，只是有點……

不，不對，我不能這麼想。他根本沒有改變，現在的他也無法回到過去，這只是我美好的願望。當我找回越多迷失的自己後，越明白眼前的眞實情況。

忽然，迪米特里的動作令我想起了別的事情。我完全忘了歐克桑娜的戒指！我從桌子上拿起戒指，將它戴在我的手上，卻沒有感應到明顯的變化。如果這裡面仍然有治癒的魔法，對我也許會有幫助，它可令我的身心重新合二爲一。如果莉莎的負面情緒眞的傳遞到我身上，這枚戒指也會幫我將它驅走。

我嘆了一口氣。不管我怎麼告訴自己我和她都自由了，卻從來未曾眞正地自由過。她是我最好的朋友，我們之間的關係很少有人能夠理解，而我也不可能完全拋棄我的過去。我現在很後悔那樣對待艾德里安，他來是爲了幫助我，可我卻不識好人心。現在，我已經沒有能夠聯繫外界的管道了。

想到莉莎，又令我想起了之前我潛進她意識裡時發生的事。究竟是什麼將我推了出來？我猶豫著，想著自己現在應該怎麼做。莉莎離我很遠，而她可能有了麻煩。可這裡有迪米特里和其他血族……我現在還不能馬上逃跑，可我必須再去看看她，哪怕就一眼……

我發現她居然去了一個很不常去的地方。她和迪爾德在一起，她是學校的心理諮詢師。莉莎在她的情緒剛開始失控的時候，曾去見過心理諮詢師，但是當時給她諮詢的是另一個人。我努力潛進更深一點，知道了事情的經過：她的諮詢師在學校被襲擊之後就馬上離開了，學校將迪爾德指派給了她。我曾經找她做過一次諮詢，當時每個人都以爲我因爲梅森的死而變得瘋狂。

迪爾德是個思想十分前衛的莫里，經常將自己的金髮梳得一絲不苟，她看起來比我們大不了多少，而她的諮詢方法很像是員警在做筆錄。不過，我發現，她和莉莎在一起時看起來溫柔多了。

「莉莎，我們有點擔心妳。正常情況下，我們會建議妳暫時停課。我其實不希望他們這麼做，我一直覺得，妳沒有把所有的事都說出來，還有事瞞著我們。」

莉莎要停課？我再次去看了看最近發生了什麼，終於明白了。就在昨晚，莉莎和其他人在圖書館裡大吵大鬧，後來還舉辦了一個即興的派對，裡面提供的全是酒精飲料，他們還破壞了許多公物。仁慈的主啊，我最好的朋友居然得去參加嗜酒者互誡協會。

莉莎將手臂環在胸前，露出防備的姿態。「沒什麼大不了，我們只是想找點樂子而已。我很抱歉弄壞了東西，但是如果妳想要我停課，隨妳便。」

迪爾德搖了搖頭。「我沒有這麼想過，我好奇的是妳爲什麼要這麼做。我知道妳曾經得過憂鬱症，還有其他的心理問題，這些都是因爲妳的……啊，魔法。可是這次給人的感覺，比較像是叛逆的行爲。」

叛逆？哦，不只吧。自從上次吵架之後，莉莎就一直找不到克里斯蒂安，這讓她難受得要死。她現在正處於無法控制自己的低潮期，滿腦子想的都是他——還有我。派對和找刺激之類的舉動，只是爲了讓她不要再繼續想著我們。

「很多學生都這麼做，」莉莎辯解道，「爲什麼只有我這麼做，就好像是犯了天大的錯誤？」

「哦，因爲妳令自己陷入了危險。從圖書館出來之後，妳還差點摔進游泳池裡。喝醉之後游泳，是絕對會引起別人警惕的一件事。」

「又沒有人淹死。就算有人不小心掉進去了，我也敢保證，我們這些人會把他救上來。」

「這只是個開始，想到妳曾經有過的自殘行爲，比如說割……」

接下來的一個小時，莉莎和曾經的我一樣，不得不回答迪爾德一個又一個的問題。當諮詢時間終於結束，迪爾德說她還不會向學校遞交處置報告，她希望莉莎能多來幾次，莉莎可以在停課和替自己澄清之間做個選擇。

莉莎忿忿不平地走過校園的時候，看見克里斯蒂安正從對面走過來。希望將她的心點亮，黑暗一掃而光，變得陽光燦爛。

「克里斯蒂安！」她叫喊著向他跑過去。

克里斯蒂安停下來，小心翼翼地看了她一眼。「妳想幹什麼？」

「你這麼說是什麼意思？」她本來想撲進他的懷裡，等著聽他告訴自己一切都過去了。她很傷心，傷心得心裡沒有一絲陽光……可是她脆弱的心仍然抱有一線希望，覺得自己不能失去他。「我都找不到你。」

「我只是……」克里斯蒂安的臉色暗了下來。「我也不知道，一直在考慮。而且，從我聽說的來看，妳似乎也沒有那麼無聊。」

毫無疑問，所有人都知道了昨天晚上那場糗事。這種事就像野火燎原一樣，而這多虧了學院的八卦隊。

「那沒什麼大不了的。」莉莎說。克里斯蒂安看著她的眼神令她心痛。

「這就是問題所在。」他說。「最近什麼都沒什麼大不了的。妳參加的那些派對、和別的男生約會、撒謊。」

「我沒有撒謊！」她大喊，「你什麼時候怕起艾倫來了？」

「妳沒有告訴我真相，這和撒謊沒有區別。」這似乎和吉兒的說法如出一轍。莉莎雖然不太瞭解她，但是已經開始真心地恨起她了。「我完全沒有辦法接受。我不能接受一個再次回到過去那種荒唐生活、和妳其他皇室朋友一起鬼混的皇室女生。」

這就是問題所在。如果莉莎肯再坦白一點，告訴他自己覺得多麼內疚，而抑鬱啃噬著她的內心，令她幾乎已經無法承受……哦，我認爲克里斯蒂安馬上就會原諒她。雖然他從外表看來是很刻薄的人，可是他有一顆善良的心，而莉莎已經完全俘獲了這顆心。或者說，曾經俘獲過。此刻，他眼中見到的只有她的愚蠢和膚淺，還有那種他非常厭惡的昔日的生活方式。

「我沒有！」她喊，「我只是……我不知道，只是覺得稍微放縱一下，會變得舒服一些。」

「可我不能。」克里斯蒂安說，「如果妳打算過這樣的生活，恕我不能奉陪。」

莉莎張大了眼睛。「你是要和我分手嗎？」

「我……我不知道。對，應該是吧。」莉莎聽到這個噩耗，幾乎無法站穩，同時感到非常害怕，所以沒有看見我在克里斯蒂安身上看到的，沒有看見他眼中的傷痛。

說出這樣的話，幾乎也令他快要崩潰。他也很受傷，他曾經愛過的女生現在已經變了，變得他不能接受。「事情總是不能如人所願。」

「你不能這麼做。」莉莎哭著說。她沒有看見他的痛，看見的只有他的冷酷和不公平。「我們必須好好談一談——想辦法——」

「可是機會已經過去了，」克里斯蒂安爭辯道，「妳應該一回來就跟我說，而不是現在，不能等當事情不順妳心意之後再來談。」

莉莎不知道她是該尖叫好，還是該大哭好，她只知道自己不能失去克里斯蒂安，尤其是在她已經失去我之後。如果她同時失去了我們倆，這個世界上就沒什麼值得她留戀的了。

「求你，不要這麼做。」她哀求道，「我可以改。」

「對不起，」他咬著牙說，「目前看來，沒有證據能讓我相信。」轉身，他快步地走開。

對於莉莎來說，他的離開是那麼殘酷和冷漠。可是再一次，我看見了他眼中的痛苦。我想他離開只是因爲他知道，如果他留下來就會心軟，可是長痛不如短痛，分手是正確的選擇。

莉莎想要追上去，這時突然有一隻手把她拉了回來。她轉身，看見愛瑞和艾德里安站在身後。從他們的表情來看，剛才的話他們全都聽見了。

「讓他走吧。」艾德里安沉重地說。是他把莉莎抓了回來，他放開手，改握住愛瑞的手。「追他只會令事情變得更糟，讓他一個人冷靜一下。」

「他不能這麼做，」莉莎說，「他不能這麼對我。」

「他現在在氣頭上。」愛瑞說，她和艾德里安同樣一副關心的樣子。「不太理智，等他冷靜下來，就會自己回來了。」

莉莎看著克里斯蒂安的背影消失在遠處，感覺她的心已經碎了。「我不知道，我不知道他還會不會回來。哦，上帝，我不能失去他。」

我的心也碎了。我非常想回到她身邊，安慰她，陪伴她。她是這麼孤獨，我覺得自己離開她是一件那麼可怕的事情。肯定是有人將她推進這個漩渦裡的，我應該在她身邊幫她把元兇揪出來，這才是一個最好的朋友應該做的。我必須要回去。

莉莎轉身看著愛瑞。「我心裡很亂……不知道該怎麼做。」

莉莎看著她的眼睛，可是當她……奇怪的事情發生了，愛瑞不是在看莉莎，她是在看我。

哦，該死。怎麼又是妳。

一個聲音在我腦海中響起。啪！我又從莉莎的意識裡跌了出來。

又來了，又是這種排擠法，我的意識再次感到冷熱交替。我瞪著自己的房間，驚訝於這種突如其來的轉變。但是，我已經明白了某些事情。我知道莉莎不是那個將我推出來的人，上次不是，這次也不是。莉莎的注意力太過渙散，心思太亂了。還有那個聲音，那肯定不是她的聲音。

這時，我終於記起自己什麼時候有過這種感覺了。是歐克桑娜。這和她走進我意識時的感覺一模一樣，她想要感受我的情緒和目的，她和馬克都承認，如果我不是和別人有心電感應的話，這麼做就是一種入侵，是不對的。

慢慢地，我重新回想了一遍剛才潛進莉莎意識裡發生的事，再一次，我看見了那最後一刻的事。一雙藍色的眼睛瞪著我——沒錯，是我，不是莉莎。

莉莎沒有將我推出她的意識。

是愛瑞。

24

愛瑞是精神能力的使用者。

「哦，該死。」

我跌坐在床上，腦子裡一團亂。這件事我從來沒有想到過。該死，大家都沒有。

愛瑞一直假裝她自己的能力是氣魔法，每個莫里或多或少都會擁有一點控制每種元素的能力，她只是在氣魔法這方面下了一點功夫，令別人以爲她擅長的是氣魔法，因而沒有人對她產生過懷疑。老實說，又有誰能想到，自己身邊還有一個精神能力的使用者呢？她自從畢業之後，就不用再參加考試，或是被人要求證實自己的能力。沒有人想過要她這麼做。

但我越想就越覺得，其實之前發生的某些事情都是徵兆。那種迷人的性格，她可以說服所有人的說話方式……這些有多大部分是因爲她精神能力帶來的影響呢？而且有沒有可能……有沒有可能艾德里安被她吸引，也是因爲她有意這麼做的呢？雖然我沒有理由爲此感到高興，可是……呃，我確實很高興。

更重要的是，爲什麼愛瑞要接近莉莎？愛瑞用催眠術令艾德里安迷戀自己還不算難理解，他外表出眾，地位非凡，還是女王最親愛的侄子，雖然他並不能在女王退位之後馬上繼承她的寶座，但仍有很好的前途，可以讓他一直處於社會的上流階層。

可是莉莎呢？愛瑞在玩什麼鬼把戲？她想得到什麼？莉莎種種的表現，現在終於都說得通了，比如她在派對上的瘋狂、那些奇怪的情緒、莫名其妙的嫉妒，還有和克里斯蒂安的爭吵……愛瑞就是將莉莎推到這個境地上的人，令她每次都作出一些可怕的決定。愛瑞還用了一點催眠術，以免莉莎脫離自己的掌控，她挑唆莉莎和周圍的人不和，讓她的生活變得充滿危險。爲什麼？愛瑞的目的究竟是什麼？

這不重要，她的動機已經不重要了。重要的是，我要怎麼回去，回到我最好的朋友身邊去。

我低頭看著自己，看著自己身上穿的精美絲綢連身裙，突然間一點都不喜歡它了。這是我曾經墮落過的證據，軟弱和沒用的標誌。我急忙將它脫下來，到衣櫃裡翻找著。他們拿走了我的牛仔褲和T恤，可是至少我還保有自己的帽T。我換了一件綠色的針織裙，這是我能找到最結實的衣服了，覺得還勉強可以接受。我在外頭套上帽T，雖然看上去不太像一個厲害的勇士，但是我感覺好多了。

在做好了換裝準備後，我又回到客廳，開始來回踱步，希望可以幫助思考，雖然我也不太相信自己馬上就會想到好主意。過去這幾天我一直在想，可惜很不走運，什麼辦法都沒有。

「該死！」我大喊，覺得最好找什麼發洩一下。我憤怒地抄起書桌旁的椅子，卻很慶幸自己沒有氣昏頭，馬上將它丟到牆上去。

手中這把椅子有些鬆散，雖然幾乎不易察覺。我皺起眉頭，站起來看著它。這裡的每樣東西都牢固得像個藝術品，真驚訝我居然能找到這樣的一把椅字。我單膝跪下，湊近仔細查看……找到了！其中一條椅腳在和座墊銜接的地方有一條裂痕。我瞪著它，這裡所有的傢俱都沒有明顯的接點，而我經常用這把椅子去砸牆，但根本沒辦法令它有絲毫損傷。那麼這條裂痕是從哪裡來的呢？我砸它砸了那麼多次都沒什麼事。

不過，我想起我並不是唯一一個用它來砸東西的人。那是我來這裡的第一天，我和迪米特里打了一架，用椅子扔向他的後背，後來他把椅子從我手裡奪走，扔到了牆上，之後我就再沒有注意過它了，也放棄了能把它砸壞的想法。即使後來我曾試著想要砸玻璃，但是用的是一張邊桌，因爲我覺得它的分量比較沉。而眼前的狀況說明，雖然我的力量不足以弄壞這把椅子——不過他可以。

我舉起椅子，立刻將它砸向那個如鑽石般堅硬的窗戶，希望自己這麼做可以收到一石二鳥的效果。事與願違，兩隻小鳥都沒有反應。於是我又砸了一下，然後再一下。我不知道自己就這麼拿著椅子砸窗戶砸了多久，只覺得手被震得很痛，同時心裡清楚，雖然我恢復了，可是並沒有徹底恢復到原來的水準。眞是令人惱火。

終於，在嘗試了大概有一億萬光年之久後，我發現手裡的椅子那條裂痕變大了，這個發現重新燃起了我的希望和勇氣。我不停地繼續砸著，不管木頭磨得我的手有多痛，又過了許久，我終於聽見啪嚓一聲，椅腳掉了下來。我彎腰撿起它，激動地看著。斷掉的地方並不是平整的，上面有毛刺還有著尖端，它有沒有尖銳到可以當成銀樁來使用呢？

我不太確定。但是我知道這種木頭的質地非常堅硬，如果擁有足夠大的力氣，也許可以將它刺進血族的心臟，雖然沒辦法殺死他，但是可以拖延一陣子。我不知道這段時間是不是夠逃出這裡，但這是唯一的辦法了。而如果我一個小時前就想到這個辦法，就該死的更好了。

我坐回床上，一邊休息，一邊掂量著手裡的克難銀樁。好吧，我現在有了武器，可是我能用它做什麼呢？迪米特里的臉孔在我腦子一閃而過。毫無疑問，他就是我的主要目標，一個我首先必須幹掉的敵人。

門突然開了，我警惕地抬起頭，飛快地將椅子推進陰暗的角落裡，心臟怦怦地跳。不，不，我還沒有準備好，我還沒說服自己下手刺殺他——

進來的人是伊娜，她手裡端著托盤，但不再是平時那種謙恭的表情。她飛快地瞪了我一眼，目光充滿了仇恨。

我不知道她有什麼好生氣的，我又不會對她怎麼樣……更正，是還沒。

我走過去，裝出好像要看看今天吃什麼的樣子。她掀起蓋子，我看見裡面放著火腿三明治和炸薯條，看上去很好吃。我已經很長一段時間沒有吃飯了，可是此刻身上升起的腎上腺素，令我將吃飯的事情放在了一邊。我回頭看了她一眼，對她甜甜一笑，她則憤怒地瞪著我。

不要猶豫。迪米特里曾經這麼說過。

我沒有。

我衝過去，用力將她撞倒在地上，她的頭磕到地板又彈了起來。她驚訝地看著我，但是很快就冷靜下來，想要還手。但這次，此刻的我不再恍惚了——好吧，是不那麼恍惚了——多年以來訓練有素的技巧和自身的力量，終於又發揮了作用。我用身體壓住她，將她壓制在地上，然後拿出藏起的木樁，用尖端抵住她的脖子。

這種情況就像我們在小巷裡制伏血族時一樣，她看不見我的武器只是一條椅腳，但是她知道那個尖端毫無疑問地可以刺穿她的喉嚨。

「密碼。」我說，「密碼是多少？」

她的反應是冒出一長串俄文。好吧，這不算意外，她可能聽不懂我說什麼，因此我馬上翻開心中的那本英俄雙語辭典——在俄羅斯待了那麼長的時間，已經足以讓我編出一本這樣的東西了。不過老實說，這部詞典大概只有兩歲小孩的水準。但就算是這樣，也已經夠用了。

「數字，」我用俄語說，「門。」至少，我認為聽起來是這樣。

她態度更加不友好地說了一長串，一副目中無人的表情。她真的不是血族嗎？我的木樁又用力壓下去一點，血因而冒了出來。我盡量控制自己的力道，因為也許我的力量還不足以刺穿血族的心臟，但是要捅破人類的血管呢？小菜一碟。她靜了下來，很明顯也意識到了這點。

再一次，我試著用我的爛俄文說道：「殺妳。沒有南森。永遠……」那個詞怎麼說來著？在教堂聽見的禱告詞突然浮上腦海，我希望自己的發音是對的：「永遠沒有永恆的生命了。」

這戳中了她的心。南森和永恆的生命，這些是對她來說最重要的事。她咬著嘴唇，仍然很生氣，但是已經停止咒罵。

「數字，門。」我又說了一遍，手裡的力道又加大了點，她開始大聲喊疼。

她終於開口，說了一大串數字。不說其他的，至少俄文的數字我還記得很清楚，因爲這是在講述位址和電話號碼時，最常用到的基本單字。她一共說了七個數字。

「再說一遍。」我說。我已經讓她說了三遍了，希望自己能夠記住。可是還有另外一個，而我很確信，外面的那道門密碼更難記。

「數字，門，二。」我覺得自己像個山頂洞人。

伊娜瞪著我，不是太明白。

「門，二。」

她終於明白了，看起來有些憤怒。我猜，她本來期望我不知道外面的門還有另外一組密碼。手裡的木樁劃出更多的血，她尖叫著又說了七個數字，我同樣讓她重複了幾遍，最後絕望地發現，我根本不可能知道她告訴我的是不是眞的，除非我一個一個去試。出於這個原因，我打算帶著她一起走。

我對接下來要做的事感到有點內疚，但現在是生死攸關的時候。在接受守護者的訓練時，我不光學會了怎麼殺人，也學會了怎麼讓人陷入癱瘓狀態。這次我選擇了後者，我用力將她的頭向地板撞去，令她失去了意識，她的表情因而鬆懈下來，眼睛也閉上了。該死。我很少傷害人類少女的。

我站起來，向門口走去，輸入了第一串數字，同時希望自己沒有記錯。令人喜出望外的是，電子鎖啰嗒一聲開了。可是在我開門之前，我聽見了另外一聲「啰嗒」。有人打開了外面的門。

「見鬼。」我喃喃地說。

我立刻回到房間裡，搬起失去意識的伊娜，匆忙向洗手間走去。我將她盡可能地塞進浴缸裡，然後關上洗手間的門。我知道血族能夠聞出人類的味道，希望將她關進洗手間，可以減輕她的氣味。

我剛剛關好，就聽見房間的大門開了。那種反胃感說明血族已經進來了。我走進大廳，看見迪米特里站在客廳裡，便笑著跑過去撲進他懷裡。

「你回來了。」我高興地說。

他只是敷衍地抱了抱我，便退開一步。「是的。」他似乎對這種歡迎方式感到微微的受寵若驚，但是很快又恢復了一貫的表情。「妳想好了嗎？」

沒有說「哈嘍」，沒有問「妳怎麼樣」。我的心沉了下去。這個人不是迪米特里。

「我還有很多問題沒搞清楚。」我走到床邊，隨意地躺下來，就像平時那樣。

他過了一會兒也跟了過來，坐在床邊，低頭看著我。

「整個過程要多久？你打算什麼時候喚醒我？是一瞬間的事嗎？」再一次，我開始沒完沒了地提問。

老實說，我也想不出什麼問題了，而且如果不是爲了拖延時間，我眞的不想知道變成血族的具體過程。隨著時間的流逝，我已經快要撐不住了，可我必須有所行動，必須好好利用這次逃跑的機會。

可是……在我行動之前，我得說服自己，這個人已經不是眞正的迪米特里了。這想法眞蠢，我又不是現在才知道。我見到了他不一樣的外表，見過了他的殘酷和冷漠，還見過他剛剛殺完人的樣子。這個人已經不是我愛的那個人了。可是……在逃跑之前……

迪米特里嘆了一口氣，在我身邊躺了下來。「蘿絲，」他打斷我的話，「如果我不是眞的瞭解妳，一定會以爲妳是在拖延時間。」

對，就算變成血族，迪米特里也能看透我的想法和計畫。我意識到如果自己的表演要有說服力，就不能再繼續扮演傻瓜，而是要變成原來的蘿絲．海瑟薇。

我裝出被惹怒的樣子。「我當然要！這可是很重要的決定。我來是爲了殺你，可是現在你居然邀請我加入你們。你認爲這種事對我來說很容易嗎？」

「妳覺得我等了這麼久，對我來說容易嗎？」他問道，「唯一有權利選擇成爲血族的是莫里，比如歐澤拉家。其他人都不是自願的，我也沒有選擇。」

「你後悔嗎？」

「不，起碼現在不後悔。現在的我，就應該是我本來的樣子。」他皺著眉頭，「唯一受傷的是我的自尊。因爲南森強迫我變成血族，而且好像還要我因此對他感激涕零。這就是爲什麼我現在這麼好心，願意給妳選擇的權利，就是爲了妳那該死的驕傲。」

好心？我看著他，覺得自己的心再次碎成片片，就好像又一次聽見了他死了的噩耗。我突然害怕自己會哭出來。不，不能掉眼淚。迪米特里一直都在強調弱肉強食，我不能成爲弱者。

「妳在冒汗。」他突然說，「爲什麼？」

該死，該死，該死。當然會流汗，因爲我正打算用木樁，刺進這個我愛的，或者說我愛過的男人的心臟。雖然我在冒汗，但確定自己沒有露出破綻，如果有的話，血族也能夠聞出來。

「因爲我害怕。」我小聲說，翻過身，撫摸著他臉部的輪廓，想要記住所有這一切。他的眼、他的頭髮、他顴骨的形狀……我將看到的這些，和我印象中的一一重合。他深色的眼睛、古銅色的皮膚、溫柔的笑容。「我……我覺得自己已經準備好了，可是……我不知道。這種事確實太不尋常了。」

「這會是妳一生中作過的最好的決定，蘿莎。」

我的呼吸變得急促，祈禱他會將它當成是害怕轉變的表現。「再回答我一次，就一次，為什麼你這麼想要喚醒我。」

他臉上閃過一絲惱怒。「因為我需要妳，一直都需要妳。」

這時我突然明白了，終於明白問題出在什麼地方了。這個答案他說了一遍又一遍，可是每次他這麼回答時，都令我很迷惑。我從來沒想通是為什麼，但是現在，我明白了。

他需要我，是那種對財富和收藏品的渴望。而我知道的那個迪米特里……那個我曾經深愛並為之付出一切的那個迪米特里曾經說過，他希望我們能在一起，是因為他愛我。

現在，他已經沒有愛了。

我微笑地看著他，俯下身去輕輕地吻他。他也許以為我這麼做，和平時是出於同樣的原因，是因為慾望，事實上，這是一個道別的吻。他回應著我，唇瓣溫暖而熱情。我盡力吻久一點，一方面是希望收回眼中的淚水，一方面也是希望能麻痺他，不讓他起疑心。我的手抓住了椅腳，之前我將它藏在了我帽T的口袋裡。

我永遠都不會忘記迪米特里，這一輩子都不會。這一次，我也不會忘記他教過我的。

我用他無法反應的速度抽出木樁，將它刺進他的胸膛，然後用盡全身的力氣，將木樁穿過他的肋骨，直到刺進心臟。我這麼做的時候，感覺就好像自己的心臟同時也被刺穿了。

25

他不敢相信地瞪大了眼睛，同時微張著嘴。可是，我知道這不是銀椿，所以他的傷口很快就會好，因此我用力刺穿他的心臟，盡可能地果斷，以免他有還擊的餘地。我終究得承認，我的迪米特里早已死了，眼前的這個只是個血族，他沒有未來，我也不會和他變成同一夥人。

可即時是這樣，我仍然有些想要停下來，躺在他身邊，或者至少等待一下之後會發生什麼。

在短暫的驚訝之後，他的表情消失，呼吸也沒了，造成一種死亡的假象。就是這樣，一個假象。我曾經見過一次，但大概五分鐘後，他的傷口就能復原，他自己就會站起來把這根木樁拔掉。我沒時間傷心，也沒有時間等著看之後的事了。我現在就必須離開，不能猶豫。

我伸手在他身上翻了翻，想找找看有沒有什麼有用的東西，最後發現了一串鑰匙，還有一點現金。我將鑰匙放進衣服口袋裡，本來想把錢扔掉，可是突然想到，如果我眞的逃出去，可能還會有需要用到的地方，我自己的錢在剛到這裡時，就被他們拿走了。同時，我也將桌子上的珠寶全都收了起來。要在俄國的大城市裡找到這些東西的買主，應該不難，如果我能順利到達所謂的城市裡的話。

我從床上直起身子，痛苦地看了他最後一眼，先前憋住的眼淚順著臉頰流了下來。這是此刻我唯一允許自己做的事，如果我還有以後的話，就等那時再哀悼吧。在離開之前，我看了木樁一眼，很想帶著它一起走，因爲這是我唯一的武器。但是將它拔出來，就意味著迪米特里可能一分鐘之內就能醒來，而我必須要爭取更多的時間。所以，我嘆了一口氣，背對著他，希望能在別的地方找到武器。

我走到套房的門口，又輸入了一遍密碼。門開了，我走進走道，在走去下一道門之前，我轉身看了一下剛剛出來的那扇。爲了能進房間，在外面也有一個密碼鎖，同樣需要輸入密碼才能打開。我退後了一點，用盡全力踢了密碼鎖一下，一共踢了兩次，直到小紅燈一直不停地閃爍。我不知道這樣會不會對進門有影響，但是在電影裡，破壞掉電子裝置經常是最管用的一招。

我轉身看著下一個鎖，開始回想伊娜告訴我的那一串數字。這個密碼我並沒有像第一個那樣記得很牢。

我按了七個數字，小燈變成了紅的。

「該死。」很可能是伊娜說了謊，但我也有些懷疑是記憶出了問題。我又試了一遍，知道時鐘正在爲我倒數計時，看迪米特里還有多久就會醒過來追上我。紅燈又亮了起來。那些數字到底是什麼來著？我在腦子裡回想了一遍，發現最不確定的是最後兩個，因而調換了一下這兩個數字的順序，重新輸入了一遍。燈變成綠色了，門應聲而開。

當然，外面還有一個與此毫不相同的保全系統——一個血族。而且這個血族不是別人，正是馬倫，一個被我在小巷裡折磨過的血族；一個痛恨我令他在賈琳娜面前顏面盡失的血族。顯然，現在他被調來看守我的大門，同時覺得這又將是一個無聊的夜晚。殊不知，我的出現會是他的一個驚喜。

至於他的出現，哦，同樣也讓我震驚了一毫秒。我的第一個想法就是直接撲過去，用力地揍他。我知道他也會用同樣的方法來回應我，而事實上……他就是這麼做的。

我站在原地，讓門一直保持在打開的狀態。他向我衝過來，想阻止我逃跑，我往門後一躲，將門又打開了些。現在，我的本領使不出來，而他也沒愚蠢到要衝進來，他只是站在門口，想要抓住我。

這令我的任務變得更加艱鉅，既要躲開他的襲擊，又要把他抓進來關在走道裡。我退了一步走到門口，希望他能跟過來。同時，我又要保持門是開著的狀態。雖然很麻煩，可是我已經沒時間再輸入一遍密碼了。

我們就這麼保持著安全距離來回打鬥。對我來說，最好的消息是馬倫很明顯是個年輕的血族。這樣之前的一切就都說得通了，賈琳娜肯定是希望，自己的親信都在她的掌控之中。當然，血族的力量和速度彌補了沒有受過正規訓練的缺憾，但事實上，馬倫曾經是一個莫里，這也意味著他可能完全不知道該怎麼戰鬥，這對我也是很有利的一點。迪米特里之所以能成爲很厲害的血族，是因爲他在變成血族前曾經接受過訓練，可這傢伙沒有。

所以，馬倫雖然偶爾也能打中我兩下，其中一拳打到我的眼睛，另一拳打中了我的肚子，令我窒息了半秒，但是大部分時間，我都能完全避開他的攻擊。這似乎激怒了他。身爲一個血族，卻被一個十幾歲的小女生打敗，眞的不是什麼可以替自己加分的事情。最重要的是，我甚至成功地用假動作騙過了他，出其不意地踢了他一腳，讓他往後退了幾步，而這一下比我想像中穿著裙子踢腿的動作要俐落得多。

只是無論如何，我都不能放開抓住門的手，可我需要的恰恰就是這一隻手。馬倫後退的動作，令我有機會從門裡衝出去，來到主廳。但不幸的是，當我想要關門的時候，他已經衝了過來。我一邊努力關上門，一邊想要將他踢進門裡去，我們纏鬥了一會兒，多虧我的狗屎運，終於差不多將門給關上了，只剩他的手臂還在門外反抗。我鼓起勇氣，用力將門往我這邊一帶，門因而壓住了馬倫的手腕。我有些希望他的手斷掉，然後在大廳裡翻滾幾圈，可是他卻猛地把手縮了回去。似乎就連血族都有避免疼痛的本能。

我吸了一口氣，往後退了一步，發現剩餘的力氣讓我很難完成這個深呼吸。如果他知道密碼，這個方法可能根本不管用。可過了一會兒，我發現門的把手雖然在搖晃，但是門並沒有打開。我聽見裡面響起一聲憤怒的尖叫，然後他就開始瘋狂地砸起門板。

又得一分。不過，這一分是運氣分。如果他知道密碼，我可能已經被揍扁了。

馬倫仍然持續砸著門，我看見金屬門的表面開始出現一個一個小凸起。

「哦，天哪。」我沒有留下來看他一共打了多少下，同時也想到，就算我毀掉了第一道門的門鎖，迪米特里肯定也會把它砸開的。迪米特里……

不，我現在絕對不能想他。

我沿著大廳往前跑，一直向上次迪米特里抱著我下去的那個樓梯跑去，突然不經意地想起一件事。迪米特里最後一次威脅南森的時候，他曾經提到過我的銀樁在地窖裡。地窖是什麼？它有可能是在這裡嗎？如果真是這樣，我肯定也沒有時間去找了。當你得考慮是去搜查一棟四層樓高、裡頭全是吸血鬼的房子，還是在他們抓住你之前跑出去……嗯，要選哪個答案是顯而易見的。

就在我考慮到一半的時候，我在樓梯頂端遇見了一個人類。他的年紀比伊娜大，手裡抱著一綑麻布袋，我們撞上的時候，這些麻布袋掉了一地。我幾乎沒有遲疑，一把抓住他將他往牆上丟去。此刻我沒有武器可以威脅他，不知道要怎麼做才能達成目的，但是我還是很快地將他制住，他舉著手拚命做出反抗的姿勢，嘴裡喃喃地說著俄語。

我意識到他對我不會產生威脅，但現在的問題是，要怎麼將我的需求告訴他。馬倫仍然在砸著門，迪米特里也將在幾分鐘以後醒過來。我瞪著這個人類，希望能成功地唬住他，而從他的表情來看，正如我所願。我試著用和伊娜講話的方式和他交流……只是這次要表達的資訊稍微難了一點。

「棍子。」我用俄語說。我不知道銀椿這個詞應該怎麼說，只好指著手上戴的銀戒指，做了一個亂刺的動作。「棍子，在哪兒？」

他非常不解地看著我，然後用非常標準的英語問道：「妳爲什麼這麼問？」

「哦，感謝上帝，」我驚叫道，「地窖在哪兒？」

「地窖？」

「他們放武器的地方？」

他還是瞪著我。

「我在找銀椿。」

「哦，那個。」他非常不安地瞄了一下傳來響聲的方向。

我用力將他推到牆上，雖然心臟已經幾乎要從胸膛裡跳出來了，可是我盡量不讓情緒表露在臉上，希望這個人認爲他是敵不過我的。「別理他，帶我到地窖去。立刻！」

他害怕地驚呼一聲，飛快地點著頭，領著我走下樓。我們下到第二層的時候，突然出現了一個急轉彎。這個大廳和迪米特里帶我去過的那個灌木叢迷宮一樣，曲折迴繞，裡頭滿是金光閃閃的吊燈，我很懷疑自己能不能走出這裡。深入此處確實非常危險，可如果不跟他來這一趟，我不確定自己能不能順利地逃出去。因爲如果剛剛我眞的就那麼逃了出去，也還有一場硬仗要打，我必須要有自保的能力跟工具。

這個人類領著我穿過了一個又一個大廳，終於，我們來到了一扇普通得不能再普通的門前。他停下來，滿懷期望地看著我。

「開門。」我說。

他搖了搖頭。「我沒有鑰匙。」

「哦，我肯定也不會——等一下！」我伸進衣服口袋裡，掏出從迪米特里身上搜出的那一串鑰匙。鑰匙環上一共有五把鑰匙，我逐一試了一下，試到第三把的時候，聽見唠嗒一聲，門開了。同時，我的嚮導朝他身後偷偷瞄了一眼，看起來隨時準備要逃跑。

「想都別想。」我警告他。他衡量了一下利弊，沒有動作。

我們面前的房間不算太大，裡面鋪著白色的地毯，牆上掛著用銀框裱起來的畫，非常優雅。這個房間……嗯，基本上像個垃圾場。裡面除了大大小小的盒子，還有各種奇怪的東西，有許多都是私人物品，比如手錶、戒指什麼的，都隨便地胡亂扔在地上。

「這是什麼房間？」

「魔法。」他說，很明顯心裡還是很懼怕我。「有魔法的物品要放在這裡，等它身上的魔法消失，或者是等著被焚毀。」

魔法……啊！這些東西都被注入了莫里的魔法。咒語對血族都具有一定的作用，而且通常都不是令人高興的那種，而銀樁就是其中最厲害的一種，因爲它必須使用到所有的自然元素。這就可以說得通，爲什麼血族想把這些有害的東西單獨放在一個地方，還要——

「我的銀樁！」我跑過去拿起它，卻因爲手上全都是汗差點拿不起來。

銀樁躺在一個盒子上，盒子頂端鋪了一塊布，上面還擺放了幾顆奇怪的石頭。我仔細地看著，才發現這其實並不是我的銀樁，不是那個專門爲了殺死血族的銀樁。這個銀樁和我的那個幾乎一模一樣，底部有一圈用小小的幾何圖形組成的花邊。這是守護者代代相傳的事，如果他們很喜歡自己的銀樁，就會在上面刻上自己的名字，或者是留下特殊的花紋。

我拿著這個銀樁，感到一陣悲傷。它之前肯定是屬於一個曾經拿著它屢建戰功的人，一個現在幾乎已經不會死的怪物。天知道這裡還有多少同樣的銀樁，被從別的不幸的俘虜身上奪過來，不過我沒有時間一個一個搜尋，也沒有時間來悼念那些已經死去的人們了。

「好吧，現在我要你帶我去……」我猶豫著。就算我有了銀樁，最好還是不要一下子面對太多血族，前方應該還是要有一個嚮導才對。「找一個窗戶能打開的房間，而且要遠離樓梯。」

這個人想了一會兒，然後飛快地點點頭。「走這邊。」

我跟著他穿過迷宮一樣彎曲的走道。「你叫什麼？」

「歐列格。」

「聽著，」我說，「我打算離開這裡，如果你想……如果你想的話，我也可以帶你走。」

如果帶著別人，特別是人類的話，肯定會拖延我的腳步。可是，我的良心不允許我將任何人獨自留在這個地方。

他怪異地看了我一眼。「為什麼我要這麼做？」

雪梨說中了，人類為了能夠永生，願意不惜一切代價。歐列格和伊娜就是活生生的證據。

我們拐過一個轉角，來到一扇精巧的法式大門前，透過門上的玻璃，我能看見裡面擺了一排排的書架。這是一個圖書館，而且大得我一望無盡，更妙的是，在我對面的是一個大窗台，窗台前掛著沉甸甸的緞質窗簾，顏色如血般紅豔。

「好極了。」我推開門走進去。

這時，一陣反胃感襲來。這個房間裡不只有我們兩個人。

賈琳娜坐在房間另一邊的壁爐旁，她看見我們站起來，手裡的書從膝蓋掉到了地上。

我沒時間去想怎麼會有血族願意坐在壁爐旁看書這種怪事，因為她已經向我撲過來了。本來我以為這是歐列格設下的圈套，但是此刻他縮在角落裡，看起來和我一樣驚訝。這個圖書館面積很大，可是賈琳娜用了不到一秒就站到了我面前。

我躲過了她的第一次進攻——好吧，其實是試著躲過。她的速度太快了。除了迪米特里，這裡其他的血族顯然都是屬於候補球員的水準，我幾乎已經忘了一個訓練有素的血族有多麼厲害。

她抓住我的手臂，將我拉向她，張大嘴巴，尖牙對準了我的脖子。我手裡拿著銀樁，奮力地想要劃傷她，可是她將我牢牢鉗制住，最後，我只能微微偏開頭，這才令喉嚨躲過了她的尖牙。可是這個做法，給了她機會抓住我的頭髮，她猛地將我的頭向後一扯，我痛得尖叫起來。眞是不可思議，她這種抓法居然沒有把我的頭皮扯下來。她就這麼抓著我，將我往牆上撞。

我來到這裡之後，雖然和迪米特里打過一次，可是他用的力氣並不大，而且也沒想要殺了我。可是賈琳娜卻不同。她本來相信迪米特里可以說服我，令我變成他的財產，可是現在的我顯然是個大麻煩，她的寬恕已經到期，唯一的想法就是要殺了我。這讓我至少感到欣慰一些，因爲我很清楚她不太想要把我變成血族，我將成爲她的午餐。

突然，我聽見門口傳來一聲狂吼——迪米特里站在門口，臉上帶著暴怒。我曾經幻想過的他會恢復成昔日模樣的畫面完全消失了，此刻他周圍散發出強烈的怒火，他瞇起眼睛，露出尖牙，蒼白的皮膚和紅眼睛形成鮮明的對比，就像一個從地獄直接衝上來的魔鬼，打算要毀掉我。他向我們走過來，而我腦中的第一個想法是：*好吧，至少這件事終於可以快點做個了結了。*

只是……我並不是他攻擊的目標。賈琳娜才是。

我不知道我們兩個到底誰比較驚訝，但是在這個當下，我已經完全被當成了空氣。兩個血族彼此競賽著，我愣在那裡，被他們精彩的打鬥震懾住了。他們移動的方式幾乎可以用優雅來形容，還有那漂亮的出拳，以及嫻熟的閃躲技巧。我站在原地看了很長一段時間，才拍拍腦袋，意識到自己得做出反應，這是逃出這裡的絕佳時機，我不能分心。

我轉身向窗台走去，瘋狂地找著將它打開的機關，卻始終找不到。

「狗娘養的！」也許這一切都是歐列格設的圈套，但也可能是我沒有找到機關。無論如何，我都不能氣餒，一定要找到打開它的辦法。

我跑到賈琳娜剛剛坐的地方，拿起了那把原木椅。這裡的窗戶顯然和我房間裡那種超級堅固的玻璃不一樣，反而和法式門上鑲嵌的玻璃差不多，做工精緻，雖然塗了黑色的圖層，但是仍然能看出上面雕了各種夢幻的圖案，要砸壞這種玻璃花不了多少力氣。在克服了之前砸玻璃時遇到的挫敗感後，我鼓起勇氣，用盡全身的力氣砸了下去。窗戶被我砸開了一個洞，玻璃碎了一地，有幾塊玻璃碎片劃過了我的臉，但是現在已經顧不得這些了。

在我身後，戰鬥的聲響越演越烈。他們打鬥同時，發出各種悶哼和喊叫聲，偶爾也會有傢俱被打碎的聲音。我非常想跑過去看個究竟，但最後還是忍住了，又舉起椅子砸了一下，將窗戶上殘留的那一半玻璃也打個粉碎，現在這個洞變得很大，足夠讓我鑽出去了。

「蘿絲！」

迪米特里的聲音喚起了我的某種本能反應，我回過頭，看見他還和賈琳娜糾纏在一起。

他們兩個都打累了，而迪米特里明顯地要更遜一籌。可是他們在打鬥的時候，迪米特里一直不停地想要從後方鉗制住賈琳娜，讓她的胸膛對著我。他看著我，讓我想起了他還是拜爾的時候，我們不需要言語就能明白對方的想法。這次也不例外。我知道他想要我做什麼，他希望我可以用銀樁刺進她的胸膛。

我知道我不該這麼做，應該馬上就從窗戶裡跳出去，應該讓他們打到最後，就目前的情況來看，勝出的一方應該是賈琳娜。可是……我雖然有種種的疑慮，可是有某種力量迫使我走過去，高高舉起了銀樁。也許這是因為，我還是沒辦法完全抗拒他對我的影響力，不管他已經變成了何種魔鬼；也許這是出於感恩的下意識行為，因為我很清楚他剛剛救了我的命；又也許是因為我知道，如果注定要死一個血族，留下賈琳娜的危險性是比較大的。

可是她也沒有那麼老實，不肯乖乖地就讓迪米特里制伏，她速度很快，力氣也很大，迪米特里和她苦戰了很久。賈琳娜蠕動著，想要重新發起攻擊，而她能做的，無非是我剛才做過的：刺穿他的心臟，然後砍下他的頭，或者是用火燒死他。我毫不懷疑她也許兩種辦法都會用上。

迪米特里設法輕輕地將她轉過來，讓我得以從一個最佳的視角看到她的胸膛。我衝過去，這時迪米特里也向我衝過來。我愣了一下，不明白他爲什麼突然轉而攻擊我，一會我才明白，他是被南森推過來的。南森剛剛趕到，後面還跟著馬倫。

迪米特里因此分了心，可我沒有，我仍然看著賈琳娜曝露出來的胸膛，然後將銀樁狠狠地插了下去。但是，銀樁刺進去的深度並不如我想像的那麼深，她還是有反擊的能力，隨即狠狠地打了我一掌。我微微一笑，加大了手上的力道，非常清楚銀樁一定會令她變得虛弱。過了一會兒，她露出了痛苦的表情，她跌倒在地，我趁勝追擊，將銀樁整根沒入。過了幾秒，她漸漸地停止了扭動，屍體在地上慢慢癱軟下來。

其他的血族注意到了她的死，但並沒有任何反應。南森和馬倫兩個人正一起圍著攻迪米特里，這時另外一個我不認識的女血族也衝了進來。我從賈琳娜身上拔出銀樁，慢慢地向窗戶退去，希望我的動作不要引起任何人的注意。我看著迪米特里，一顆心怦怦直跳，他以少戰多，而我可以衝過去幫他一把……

當然，我殘餘的力氣也沒多少了。我仍然因爲這些天腦內啡的作用和失血過多，而感到虛弱，更何況今天晚上我已經和兩個血族打了一場，還殺死了一個非常厲害的角色。把她從這個世界上除掉，是我今天做過的最偉大的事，而下一件我要做的更好的事，就是留這些血族自相殘殺，合夥把迪米特里幹掉。如此一來，其他幾個人可以順利上位，但是威脅性會小許多，而迪米特里也可以從這個邪惡的地方解脫出來，他的靈魂終於可以去一個好一點的地方了。此外，我也可以活下來（但願如此），繼續爲這個世界斬殺更多的血族、

我跳上窗台，向外看去。現在是夜晚，這可不太妙，外頭似乎也沒有可以攀登的地方。雖然這個問題可以解決，但是要浪費不少時間，而我的時間不多了。窗戶下面正對著的，是一叢厚厚的灌木之類的植物，我看不太清楚，只希望下面它不是帶刺的品種，而且也沒有特別尖銳的枝椏。從二樓跳下雖然摔不死人，但是皮肉受苦是免不了的了。

我爬上窗台，不小心對上迪米特里的目光，他被幾個血族團團圍在中間。我又想起了那句話：不要猶豫。這是迪米特里替我上的很重要的一課，雖然這並不是他替我上的第一堂課。他的第一課的內容是，如果贏不了，就要選另外的辦法：逃跑。

現在，是該逃跑的時候了。

我縱身一躍，跳下了窗台。

26

我想，當我因爲摔落到地上，而忍不住飆出髒話的時候，不管是用哪種語言，都是很好理解的。眞的痛死了。

樓下灌木叢的枝椏並不是很尖利，但是比起想像中的程度還是有很大的落差。雖然它阻擋了我的落勢，讓我不至於摔斷腿，但是卻沒辦法保護我，讓我不在落地時扭到腳。

「該死！」我從牙縫裡擠出這個詞，勉強爬起來。俄羅斯這個地方眞的讓我很喜歡爆粗口。我想試試腳踝是否可以承受住身體的重量，結果卻痛到站不穩。居然扭傷了，眞是感謝上帝。好在踝骨沒有摔斷，不然我的下場會更悽慘。可是，這仍會拖累我逃跑的速度。

我從灌木叢中鑽出來，試著不去理會腳上的痛，勇敢地大步走。可是擋在我前方的是那個愚蠢的灌木叢迷宮，那天晚上我居然還覺得這東西挺酷的。天上佈滿了雲，讓我擔心起是否會有足夠的月光可以看清道路。我不能在這滿是葉子的鬼地方橫衝直撞，最好是順著它走，看灌木叢消失在什麼地方，然後從那裡走出去。

不幸的是，在我繞著房子走的時候，發現了一個令人很不高興的事實。灌木叢到處都是，它環繞著這棟大廈，就像中世紀的護城河般。最令人氣憤的是，我懷疑這根本就不是賈琳娜有意爲之的，她種植這些東西的理由，可能就和在房子裡裝飾那些水晶吊燈和古董畫一樣，那就是她覺得這些東西很酷。

好吧，沒有其他辦法了。我隨便選了一個迷宮的入口，開始一瘸一拐地往裡走。我不知道自己會走到哪裡，根本就是胡闖亂撞，到處都是影子，我經常看不見自己走進的是死胡同，直到撞上去才恍然大悟。這些灌木很高，我只比它們高一點點，幾乎不能從上方俯瞰整個迷宮。如果我能從正上方看下來的話，也許馬上就可以（或者是接近馬上）直接衝出去。

可是，我現在根本就不知道自己是在往後走還是在繞圈子，但是有一點我很肯定，我已經經過同一棵丁香樹三次了。我試圖回憶以前看過的關於人們從迷宮裡逃出來的故事，他們用的工具是什麼？麵包屑？線？我不知道。時間過得越久，腳踝就越痛，我不禁有些垂頭喪氣。我在身體虛弱的情況下殺了一個血族，可是卻沒辦法從這些灌木中走出去。

太丟臉了，眞的。

「蘿莎！」一個聲音隨風遠遠地飄過來，我愣住了。

不，不可能。是迪米特里，他還活著。

「蘿莎，我知道妳在那裡，」他喊著，「我能聞到妳。」

我有種感覺，他此刻正在不停地嗅著。他離我的距離還沒有近到讓我的胃不舒服，而周圍這種濃郁的花香，讓我很懷疑他是不是眞的能夠聞到我，哪怕我現在出汗出得很厲害。他也許是想誘騙我做出回應，讓我自己暴露所在位置。

我換了個新路線，低頭順著迷宮拐進了下一個轉角，祈禱前面就是出口。好吧，上帝。我這麼想。讓我離開這裡，我就改變原來那種三天打魚、兩天曬網的做禮拜方式。請祢保佑我今晚衝出血族的包圍。我是說，被關在兩道門中間的那個血族可不算數，不然就會顯得祢不用心。保佑我從這裡逃出去，我就……我也不知道，也許可以把艾德里安的錢全都捐給窮人，或者受洗，或者去當修女。哦，不對，最後一點不行。

迪米特里繼續喊著：「我不會殺了妳的，如果妳自己走出來，我不會殺妳。我欠妳一個人情，妳幫我解決了賈琳娜，現在這裡已經是我說了算。雖然要完全頂替她還要再計畫一下，但這不是問題。當然，現在我手底下的人也沒剩幾個了，因爲南森和反對我的人都死了。不過這種情況可以改善。」

眞是難以置信，他眞的從那些血族手裡逃過一劫。我之前曾經說過，現在也還是這麼想，不管是活著還是死了，我用生命去愛的這個人是個十足的狠角色。他根本就不可能打敗那三個……可是，呃，我見過他之前有多麼厲害，而且，他現在出現在這裡，就證明他做到了。

前方是一條岔路，我隨便挑了個方向，往右轉去。右邊的路全都籠罩在陰影下，我稍感安慰地鬆了口氣。得分。先不管他正在說什麼，我知道他也走進了這個迷宮，離我越來越近。和我不一樣的是，他知道這裡的所有路線，也知道怎麼走出去。

「我也不氣妳偷襲我。如果我是妳的話，也會這麼做。這就是我們爲什麼要在一起的另一個原因。」

下一個轉彎又是一個死胡同，對面開滿了月光花。我吞下即將要出口的髒話，退了回去。

「可妳對我仍然是一個危險。如果我找到妳，很可能會殺了妳。雖然我不想這麼做，但是我已經開始在想，也許我們兩個眞的不能同時存在於這個世界上。選我吧，讓我來喚醒妳，我們兩個一起統治賈琳娜的這個王國。」

我幾乎要笑出聲來。如果我眞的想蹚這淌渾水，根本不會選擇他。如果我眞的有這麼大的本領，就——

我的胃感到微微有點痙攣。哦，不，他正朝我的方向走來。他已經知道我的方位了嗎？我不是很清楚自己的胃部反應和距離的遠近有沒有關係，不過這已經不重要了。他已經很近了，就在附近。要距離多近他才能真的聞到我的氣味，聽見我在草叢上走路的腳步聲？每一秒他都有可能找到我，一旦他發現了我的行蹤，我就完了。我的心跳激烈不已，已經到達了極限，而激起的腎上腺素也令我忘記了腳上的扭傷，雖然行走的速度仍然不快。

轉過身，面前又是一個死胡同。我盡量讓自己冷靜，知道害怕只會讓我處於更加被動的狀態。同時，我胃部的不適感也加劇了。

「就算妳找到了出口，能躲在哪兒呢？」他喊，「我們可是身處在茫茫的荒野之中。」

他的話像毒藥般滲入我的皮膚，如果我再繼續聽下去，恐懼一定會勝出，令我投降。我肯定會蜷成一團，等著他找到我。我沒理由相信他還會讓我活下去，我的小命可能在接下來的幾分鐘裡就玩完了。

我向左轉，另一堵綠色牆擋在我面前，我飛快地往旁邊一閃，向反方向跑去，然後看見了——曠野。

一片廣袤的綠草地在我面前延伸開去，通向遠方零落的幾株小樹。儘管歷經磨難，我還是找到了出口。不幸的是，反胃的感覺也越來越強。這麼近，他肯定知道我在哪裡了。我往四周看了看，知道他的話是真的，我們真的處於一片荒野之中，我能躲到哪裡去呢？我根本不知道我們現在在什麼地方。

有了。左手邊的地平線上，有著那天晚上曾經見到過的紫色微光，我當時並不知道那是什麼，現在明白了。

那是城市的燈光，如果那是賈琳娜一夥人經常出沒的地方的話，很有可能是新西伯利亞。就算那裡不是新西伯利亞，也是一個有文明的地方，肯定會有人，是安全的，我可以尋求幫助。

我用力向那邊跑去，腳步重重地踏在地上，就連腎上腺素也無法阻止我這種衝動的做法。每跑出一步，腳上的疼痛就加劇一分，不過我的腳仍堅持著，沒有令我摔倒或變得不良於行。我的呼吸粗重，上氣不接下氣，身上其他地方的肌肉仍然沒有力氣。雖然我有了目標，可是心裡很清楚，距離那裡還有好幾英里的路。

與此同時，胃部的翻騰越來越強烈。迪米特里已經很近了，他現在也衝出了迷宮，可是我不敢回頭去看。我一直朝著地平線那片紫色跑去，哪怕這意味著要先穿過一片小樹林。也許，也許那片樹林可以替我提供掩護。*妳真傻，*我心裡有個聲音小聲地說，*在他面前，妳根本無處可藏。*

我跑進那一排小樹林裡，稍稍放慢了速度，最後終於停下來，靠在一棵樹上大口喘著氣。我終於敢去看身後的情況了，可是什麼人都沒有看見，只看見那棟大廈聳立在遠方的燈火通明處，周圍是一片黑漆漆的灌木叢迷宮。我胃部的不適感並沒有變得更嚴重，所以我有可能已經甩掉他了。迷宮有好幾個出口，他不知道我是從哪一個逃出來的。

我休息了一會兒，繼續向那個偶爾閃現在樹枝間、柔和的城市之光的方向跑去。迪米特里找到我只是時間問題，照這個樣子跑下去，我的腳傷堅持不了多久，要從他手裡逃出去，似乎是癡人說夢。去年秋天掉下來的樹葉在地上鋪了厚厚的一層，踩在上頭發出很大的聲音，可是我沒有辦法，只能硬著頭皮跑下去。我很懷疑自己還有沒有必要擔心迪米特里可能會憑著氣味找到我，這些聲音就已經把我出賣了。

「蘿絲！我發誓，現在還不晚。」

該死。他的聲音很近了。我驚慌地看著周圍，還是看不見他，不過如果他還在向我喊話，就說明他也沒看到我。城市的燈光仍然是爲我領路的啓明星，可是在我們中間還有一片樹林和黑夜。突然，我想起了一個不太可能想起的人，塔莎．歐澤拉。她是克里斯蒂安的姑姑，一個人令人可敬的女生，她是教導莫里如何回擊血族的先驅。

「我們可以一退再退，最後將自己逼到死角，永遠出不來。」她曾經這麼說，「但是我們也可以衝出去，選擇好良機和地點，勇敢地面對敵人，而不是被他們牽著鼻子走。」

好吧，塔莎。我想道，就讓我們看看妳的主意會不會害了我吧！

我四處看了看，鎖定了一棵自己可以搆得到樹枝的樹，將銀樁放進衣服口袋裡，抓著最低矮的樹枝，吊在了上面。我的腳踝在整個過程中一直抱怨不斷，但是除此之外，我很容易地找到可供攀登的地方，一路爬了上去。終於，我找到一根又粗又壯的樹枝，可以負擔我的重量。我沿著這根樹枝爬到接近樹幹的地方，小心地檢查了一下這樹枝的結實程度。沒問題。我從口袋裡拿出銀樁，靜靜地等著。

過了差不多一分鐘，我聽見迪米特里走來這裡，腳下的旋風掃過落葉的聲音。他的腳步聲比我的輕巧太多了。他高大、陰暗的身影慢慢變得清晰，像是夜晚罪惡的陰影，他走得非常慢，非常小心，眼睛四處看著，顯然其他的幾個感官都不太靈光。

「蘿莎……」他輕輕地說，「我知道妳就在附近，妳跑不了，也藏不了多久了。」

他的眼睛一直往下看，可能以爲我是藏在樹後面或者是趴在地上。

又響起幾聲腳步聲。這是唯一能感覺到的，我握著銀樁的手開始冒汗，但卻不能去擦，我就這麼靜靜地待著，緊緊地攥著銀樁，大氣都不敢出一下。

「蘿莎……」

這聲音傳到了我的皮膚上，冰冷又無情。他仍舊四處搜索著，又向前走了一步，然後又一步，接著是第三步。

我跳下去的那一瞬，他才驚覺地抬起頭來。我將他撲倒在地，但他馬上站了起來，想要將我丟飛出去，而我剛好想要用銀樁刺穿他的心臟。他的臉上充滿了久戰過後的倦意，想必在之前的戰鬥中消耗了過度的體力，但我懷疑自己也比他好不到哪裡去。我們打成一團，我再次設法用銀椿劃傷了他的臉頰，他痛得大吼一聲，同時緊緊護住自己的胸膛。透過他的手臂，我看見了他衣服上的裂縫，和是我第一次用木椿刺下去的地方。傷口已經完全癒合了。

「妳、很、出色。」他這麼說，聲音裡既有著滿滿的自豪和滿腔的憤恨。

我沒力氣回應他，唯一的目標就是他的心臟。我又衝了過去，終於，銀椿刺中他的胸膛，可惜他的速度太快了。他趁我還沒有將銀椿完全插下去的時候，一拳打中我的手，同時將我打翻在地。我往後飛了幾步，但是沒有撞上樹，隨即勉強穩住步伐，瞪著他，看見他向我衝過來。他的速度仍然很快，可是已經不比從前了。

我們繼續這種想要幹掉對方，但其實是種慢性自殺式的戰鬥。我現在已經失去了優勢，所以決定衝進樹林中，料想他一定會追上來。我知道他跑的速度一定比我快，但是如果我能微微領先，也許就能找到另外一個合適的戰場，然後試著——

「啊啊啊啊啊！」

我的尖叫聲直沖夜空，打破了安寧的黑暗——腳下突然失去了支撐，我順著陡峭的山坡滑了下去，根本停不下來。山坡上只有幾棵樹，但是地上的石塊和這難受的姿勢還是讓我覺得痛到不行，尤其是我身上穿的是針織裙。我努力令手裡的銀椿和身體保持一定的距離，就這樣一直滾下去，重重地摔落在山腳。我勉強想站起來，但是立刻又摔倒，跌進了水裡。

我看著周圍。天幕上，月亮悄悄地從雲中露出臉來，灑下銀色的月光。這光線已經足以令我看清眼前這黑茫茫的一片，是一條湍急的大河。我倒吸了一口氣，有點疑惑，然後又回頭看了看城市的方向，才恍然大悟這條河就是鄂畢河，流經新西伯利亞的鄂畢河，河水奔騰著向新西伯利亞的方向流去。我回頭看了看身後，迪米特里站在坡頂上。和我不同，他肯定能看見前面的路，除此以外，我的尖叫也許也提醒了他前面有危險。

不過，這樣一來，他要追上來可能就需要費點時間了。我看了看自己的兩側，又向前方看去。好吧，湍急的河流，河水可能很深，河面還很寬。水流衝擊著我的腳踝，但我不害怕自己可能會淹死。傳說中，吸血鬼無法在河裡游泳的。老天，我希望眞是如此，但那只是單純的傳說。

我又往左邊看了兩眼，勉強看見河上有一個黑影。橋？這是我發現的最好的東西。但是在向橋走過去之前，我猶豫了一下。我必須先讓迪米特里下來，絕不能讓自己蹚著水過去，可他卻輕輕鬆鬆地在上面跟著我。我需要趁他下來的時候跑過去。來了，他的一腳已經踏上了山坡，我於是兩腿朝岸邊一蹬，頭也不回地游過去。橋離我越來越近了，但這時我也才意識到，它對我來說有多麼高，從我剛才的位置來看，明顯錯判了它的高度。橋樑下方的支架處於水面之下的部分似乎越來越深，我根本沒辦法站在那下面，要攀爬的難度恐怕很大。

沒關係，我可以等會兒再擔心——意思是指半分鐘以後，因爲這是迪米特里要追上來抓住我可能要花費的時間。事實也是如此，我能聽見他飛快地在岸邊跑動濺起的嘩嘩水聲，那聲音越來越近，我又開始感到噁心了。一隻手從上方揪住我的外套，將我往後拉，我掙扎著，想要擺脫他，可是，上帝啊，我太累、太累了。身上沒有一個地方不痛，不管他現在有多疲憊，我的情況都要比他糟糕一百倍。

「停下來！」他抓住我的手臂大喊。「妳還不明白嗎？妳贏不了的！」

「那就殺了我！」我掙扎著，但是他抓著我的手力道非常大，雖然我手裡還拿著銀樁，仍然拿他沒有辦法。「你說過如果我不同意的話，會這麼做。好吧，你知道嗎？我不幹，我不同意，直接動手好了。」

幽靈般的月光打在他臉上，令他蒼白的皮膚在夜幕的襯托下顯得愈發蒼白，就好像世界上所有的顏色都消失了一樣，只有那雙眼睛看起來像是黑色。可是在我心裡，那雙眼睛是紅色的，他的表情冰冷，充滿算計。

這不是我的迪米特里。

「我很難對妳下手，蘿絲。」他說，「妳的理由還不充分。」

我並沒有相信。他仍然這樣緊緊地抓著我，身子向我湊了過來。他想要咬我，那副牙齒馬上就要碰到我的皮膚了，他馬上就會將我變成一個像他那樣的怪物，要不就是會把我身上的血吸到一滴不剩。不管是哪樣，我現在逐漸模糊的意識都已經無法分辨了。原來那個蘿絲‧海瑟薇，將在不知不覺中離開這個世界。

我突然開始莫名地恐慌起來，心底有一部分的意志力仍然在同那美妙的腦內啡抗爭。不，不行，我不能允許他這麼做。我身上的每個細胞都燃燒起來，狂亂地想要反抗、攻擊、隨便什麼……只要能阻止這一切的發生。我不想被喚醒，我不能被喚醒。

我非常希望此時此刻有人能來救我，整個人都充滿了這種渴望，我能感覺它已經準備好要爆發，已經準備好了。我的手交替地摸索著，但是沒有碰到迪米特里，卻剛巧將左手指歐克桑娜送我的戒指褪了下來，戒指滾落到泥地裡，這時迪米特里的牙齒剛好碰到我的皮膚。

這時，就好像原子彈爆炸一樣，我曾在去拜亞的路上召喚出來的幽靈和鬼魂，突然出現在我們兩個之間。他們把我們圍了個水洩不通，抓不住的半透明形體閃著淡綠色的光，有的是藍色的，有的是黃色的，還有銀色的。戒指裡的治癒能力剛剛還禁錮著我，可是這種能量現在已經不見了，我的力量再無法被束縛。

迪米特里連連往後退了幾步，張大了眼睛，就像當時那個血族一樣，他也揮著手，像驅趕蚊子一樣地想要趕走那些幽靈，可是他的手卻直接從幽靈中間穿過，毫無用處。不過他們的襲擊似乎也沒能產生什麼影響，他們不會真正地傷害到他，可是卻能夠影響他的意識，令他分心。馬克是怎麼說的？死人討厭不死的人。從這些幽靈圍攻迪米特里的方式來看，很明顯是這樣。

我退後一步，低頭在地上找著。有了，銀戒指在我前方的一個水坑裡閃閃發光。我伸手將它撿起來，然後跑開，留下迪米特里獨自面對他的命運。他似乎並非是在尖叫，但確實發出了很可怕的聲音，這聲音雖然折磨著我，可我還是繼續向那座橋跑去。大概又跑了一分鐘左右，我終於來到了橋墩前。這座橋正如我擔心的那樣，非常高，但是建得很好很牢固，雖然很窄，似乎是城與城之間相連繫的吊橋，只能允許一台車從中駛過。

「我都已經撐到這裡了。」我喃喃地說，看了一眼岸邊。

河岸並不比我滾下來的山坡高多少，但是同樣很滑。我將戒指和銀樁收好，手指緊緊摳進濕漉漉的泥土裡，開始向上爬。我的腳還是很痛，所以只能靠上半身的力量，因此幾乎是半爬半攀。可是，就在我往上爬的時候，卻發現周圍開始出現淡淡的閃光，接著出現無數張臉和骷髏。這時，我的腦子裡突然傳來一陣鑽心的痛。

哦，不。這種事以前也發生過，但在這種緊要關頭，我沒辦法像平時一樣集中注意力，築起壁壘，趕走這些可怕的亡靈。他們現在正向我飄過來，似乎充滿好奇，而非敵意，可是他們的數量正在不停地增加，這些造成了我的困擾，正如迪米特里現在正經歷的一樣。

他們沒辦法傷害我，可是卻嚇壞了我，隨著那發出預警的頭痛而來的，還有一陣陣的暈眩。我回頭看了看迪米特里，欣慰地發現他還沒有追上來。他就像個天神，一個每走一步都能吸引更多亡靈的神。那些鬼魂仍然像雲一樣層層包圍住他，可他還是設法前進，似乎每一步都走得很痛苦。

我轉過頭，繼續爬，不去理會自己越來越多的同伴。最後，我終於登上岸，跌跌撞撞地跑向那座橋。我幾乎已經站不穩了，身上也幾乎沒了一絲力氣，因此只走了幾步，就再也站不住，趴在了地上。越來越多的幽靈圍了過來，我的頭已經瀕臨炸開的邊緣，而迪米特里仍然邁著他緩慢的步伐前進，但是離岸邊還有很遠的距離。我扶著橋的圍欄，想要重新站起來，可是隨即又趴了下去，粗糙的橋板因而劃破了光裸的膝蓋。

「該死。」

我知道該怎麼做才能救出自己，雖然這麼做的結果最後還是只有死路一條。我顫巍巍地伸手從衣服口袋裡掏出戒指，可是由於手顫抖得太厲害了，根本拿不住。可是，我還是設法穩住手，將它套在了手指上。一小股暖意流遍全身，我覺得可以稍微控制一下自己的身體了，但不幸的是，那些鬼魂仍然還在。

我心中的那絲恐懼，對死亡或者變成血族的恐懼還在，但是在脫離了千鈞一髮的緊張感之後，這股恐懼已經有所消減。感到內心不安的減退，我努力在腦海裡建起一堵牆，如同平時那樣控制好自己，將我的客人一個一個拒之於門外。

「走，走，走。」我喃喃地說，用力閉上眼睛，感覺就像是在推一座大山，似乎沒辦法憑藉一己之力就辦到。這也是馬克警告我的原因，警告我爲什麼不能這麼做。這些亡靈雖然是很有力的助手，但是一旦將它們召喚來，就很難駕馭了。他是怎麼說的？這麼做會令人崩潰，是在墮落的邊緣跳舞，這種險絕不能冒。

「走開！」我大喊，用力堵上腦中那最後一塊石頭。

一個接一個的，這些亡靈從我身邊消失了，我覺得自己的世界恢復了原貌。只是，當我低頭的時候，發現迪米特里周圍的幽靈也不見了，和我想的一模一樣。就這樣，他繼續開始往岸上爬。

「該死。」這是我今晚唯一會說的話。我趁他爬上岸的時候站起來，雖然他的速度比起之前更慢了，但還是快得驚人。我開始往後退，緊緊盯著他。雖然應付那些鬼魂又激起了我身體中的能量，可是和我所需的還相差太遠。迪米特里又贏了。

「這是妳另外一個影吻者的能力？」他問著，踏上了橋。

「對，」我吞了口唾沫，「很顯然幽靈一點都不喜歡血族。」

「妳似乎也不怎麼喜歡他們。」

我又退後了一步。我還能怎麼辦呢？只要我轉身跑，他一定會抓住我。

「所以，我現在做的這些，已經足以打消你想喚醒我的願望了嗎？」我盡可能歡快地說。

他澀澀地擠出一個笑容。「沒有。雖然妳這影吻者的能量有其獨特用處……不過很可惜，妳被喚醒以後它就會消失了。」

所以，他還是沒有放棄。在我做了這麼多激怒他的事情以後，他還是想要帶給我永恆。

「你不會把我變成血族的。」我說。

「蘿絲，妳已經沒有辦法——」

「我有。」我爬上橋的圍欄，一條腿跨在外面。我知道現在該怎麼做了。

他愣住了。「妳要做什麼？」

「我告訴過你，我寧願在變成血族之前死掉，我不會變成你們之中的一員，我不想。曾經，你也不想的。」我感到晚上的風拂過臉頰，冷冰冰的，這是因爲淚水已經悄悄滑過了臉頰。

我將另外一條腿也跨了過去，往下看了看川流不息的河水。我們從此就要分道揚鑣了。掉下去的話一定會很痛，就算沒有摔死，也沒有力氣游到岸邊了。我低頭看著，想像著自己死去的情況，記起我和迪米特里曾經坐在一台越野車的後座，討論著這個永恆的話題。

那是我們兩個第一次坐得那麼近，身體接觸的每一個地方感覺都是那麼溫暖而美妙，他身上的味道非常好聞，而且他似乎比平時都要放鬆，隨時會展露笑容。那一幕到現在仍是那樣的歷歷在目。我們討論到活著的意義就是能完全掌控自己的靈魂，還有成為一個不死之族意味著什麼，那意味著你丟掉了愛，丟掉了生命之光，還有很多你曾經明白的事。我們看著彼此，一致同意死去比變成血族更好。

看著眼前的迪米特里，我更加同意這種說法了。

「蘿絲，不要。」我聽出他是真的在害怕。如果我真的掉下去，就會永遠消失了。我不是血族，沒有被喚醒，為了把我喚醒，他需要先咬我，讓我死去，然後將他的血重新餵食給我。如果我跳下去，河水會淹死我，那時就一滴血也沒有了。在他發現我之前，我可能早就死去了。

「求妳。」他哀求道，聲音中帶著一絲痛苦，這令我感到很驚訝，也刺痛了我的心。這令我想起了原來還活著的迪米特里，那個沒有變成怪物的迪米特里。那個他關心我、愛我、信任我、和我纏綿。而這個他，從來不在乎這些事的這個他，向前小心地走了兩步，又停住了。「我們注定是要在一起的。」

「為什麼？」我輕輕地問。這句話隨風而逝，可是他聽見了。

「因為我需要妳。」

我哀傷地對他一笑，不知道我們在另一邊的世界是不是會再相逢。

「答案錯誤。」說完，我鬆開了手。

就在這時，他用血族那不可思議的速度衝了過來，這時我剛剛開始往下墜。他伸手抓住了我的手臂，將我拉到圍欄上，我的身子因而有一半靠在圍欄上，另外一半則懸在半空中。

「別再反抗我了！」他說，試著將我拉上來。

迪米特里的姿勢也很危險，為了能拉住我，他也跨過了圍欄，探出身子。

「放開我！」我也吼了回去。

可他的力氣實在是太大了，幾乎快要把我整個拉上了圍欄，我已經沒有掉下去的危險了。對，等待的就是現在。在我鬆開圍欄跳下去之前，已經仔細地考慮過死亡這件事了，我想好了這麼做的代價，也完全可以接受。可是，不知道為什麼，我心中隱約有種預感，認為迪米特里可能會拉住我，畢竟他的速度很快，力氣又很大。這就是為什麼我一直將銀樁放在懸空的、沒有被他抓住的那隻手裡。

我看著他的眼睛。「我永遠都愛你。」

說完，我將銀樁刺進了他的胸膛。

這並非精準的一刺，他閃躲得很快，我則掙扎著將銀樁用力刺得更深，希望可以刺中他的心臟，但是卻不知道這個角度能不能刺中。這時，他停止了掙扎，看著我，愣愣地分開雙唇，幾乎是在微笑，縱然這笑容那麼苦澀。

「這是我一直想要說的……」他喘著氣說。

這是他最後留言。

他沒有躲開銀樁，而且也因為閃躲的動作令身體失去了平衡。銀樁的魔法令一切順利進行，他漸漸失去意識，無法做出反應。

迪米特里從橋上跌了下去。

他幾乎也把我帶了下去，我設法從他手裡掙脫出來，抱住圍欄。他掉進了下方的一片黑暗中，沉沉地、沉沉地陷進了黑茫茫的鄂畢河中。過了一會兒，他的身影就再也看不見了。

我低頭看著，想著如果我在這裡守得夠久的話，不知道能不能看見他再從河裡露出頭來。可是我沒有等到。這條河太黑暗了，而且也太長了，雲朵又再次遮蔽住了月亮，黑暗隨即又籠罩了一切。我瞪著下方看了好一會兒，才意識到自己究竟做了什麼。我很想跳下去追隨他，因為此刻我再也沒有了活下去的理由。

*妳必須活下去。*我內心那個比較冷靜的聲音說道，而且語氣比之前更加堅定。*原來的迪米特里一定希望妳活下去。如果妳真的愛他，就應該堅持。*

我無可奈何地嘆了一口氣，翻回圍欄，站在橋上，驚訝自己居然感激起它的牢固，而在踏上堅實的土地後，我總算感到百分之百的踏實感。

我不知道自己要怎麼活下去，但是我知道我想要活下去。

拖著沉重的身體，我向橋的另一邊走去，但當過了橋後，我又面臨一個選擇：是要沿著河走，還是沿著公路走？雖然這兩樣的具體方向各不相同，但是大方向都是朝那片城市的燈光延伸而去的。最後我選擇了公路。我不想再接近那條河，不願去想剛剛到底發生了什麼事，也不能想，我的大腦拒絕去想。*先想著要活下去，再想想要如何活下去。*

那條公路雖然是修建在鄉間，但仍然平整結實，便於行走——但這是對其他人來說。天上下起了小雨，這對我的傷口來說簡直是雪上加霜，讓我不停地想要坐下來休息一下，蜷成一個球，什麼都不想。不，不行，絕對不行，我必須向著那片燈光一直走。這幾乎令我要仰天大笑。太滑稽了，眞的，我就像一個正從鬼門關裡逃出來的人。想到這裡，我眞的大笑了起來。我用了整個晚上逃了出來，現在，這是最後的一程。

同時也是最長的一程。雖然我對那個城市是那麼的渴望，可是它離我還是很遙遠。我不知道自己究竟走了多遠，最終還是不得不停下來坐在路旁休息。*就一分鐘。*我這麼想。就坐一分鐘，然後繼續上路。我必須繼續前進，如果有萬分之一的可能我沒有刺中他的心臟，迪米特里就可能隨時會從河裡爬上來，其他沒有死的血族也有可能爲了爭搶地位而追上來。

可是一分鐘之後，我並沒有站起來。我猜自己可能睡著了，老實說，我不知道自己究竟坐了多久。突然，一束強光照過來，將我驚醒，一台車慢慢地停在我身旁。我設法站起來，鼓起勇氣走了過去。

沒有血族從裡面下來，下來的是一個人類老頭。他看了我一眼，用俄語說了幾句話。我搖了搖頭，往後退了一步。他又鑽進車裡，說了幾句，過了一會兒，一個比他還老的女人也下了車。她看著我，張大了眼睛，臉上浮現出關心。她問了我幾句，聽起來似乎很有禮貌，然後向我伸出了手，用那種接近受傷野獸般小心翼翼的方式。我抬頭用力地看了她一會兒，然後指了指那片紫色的地平線。

「新西伯利亞。」我說。

她順著我的手看過去，點了點頭。「新西伯利亞。」她指著我，然後又指了指車。「新西伯利亞。」

我又猶豫了一會兒，然後讓她帶著我鑽進了後座。她脫下自己的外衣披在我身上，我這才發現自己已經被雨水澆透了。在經歷了今晚的這一切之後，我肯定邋遢得不成樣子，他們願意停下來真是令人感到奇怪。老爺爺重新發動車子，這令我猛地想起也許自己剛剛上了一對江洋大盜的車。可是，這和我今晚經歷的一切比起來，又算得了什麼呢？

精神和身體的痛苦開始令我昏昏欲睡，我用盡最後一絲努力，舔濕了自己的嘴唇，勉強從我的俄語字典裡找出另外一個詞。

「Pazvaneet？」

老奶奶驚訝地回頭看了我一眼。

我不知道自己的發音是不是正確，也許我剛才說的是想要打一通付費電話，而不是一支手機，或者是想要一頭長頸鹿，但是不論如何，我還是希望自己說對了。

過了一會兒，她從自己的包包裡掏出一支手機，將它遞給我。就連在西伯利亞，每個人都有這種設備。

我用顫抖的手撥通了此刻唯一記得住的電話號碼，一個女生的聲音在電話另一頭響起。

「哈嘍。」

「雪梨？我是蘿絲……」

27

我們到了新西伯利亞之後，雪梨派來接我的男生我並不認識，但是他身上也有金色的紋身。他有一頭捲髮，大約三十歲，當然，也是人類。

他看上去很可靠，值得信賴。我靠在車上的時候，他和那對老夫婦又說又笑，好像是認識了一輩子的好朋友。他身上有那種專業和令人安心的氣質，很快地那對老夫婦也被他感染，笑了起來。我不知道他對他們說了什麼，或許是說我是他任性逃家的女兒之類的話，反正他們明顯覺得把我交到他手上很放心。我猜要做好煉金術師這份工作，也必須要有親和力才行。

老夫婦開車離去之後，他的態度微微發生了轉變，雖然沒有雪梨當初那麼冷漠，但是對我沒有了笑容，也不講笑話了。他換上一副公事公辦的面孔，我禁不住想起了外星人電影裡的黑衣人，他們負責消除外星人的痕跡，令這個世界與眞相隔絕。

「妳能走嗎？」他上下將我打量了一番，問道。

「我不太確定。」我回答說。

事實說明我還可以走，只是走不快。在他的幫助下，我慢慢地走到住宅區的一個大房子前，這時，我的眼睛已經疲倦得張不開，身子也幾乎站不穩了。裡面有很多人，可是我一個都不認識，對我來說，唯一重要的事就是有人帶我走進臥室。我用盡身上的力氣，從架著我的人手裡掙脫出來，一頭趴在床上。很快，我就睡著了。

醒來的時候，房間裡陽光明媚，周圍有人小聲地說話。想起最近發生的所有事，如果我張開眼睛看見的是迪米特里或是塔蒂安娜，哪怕是從學院趕過來的奧蘭德斯基醫生，我都不會感到驚訝。但是，我看見的卻是艾比，他正低頭看著我，陽光令他身上佩戴的首飾閃閃發光。

有那麼一會兒，他的臉孔很模糊，我只看見一條很深、很深的河，那條河幾乎要將我捲走。迪米特里最後說的話迴盪在我的腦海：這是我一直想要說的……他明白我想聽的回答是他愛我。如果我們還有時間的話，會發生什麼事呢？他會說出那三個字嗎？他說的話會是眞心的嗎？如果是的話，又會發生什麼呢？

我用之前的老辦法，用意念將那條打著漩渦的河分開，強迫自己不要再去想昨天晚上的事。如果再想下去的話，我會淹死的。現在，我必須努力的游回來。艾比的臉慢慢變得清晰。

「早安，茲米。」我虛弱地說。不知怎麼，見到他我並不驚訝，雪梨可能已經把我的事彙報給她的上司，而她的上司又彙報給艾比。「看見你溜進來眞好。」

他搖了搖頭，似乎恨得牙癢癢。「妳也不輸我啊！看見有個黑暗的角落就能鑽進去。我還以爲妳已經在回蒙大拿的路上了呢！」

「下一次談判的時候，記得確認好細節。或者，直接把我打包空運回美國去，眞的。」

「哦，」他說，「我正有此意。」

他說話的時候臉上一直帶著笑容，但是不知怎麼的，我就是覺得他並不像是在開玩笑。突然，我不再害怕回去了。回家這個詞聽起來感覺還不錯。

馬克和歐克桑娜也走了過來，站在他身旁。雖然有些出乎意料，但我很歡迎他們的到來。他們也微笑看著我，表情雖然沉重，但是卻帶著放心。我坐了起來，驚訝地發現自己又能動了。

「是妳治好了我。」我對歐克桑娜說，「雖然還是很痛，但是已經沒有痛得要死的感覺了，這應該算是好現象吧。」

她點點頭。「我費了好大勁才令妳脫離危險，剩下的傷則計畫等妳清醒後再治療。」

我搖了搖頭。「不，不用，我可以自己慢慢恢復。」我一直不喜歡莉莎幫我治療，因爲我不想她在我身上浪費精力，也不想因此令她又受到負面情緒的影響。

莉莎……我猛地掀開了身上的被子。「哦，上帝啊！我必須回家，現在就回。」

立刻有三雙手臂同時攔住了我。

「等等，」馬克說，「妳哪兒都不能去。歐克桑娜只治好了一點，妳想完全恢復，需要很長的時間。」

「而且妳還沒有告訴我們究竟發生了什麼。」艾比說，他的眼神和以前一樣狡黠。他是那種必須把每件事都弄清楚的人，我身上的那種神祕感可能會令他抓狂。

「沒時間了！莉莎有麻煩，我必須回學校去。」所有的事我都想起來了。莉莎奇怪的行爲和瘋狂的舉動之後，肯定藏著一個會催眠術，或者說會超級催眠術的人。我會這麼想，是因爲愛瑞居然可以將我從莉莎的意識裡推出去。

「哦，現在妳想回蒙大拿了嗎？」艾比嚷著，「蘿絲，就算現在外面有一架飛機等著妳，最少也要花費二十個小時的路程。再說，妳現在的情況哪兒都去不了。」

我搖了搖頭，仍然想要下床。在經歷了昨晚的事情之後，這群人對我已經構不成威脅了。好吧，也許馬克可以，因爲我幾乎揮不動拳頭了。再說，我也不知道艾比會不會功夫。

「你不懂！有人想要殺了莉莎，或者要傷害她，還可能……」

好吧，我眞的不知道愛瑞想要怎麼樣，唯一知道的就是愛瑞是催眠莉莎、讓她做各種瘋狂事情的元兇。

她肯定有很強的精神能力，不僅能夠做出各種事情，而且還能把它在莉莎和艾德里安面前隱藏起來，她甚至創造出一個假的靈光，來掩蓋自己原本的金色靈光。我不知道她究竟有沒有這種本領，特別是愛瑞那種有趣可愛的性格，很難讓人將其稱之爲不正常。但是不管她的計畫是什麼，莉莎的處境都很危險。我必須做點什麼。

我沒有理會艾比，而是可憐兮兮地看著馬克和歐克桑娜。「有危險的是我的靈伴，」我向他們解釋道，「她現在有了麻煩。有人想要傷害她，我必須去找她，你們明白我爲什麼一定要這麼做。」

我看見他們臉上露出理解的表情。我知道，如果換做是他們，也一定會這麼做。

馬克嘆了一口氣。「蘿絲……我們會幫妳的，但是現在不行。」

「我們可以聯絡學院，」艾比就事論事地說，「他們可以處理的。」

沒錯。我們要怎麼做呢？打電話給樂澤校長，告訴他，他那個熱愛派對的女兒，正打算用催眠術控制別人，爲了莉莎和他人的安全，必須要將她關起來？

我的沉默令他們以爲我已經同意了，特別是艾比。

「只要歐克桑娜肯幫忙，妳很快就會好的，也許明天就能離開。」他說完又補充了一句，「我可以訂一張明天一早的飛機票。」

「她在這之前會有危險嗎？」歐克桑娜溫柔地問我。

「我……我不知道……」短短的兩天時間裡，愛瑞能夠做什麼呢？繼續挑撥離間，令莉莎的處境更加尷尬？也許她會做可怕的事，但不會持續進行，或是威脅到莉莎的生命。一定，一定……她一定會平安無事的，對吧？「我去看一下……」

我看見馬克微微張大了眼睛，因爲他知道我想做什麼。這時，房間裡的其他事情我都不知道了，因為我已經潛進了莉莎的意識。

全新的一幕出現在我眼前，過了半秒，我以為自己又站在了橋上，正低頭看著橋下黑茫茫、充滿死亡氣息的冰冷河流。

一會後，我才看清了眼前的情況——或者說，是莉莎眼前的情況。她正站在學校某個建築物的窗台上，現在是午夜時分，我不知道究竟是哪棟樓，反正這也不重要。莉莎很顯然是在第六層樓，她腳上還穿著高跟鞋，大笑著說著話，完全不管下面黑漆漆的地面正散發出危險的氣息。在她身後，我聽見愛瑞的聲音。

「莉莎，小心！妳不應該爬那麼高。」

可是這句話同時暗含了愛瑞試圖要傳達的資訊。雖然她說的這些話是出於關心，我還是可以感應到一股不經意的資訊傳進了莉莎的意識，這些資訊告訴她站在這裡沒問題，不用太擔心。這就是愛瑞的催眠術。

這時，一道閃光劃過我的意識，一個憤怒的聲音響起——

又是妳？

我又被推了出來，回到新西伯利亞的房間裡。

艾比被嚇傻了，很顯然認為我是緊張過度，馬克和歐克桑娜則試著向他解釋個中緣由。我眨了眨眼睛，在回到自己身體之後揉了揉頭部，馬克因而鬆了一口氣。

「看見別人這麼做，比我自己這麼做的感受還要奇怪。」

「她遇到危險了，」我再次想站起來。「她現在有危險……我不知道該怎麼做……」

他們說的對，我絕對不可能立刻就趕到莉莎身邊，就算我聽了艾比的意見，聯絡了學院……我也不知道來不來得及救莉莎，也不知道有沒有人相信我說的話。

我考慮過再潛回去一次，看看莉莎究竟在什麼地方，可是愛瑞肯定會再次把我推出來。從剛才匆匆瞥到的情況來看，莉莎沒有帶著自己的手機——這一點也不奇怪，學校嚴格規定上課時不准帶手機，所以莉莎一般都把手機留在宿舍裡。

可我知道有一個人肯定會帶著，而且他也會相信我。

「有人有電話嗎？」我問。

艾比把他的電話遞給了我，我撥通了艾德里安的號碼，眞訝異我居然還記得。艾德里安雖然生我的氣，可是他關心莉莎，不管對我的態度如何，他都會去幫助她，在聽過我解釋這種瘋狂的精神能力實施的陰謀之後，也會相信我。

可是電話那一頭沒有人接聽，最後轉到了他的語音信箱，「我知道你有多麼想我，」那頭有一個愉悅的聲音說道，「請留言，我會盡快解除你的煩憂。」

我掛斷電話，非常失落。突然，我抬頭看著歐克桑娜，一個瘋狂的主意在腦海裡形成。

「妳……妳可以做到……就是潛進別人的意識，碰觸他們的想法，對不對？就像妳對我做過的一樣？」

她微微笑著。「是的，但是我並不喜歡這麼做。我認爲這麼做是不對的。」

「妳潛進去之後可以對他們進行催眠嗎？」

她似乎更討厭這種做法。「哦，對，當然……這兩種事情其實非常相似。但是碰觸別人的意識是一回事，強迫他們按自己的想法做又是完全不同的一回事了。」

「我的朋友可能會做很危險的事，」我說，「她會因此喪命的，可她是被人催眠的，我一點辦法都沒有。我無法藉由心電感應幫助她，只能在一旁觀看，如果妳能夠潛進我朋友的意識裡，告訴她別再繼續……」

歐克桑娜搖了搖頭。「就算這和道德無關，我也沒辦法潛進一個不在這裡的人的意識裡，尤其是這個人我從來沒有見過。」

我耙了耙頭髮，覺得更加害怕了。我眞希望歐克桑娜知道怎麼走進夢裡，這樣至少能讓她有到遠處去的能力。所有精神能力使用者會的東西似乎都不一樣，每個人的進度都不同，也許某個會在夢中行走的人，下一步可以擁有的能力，就是在別人清醒的時候也能闖進去。

這時，另外一個更加瘋狂的主意在我腦海中形成。今天眞是値得紀念的一天。「歐克桑娜……妳能碰觸到我的意識，對吧？」

「對。」她再次向我肯定。

「如果……如果我先潛進靈伴的意識，然後妳再潛進我的，藉此潛進她的意識，這樣可以嗎？就像我是妳們兩個中間的橋樑一樣？」

「這種事眞是前所未聞。」馬克喃喃地說。

「這是因爲我們從來不知道有這麼多精神能力者，也不知道有這麼多影吻者。」我指出事實。艾比雖然非常想聽明白，可惜他已經完全被搞糊塗了。

歐克桑娜臉上籠罩了一絲陰影。「我不知道……」

「反正不是成功就是失敗。」我說，「如果失敗的話，也不會傷害任何人。可是如果妳能夠透過我接觸到她……就可以勸服她了。」歐克桑娜好像還有話要說，我搶在她之前又說：「我知道，我知道，妳認爲這麼做不對，可是做了這件事的那個精神能力者呢？她才是做錯事的那個。妳只要催眠莉莎，令她脫離危險就可以了，她現在已經準備要從樓上跳下去了！現在必須要阻止她，然後我再回去把所有事全都解決掉。」

我說的把事情解決掉，是指送給愛瑞漂亮的臉蛋一個大黑眼圈。

在我不可思議的一生中，我已經很習慣人們——特別是成年人——拒絕我異想天開的主意和聲明了。我曾經花了一番力氣說服人們相信維克多綁架了莉莎，上回讓那些守護者相信校園裡有血族也很費勁，所以遇到現在這種情況，我幾乎不太願意爭辯了。可是這一回發生的事和他們息息相關，歐克桑娜和馬克這一生都在和精神能力做抗爭，瘋狂就是他們生活中的一部分。

過了一會兒，歐克桑娜終於妥協了。「好吧，把妳的手給我。」

「你們要幹什麼？」艾比仍然一頭霧水。

我的虛榮心得到了小小的滿足，他居然也有這一刻。

馬克用俄語喃喃地囑咐了歐克桑娜幾句，然後吻了吻她的臉頰。他是在提醒她要小心，不要爲自己的選擇感到內疚。我知道如果換成是她處於莉莎現在的狀況，他也會選擇和我同樣的辦法。愛在他們兩個之間傳遞，那麼深刻、那麼強烈，我幾乎看癡了。這種愛令我想起了迪米特里，如果我再放任自己想下去，哪怕只有一下下，肯定又會想起昨天晚上……

我握住歐克桑娜的雙手，緊張得有點胃痛。我不怎麼喜歡有人在我的意識裡，雖然這種想法對一個經常溜去她最好朋友意識裡的人來說有點諷刺。歐克桑娜朝我微微一笑，她也和我一樣緊張。

「對不起，」她說，「我確實不喜歡這麼做……」

這時，我又感受到愛瑞將我推出來時的那種感覺，就像有人眞的在我腦子裡推了我一把一樣。我吸了口氣，看著歐克桑娜的眼睛，那種冷熱交替的感覺又傳遍了全身。歐克桑娜已經進入了我的意識。

「現在，我們去找妳的朋友吧。」她說。

我依言而行，集中注意力潛進莉莎的意識，發現她仍然站在窗台上。這比發現她已經掉下去要好，可是我還是希望她盡早從上面下來，回到屋子裡去。可是，我沒辦法做到這一點，我只是個傳聲筒，歐克桑娜才是那個可以眞正和莉莎對話，要她下來的人。只是，我不知道她是不是跟上了我的腳步，當我潛進莉莎的意識裡時，完全感應不到歐克桑娜的存在，一點跡象都沒有。

歐克桑娜？我想著。妳在嗎？

沒有人回應——至少歐克桑娜沒有回應我。回應我的是另一個令我意想不到之人。

蘿絲？

莉莎的聲音在我腦海裡響起。她站在窗台上一動不動，突然中斷了和愛瑞的說笑。我感受到了莉莎的恐懼和不解，她不知道我的聲音是不是她想像出來的，因而環視了一下整個房間，沒有理會愛瑞。

愛瑞知道有事發生了，臉色變得凝重。我在莉莎的意識裡感覺到了她那熟悉的氣息，毫不意外愛瑞想要再次把我推出去。只不過，這次她沒有成功。

之前愛瑞每次要踢我出去的時候，都像是有人確實推了我一把，這次我還是能感覺到這個動作，可是對她來講，這次似乎是踢到了鐵板。我再也不像原來那麼好驅趕了，歐克桑娜與我同在，她的力量源源不斷地輸送過來。愛瑞仍然在莉莎的視線當中，我看見那雙漂亮的藍灰色眼睛張得大大的，似乎正訝異著她居然無法掌控我。

哦，我想道，妳完了，賤人！

蘿絲？莉莎的聲音又響了起來，是我瘋了嗎？

還沒有。妳最好趕緊下來，馬上。我認為愛瑞想要殺了妳。

殺我？我能感受到，同時也能聽見莉莎的懷疑。她不會的。

聽著，現在不是爭論這件事的時候。先從窗台上下來，這樣比較好。

我感應到莉莎的情緒變化，知道她正移動身子，打算放下一隻腳。這時，她內心中似乎有一股強大的力量令她又停了下來。她的腳懸在半空，慢慢地又開始往上抬……

這是愛瑞幹的好事。我不知道身爲後援的歐克桑娜能不能阻止這一切。不，其實歐克桑娜並不是眞的在莉莎的意識裡，只是不知怎麼的，她的精神能力打通了我和莉莎之間的壁壘，而她自己則擔任著守備角色。我本來希望自己成爲橋樑，讓歐克桑娜來到莉莎的意識裡催眠她，可是現在的情況剛好相反。只是，我並沒有催眠的本領，只能用理智來說服她。

莉莎，妳必須反抗愛瑞的力量。我說。她也是精神能力者，而且一直在催眠妳。妳是我認識的人中催眠力量最強的一個，肯定可以打敗她的。

一個害怕的聲音回答我：我不行……我現在不能催眠別人。

為什麼？

因為我喝了酒。

我在心裡呻吟起來。必然如此，這就是爲什麼愛瑞經常讓莉莎喝酒的原因。酒精可以麻痺精神能力，艾德里安平時的樣子就是最好的證明。愛瑞一直鼓勵莉莎喝酒，這樣她的精神能力就會減弱，而愛瑞遇到的阻力也會減少。有很多次，莉莎說已經記不清愛瑞究竟喝了多少酒，現在想起來，愛瑞一定是假裝喝了很多。

那就用妳平時的意志力。我對她說。它也可以戰勝催眠術。

我感覺到莉莎開始建立自己的防線，一直在心裡反覆默念我對她說的話，她告訴自己必須強大起來，必須從窗台上下來。她努力地想推開愛瑞的那股力量，而不知怎麼的，我發現自己也開始努力幫她推動。就這樣，我和莉莎的力量融合在一起，慢慢將愛瑞往外推。

在現實世界裡，愛瑞和莉莎四目交接，眼神緊緊鎖在一起，同時心裡默默地較量著。從愛瑞的表情來看，她正努力集中精神，但是又突然臉色一變，似乎注意到了我的力量。她瞇起眼睛，開始講話，可是她講話的對象是我，而不是莉莎。

「哦。」愛瑞嘶啞地說，「妳其實不想給我添麻煩。」

是這樣嗎？

這時一股熱浪襲來，我突然感覺有人進入了我的意識，只不過這個人不是歐克桑娜。來的人是愛瑞，她正在用力地調查我的想法和記憶。我現在明白歐克桑娜說的侵入和違背道德是什麼意思了，這不只是看穿別人的想法，還是在監視他們最重要的內心世界。

突然，我周圍的世界開始崩解，接著發現自己站在一個陌生的房間裡，有那麼一會兒，以爲自己又回到了賈琳娜的大廈。這裡也有那種奢華、富麗的感覺，可是我仔細看了一會兒之後，認出這個地方比那裡大多了，而且裝潢也不一樣，就連氣氛都不一樣。

賈琳娜的大廈雖然美，但是有種冷冰冰、毫無生氣的感覺，這個地方引人注目，充滿了暖暖的愛意，長絨布沙發的一角隨意地堆著一條毯子，就像某人——或者說是某兩個人——剛剛用它取暖過一樣。可是，這個房間並不髒亂，裡面擺放了各式各樣的東西，比如書、放在相框裡的照片，這些都表明這個房間有人住，而不只是個樣品屋。

我走到一個小書架前，拿起一個相框，當我看清照片上的人時，差點失手扔了它。這是我和迪米特里的合影，可我根本不記得我們兩個曾經一起照過相。我們手牽手站在一起，頭靠在一起，這樣可以確保兩個人都在鏡頭裡；我笑得很燦爛，他也露出一抹在他臉上不常見到的愉快笑容，這令他臉上總是充滿防備的堅硬線條柔和了許多，顯得更加性感，而且是超乎我想像的性感。一絲柔順的棕髮從他束好的馬尾辮上鬆脫了下來，垂在臉龐。我們身後遠遠的地方是一座城市，我立刻認出它來——聖彼德堡。

我皺起眉頭。不對，這張照片絕對不可能存在。當我還在仔細看照片的時候，突然聽見有人走進了房間。我看著來人，心跳差點停止，然後顫抖著將相框放回架子上，往後退了一小步。

進來的人是迪米特里。

他穿著牛仔褲，上身穿了一件非常合身的紅色休閒T恤，將他的肌肉線條勾勒得非常完美。他的頭髮披散下來，微微有些濕，好像剛剛洗完澡，手裡拿著兩個杯子，看見我隨即笑了。

「還沒換好衣服？」他說著搖了搖頭，「他們隨時都會到。」

我低頭看見自己穿著法蘭絨格子睡褲，上身穿了一件小可愛。他遞給我一個杯子，我除了愣愣地結過杯子，沒有任何反應。我看了杯子一眼，發現裡面盛裝的是熱巧克力，然後又抬起頭看著他。他的眼睛裡沒有紅眼圈，臉上也沒有惡魔一樣的表情，只有美好的溫暖和愛意。他是我的迪米特里，那個愛我並且說要保護我的迪米特里，那個有著純淨的心靈和靈魂的……

「誰……誰要來？」我問。

「莉莎和克里斯蒂安。他們要來吃早午餐。」他奇怪地看了我一眼。「妳還好嗎？」

我看著周圍，再次打量起這個舒適的房間，透過窗戶，我看見後院裡種滿了大樹和花朵，陽光透過窗戶照在地毯上。我回頭看著他，搖了搖頭。「這是怎麼回事？我們在哪兒？」

他的表情本來只是疑惑，現在則擰起了眉頭。他往前走了一步，拿走我手中的杯子，然後和他的杯子一起放在架子上。他雙手摟著我的腰，我抖了一下，但是沒有掙脫。面對一個和我的迪米特里這麼像的人，我怎麼掙脫得開呢？

「這是我們的家。」他說著，將我拉近了些。「在賓斯法尼亞。」

「賓夕法尼亞……你是說我們在皇庭？」

他聳了聳肩。「離皇庭還有幾英里。」

我緩緩地搖著頭。「不……這不可能。我們不能住在一起，而且也不可能離他們這麼近，他們不會同意的。」

如果在某個瘋狂的世界裡，我和迪米特里住在了一起，那也會是躲在一個沒人猜得到的、很遙遠的地方，比如說西伯利亞。

「是妳一定要住在這兒的，」他微微一笑，「而且沒有人在意，他們已經接受了我們在一起的事情。另外，是妳說我們要住得離莉莎近一點的。」

我覺得有些混亂。這是怎麼回事？怎麼可能呢？我怎麼會和迪米特里住在一起，而且還離莫里這麼近？這不對……可是，又好像沒什麼不對。我看著周圍，能看出這裡多麼像是我的家，我能感覺到家的溫暖，感覺到我和迪米特里與這個家之間的聯繫。可是……我怎麼會真的和他住在一起了呢？我不是應該去做別的事嗎？難道我不是應該在別的地方嗎？

「你變成血族了。」我終於開口，「不對……你已經死了，是我親手殺了你。」

他伸出一根手指沿著我的臉頰滑動，仍然帶著那抹憐憫的笑容。「我看起來像是死了的樣子嗎？我像血族嗎？」

不像。他看起來非常帥，非常性感，非常強壯。他身上有我記得的一切，有我愛的一切。「可你已經……」我沒有說完，仍然有些迷茫。這不對，肯定有一件我必須要做的事，可我就是想不起來。「怎麼回事？」

他的手重新放回我的腰上，緊緊地將我摟在懷裡。「妳救了我，」他在我耳邊喃喃地說，「妳的愛救了我，蘿莎。妳將我帶了回來，所以我們才能在一起。」

是這樣嗎？對這件事我也沒有印象。可是這裡的一切都是那麼眞實，令人覺得如此美好。我想念死了他抱著我的感覺，雖然他還是血族的時候也抱過我，可和這種感覺一點都不一樣。當他俯下身子吻我的時候，我相信他眞的不再是血族了，眞不知道在賈琳娜的大廈裡時，我究竟是怎麼自欺欺人的。這個吻是有生命的，它點燃了我的靈魂，我的唇熱情地回應著他，我感覺到那種默契，它告訴我這個世界上除了他，再沒有人這麼適合我。

只是，我還是甩不掉那種我不應該在這裡的感覺。可還有什麼地方等著我去呢？莉莎……這件事和莉莎有關……

我中斷了這個吻，但是沒有從他的懷裡掙脫出來，我將頭靠在他的胸膛上。「我真的救了你？」

「妳的愛太強大了，我們的愛太強大了，甚至連血族都不能將我們分開。」

我想要相信，非常想，可是那個聲音仍然不停地在響……莉莎，莉莎怎麼了？這時，我突然想起來了。莉莎和愛瑞。我必須把莉莎從愛瑞手裡救出來！我猛地推開迪米特里，他驚訝地看著我。

「妳怎麼了？」

「這不是真的，」我說，「不過是幻覺而已。你還是血族，我們不能在一起，不能住在這裡，不能和莫里這麼近。」

「我們當然可以。」他深棕色的眼眸裡露出受傷的情緒，它撕碎了我的心。「妳不想和我在一起嗎？」

「我必須回到莉莎……」

「別管她了，」他說著又想來抱我，「忘掉所有那些事，留下來和我在一起，我們想要什麼就可以有什麼，蘿絲。我們每天都可以在一起，每天早上一起醒來。」

「不，」我往後退了一大步，知道如果不這麼做，他還會再來吻我，而我將真的淪陷。莉莎需要我，莉莎現在被困住了。每過去一秒，關於愛瑞的種種就不斷湧上腦海，這只不過是場幻覺。

「蘿絲？」他問道，聲音裡全是痛楚。「妳要做什麼？」

「對不起，」我覺得自己好像快要哭出來了。莉莎，我必須去找莉莎。「這一切都不是眞的，你已經死了。我們永遠不可能在一起了，而且我必須去救她。」

「妳愛她比愛我還多嗎？」

莉莎也曾經問過我同樣的問題，當時我正要離開去找迪米特里。我的人生似乎一直在他們兩個中到底要選誰的難題上徘徊。

「你們兩個我都愛。」我回答道。

說完，我用盡所有的意志力將自己帶回莉莎身邊，帶回她所在的地方，含淚揮別這個夢幻的世界。老實說，我眞希望用後半生的日子來相信這個虛幻的世界，相信我和迪米特里住在這裡，像他說的那樣，每天早上和他一起醒來。可是，這一切都不是眞的。

這種生活太安逸了，而如果我曾經學會過什麼，那就是人生永遠不會安逸。回來的過程很痛苦，可是突然之間，我又看見了聖弗拉米爾學院的這個房間，發現愛瑞正瞪著我和莉莎。愛瑞翻出了我最痛苦的記憶，試圖藉此迷惑我，製造一個我最渴望的場景的假象，來痲痺我、令我和莉莎分開。

我識破了愛瑞的詭計，不禁有些沾沾自喜，可是心裡仍然很痛。我希望我可以直接和她交流，將我對她這個人和她做的事情的看法親自告訴她。但是目前這是個奢求，所以，我再次將自己的意志力與莉莎結合在一起，我們一起努力走下窗台，站在了房間的地板上。

愛瑞的額頭佈滿了汗珠，她意識到自己輸了這場心靈的拉鋸戰，漂亮的臉蛋頓時變得醜陋至極。「好極了，」她說，「這樣要殺了妳就變得容易多了。」

李德突然闖了進來，和以前一樣不友好。我不知道他是從哪裡蹦出來的，也不知道他怎麼出現得這麼是時候，可是他直接向莉莎走過來，伸出了雙手。莉莎的身後是敞開的窗子，他想幹什麼傻子也猜得出來。愛瑞本來是想用催眠術令莉莎跳下去，而李德的打算是直接把她推下去。

在這驚心動魄的一刻，我和莉莎之間瞬間閃過一絲心電交流。

好吧，我對她說，現在的情況是這樣，我們兩個之間要做個角色轉換了。

妳在說什麼?恐懼佔領了她全身。這我可以理解，但是李德的手馬上就要抓住她了。

是這樣的，我說，我剛剛才進行完一場心靈的較量，也就是說，妳現在要靠自己來戰鬥了，我會告訴妳該怎麼做。

28

莉莎根本用不著用言語來表達自己的震驚，就已經將強烈的震撼感透過感應傳給了我，這比言語更加有力。可是不管怎樣，我仍有一句很重要的話要告訴她——

閃！

我猜正是因爲她的驚訝才讓她的反應如此迅速。她立刻趴在了地上，這一下雖然笨拙，但是令她躲過了李德的直接攻擊，而且令她（幾乎是）離開了窗邊的危險地帶。可是李德仍然碰到了她的肩膀，還擦過了她的頭部，雖然只是些微的碰撞，還是有點痛。

當然，「有點痛」對我們兩個來說，完全是不同的標準。莉莎雖然飽經折磨，可大部分都是精神上的戰爭，她從來沒有一對一地和別人有過肢體衝突。被丟在牆上對我來說是家常便飯，但是對於莉莎，頭部被輕輕一掃都像是被紀念碑砸到。

*爬開。*我命令道，*躲開他和窗戶，盡量往門口走。*

莉莎開始手腳並用地往前爬，可是她爬得太慢了，李德因而一把揪住了她的頭髮。我覺得我們有點像是在打電話遊戲，從我發出指令到她接受指令然後做出反應，這中間我都可以再傳遞同樣的資訊給五個人了。我很希望自己可以直接控制她的身體，像操縱木偶一樣，可惜我不是精神能力者。

雖然會痛，但是妳得盡可能轉回身，然後揍他。

哦，確實很痛。要她將身體轉回去，意味著李德揪著她頭髮的動作會變得更加用力。莉莎轉身轉得很漂亮，但是卻沒能打中李德，而她揮拳的動作雖不太協調，卻足以嚇李德一跳。李德鬆開手，想要繼續按住莉莎，這使我注意到他的動作也不是很協調。他比莉莎要強壯，這我承認，可是他顯然也沒有接受過搏擊訓練，缺乏揮拳和衝撞的基礎。他進來的目的並不是真的要和誰打一場，只是要將莉莎從窗戶推下去，這就算完成使命了。

盡量爬出去，盡量爬出去。

莉莎在地上爬，不幸的是她的逃跑計畫並沒有讓她離門口比較近，反而越來越往房間裡面走，直到後背撞上了一張滾輪書桌椅。

抓住它，打他。

說比做容易。李德已經走過來，想要抓住她把她拉起來，莉莎一把抓過椅子，想要將它從地上滾過去撞他。

我本來想要莉莎把椅子舉起來打他，但是這對她來說並不是件容易的事。不過她還是照做了，而且想要站起來，用椅子將兩個人隔開。我指揮著莉莎用椅子不停地發動進攻，迫使李德後退，這招雖然還有點用，可是莉莎的力量根本不能對他造成實質性的傷害。

在此同時，我有點希望愛瑞能夠加入這場戰鬥，這樣她就會分心，不會再幫助李德對付莉莎。可是，當我透過莉莎的眼角餘光，卻看見愛瑞仍然坐得直直的，她的眼睛已經失去了焦距，微微張大了些。這眞奇怪，可是我又不能抱怨她現在注意力不夠集中。

就這樣，莉莎和李德僵持在一起，但是我必須讓她從這種困境中脫身。

妳現在只是在防守，我說，可是妳必須要主動進攻。

我終於得到了一個直接的回應。什麼？這種事我絕對做不到！我根本就不會！

我會告訴妳怎麼做。踢他，最好能踢中他兩腿之間，這招對大部分男生都有效。

我沒有用說的，而是將感覺傳遞給她，教她怎麼樣用力、怎麼樣攻擊。莉莎鼓起勇氣，將椅子推開，這樣她和李德中間就沒有礙事的東西了。這個舉動令李德很是驚訝，也給了莉莎一個絕佳的空擋。莉莎一腿飛出，雖然沒有踢中黃金目標，但是踢中了他的膝蓋，這也不錯。李德往後退了幾步，兩腿一軟，跪在地上。他想抓住椅子站起來，可是椅子一直在滾來滾去，根本一點忙都幫不上。

莉莎根本不用我教，就向門邊跑去，可是門鎖上了——西蒙剛剛走了進來。有一瞬間，我和莉莎都覺得鬆了一口氣。一個守護者！守護者是安全的，守護者會保護我們。但事實是，這個守護者是為愛瑞效勞的，而且很快就證明他的效勞範圍不僅僅是擊退血族。西蒙走進來，毫不猶豫地抓住莉莎，用力拖著她向窗戶走去。

我的指導此時有些不管用。教她和一個剛入門的男生打架，我還算是個合格的教練，可是如果對手是守護者的話呢？而且此刻那個剛入門的傢伙已經站起來，打算助西蒙一臂之力了。

催眠他！這是我絕望時最後能想到的，這要靠莉莎的力量。不幸的是，莉莎之前喝的酒雖然已經退得差不多，可以讓她的動作變得靈活了，但是對她使用精神能力仍然有影響。她可以碰觸到那股力量，但很微弱，她的控制能力也很笨拙。

可不管怎麼樣，她的決心很強，她盡自己所能積攢起最多的精神能力，將它們轉換為對西蒙的催眠。可是什麼都沒發生。這時，我感覺到腦子裡有種奇怪的騷動，一開始我以為是愛瑞又回來了，可是這股力量不僅僅是傳遞到我的腦子裡而已，而是透過我穿了過去。

這股力量注入到莉莎的能力裡。我終於明白了，歐克桑娜還在，在我身後的某處，她再次借出自己的能力，將它透過我轉給莉莎。

只見西蒙愣在原地，樣子十分滑稽，他輕輕地扭動著身體，前後擺動，想要靠近莉莎完成這個致命的任務，他的樣子就好像被凍結住了。

莉莎不知道要不要動，她害怕自己一動就會破功，而且還有一個問題便是，李德並沒有被催眠。但是這一刻，他似乎也糊塗了，不知道西蒙到底是怎麼回事。

「你不能殺了我！」莉莎大喊，「難道你不認為人們一旦發現了我是被推下來的，不會產生疑問嗎？」

「他們不會發現的。」西蒙僵硬地說。他就連說話也要費很大力氣。「如果妳復活的話就不會。如果妳活不過來，那麼這不過是降臨在一個問題女生身上的意外悲劇而已。」

慢慢地，慢慢地，他開始突破莉莎的催眠。她的力量雖然還有，但是弱了一點點，就好像某處有個漏洞，使莉莎的力量源源不斷地往外洩漏。我懷疑這是愛瑞搞的鬼，但也可能只是因為莉莎太過疲勞，也可能兩者都是。當西蒙開始得以前進的時候，看起來似乎很得意，可突然，他又停住了。

一道耀眼的金色靈光出現在莉莎周圍，她看了一眼，發現艾德里安站在門口。他的表情很滑稽，可不管是不是震驚過度，他還是一下子就將目標鎖定在西蒙身上。現在輪到艾德里安催眠這個守護者了，莉莎退到一旁，不想離那個該死的窗戶那麼近。

「定住他！」莉莎大喊。

艾德里安苦笑著說：「我……做不到。這他媽的到底是怎麼回事？就好像有別的人……」

「是愛瑞，」莉莎說著，飛快地看了一眼愛瑞。即使是對於一名莫里來說，此時愛瑞的臉色也顯得過分蒼白。她的呼吸沉重，頭上的汗珠更多了，似乎正努力對抗著艾德里安的催眠術。過了幾秒，西蒙又能動了，他向莉莎和艾德里安走去，但是行動似乎並不順暢。

該死的賤人。我這麼想。

現在怎麼辦？莉莎問。

李德，去抓李德，先把他幹掉。

李德在我們和西蒙糾纏的時候站在一邊，疑惑不解地看著我們。和那個守護者一樣，李德的動作也有點緩慢。但是，他再次向莉莎走來。而西蒙顯然認爲，艾德里安才是他最大的危險，需要馬上解決。

是時候看看分頭出擊是不是有效果了。

艾德里安怎麼辦？莉莎問。

我們要拋棄他一會兒，讓他自己應付了。去找李德，打暈他。

什麼!?

不過莉莎還是向他走去，帶著令我感動和驕傲的決心。李德的臉因爲大吼而變得扭曲，整個人看起來瘋狂又自大，但是很明顯沒有腦子，只是笨拙地前進。再一次，我試圖用感應能力教會莉莎格鬥的技巧。我沒有讓她特別做什麼，而是盡量讓她體會到揍人是種什麼感覺，要怎麼收回手臂，怎麼將手指彎曲到合適的角度，怎麼用力。在見過了她之前的表現後，我只希望她能打出類似的一拳，只要不讓他近身，盡量拖延時間就好了。

這時，絕對精彩的一幕發生了。

莉莎一拳打在了他的鼻子上。我的意思是說，打中了！我們都聽見了砰的一聲，聽見了鼻骨斷掉的聲音。血流了出來，李德向後飛去，他和莉莎兩個人全都瞪大了眼。我從來、從來都沒想過莉莎居然能幹得這麼漂亮，這可不是那個甜美的、優雅的、美麗的莉莎。我想歡呼，高興得想要跳舞，可是事情還沒結束。

別停！接著打。妳可以把他揍暈過去的！

我做到了！她大喊，被自己做的事情嚇了一大跳。她的拳頭也很痛，我在教她的時候有意識地忽略了這一點。

不行，妳必須把他揍到沒有還手之力為止。我對莉莎說。我認為李德和愛瑞是有心電感應的，而且我還認為愛瑞需要從他身上汲取力量。

這樣一切就都說得通了。當愛瑞將力量用來催眠的時候，他就不會動；為什麼他知道該什麼時候現身，是愛瑞用了心電感應將他召喚來的。

所以莉莎繼續追著李德又揍了兩拳，其中一拳揍得他的頭撞上了牆。他的嘴巴微張，身子一軟，癱倒在地上，眼睛雖然瞪著，但是已經沒有了焦距。我不知道他是不是完全失去了意識，不過此時他已經被踢出局了。

解決掉這邊後，我聽見一聲來自愛瑞的微弱叫聲。

莉莎轉身跑向艾德里安和西蒙那一個戰區。艾德里安已經不再使用催眠術了，因爲西蒙的進攻令他沒空繼續，他的臉上顯示出他被打中了幾下。我明白，如同莉莎一樣，他也從來沒有接觸過這種身體格鬥。不再需要我指點，莉莎便衝過去開始使出自己的催眠術，西蒙猛地一愣，雖然沒有停下攻擊，但是也鬆懈了防備。莉莎雖然很虛弱，但是他腦中的防禦力此刻也減弱了一點，就如同我所預料的一樣。

「幫我！」莉莎大喊。

趁著西蒙愣神的一刻，艾德里安也試著將他的力量施展出來。莉莎能感應到，而且也看見這種改變反應在他的靈光上，顯示出魔法在他身體裡湧動，她感應到艾德里安的力量和自己的融入在一起，兩人合力攻擊西蒙。過了一會兒，我感應到歐克桑娜也加了進來。我想要承擔起將軍的角色發號施令，可是這已經不再是我的戰鬥了。

西蒙的眼睛越張越大，最後甚至跪了下來。莉莎可以感應到另外兩個精神能力者，她對歐克桑娜的出現有點驚訝，她隱約意識到他們三個對西蒙做的事稍有不同。莉莎是打算用催眠令他停止攻擊，只要坐在地上就好，當她和艾德里安的魔法短暫交會的時候，發現艾德里安打算令這個守護者睡著，而歐克桑娜則試圖讓西蒙跑出這個房間。

這些亂七八糟的資訊和三股力量彙聚在一起，後果十分可怕。西蒙最後的反抗失敗，這些摻雜在一起的資訊一下子全都湧進他的腦子裡，掀起了一股驚濤駭浪，他趴在了地上，被這些精神能力擊暈了過去。

莉莎和艾德里安轉頭看向愛瑞，再次戒備起來，可是已經用不著了。

就在所有精神能力都衝進西蒙身體的一瞬間，愛瑞開始發出尖叫。持續的尖叫。她兩隻手用力摀著頭，尖叫聲可怕又刺耳。莉莎和艾德里安交換了一下眼神，不知道怎麼應付這個新狀況。

「看在上帝的份上，」艾德里安嘆了一口氣，疲憊地說，「我們該怎麼做才能讓她閉嘴？」

莉莎也不知道。她想走過去幫幫愛瑞，儘管發生了這麼多的事。可是過了幾秒，愛瑞停止了尖叫。她沒有像自己的同伴那樣昏過去，只是坐在那裡，愣愣地看著前方，表情和她使用精神能力的時候完全不一樣，就是那種……放空的表情，就像這個人腦子裡什麼都沒有。

「怎、怎麼回事？」莉莎問。

我有了答案。從西蒙身上湧進的精神能力使她崩潰了。

莉莎驚訝極了。怎麼可能從西蒙傳遞到她身上呢？

因為他們兩個之間有心電感應。

妳說過和她有心電感應的是李德！

確實如此，她和這兩個人都有心電感應。

莉莎在爲自己的生命奮鬥而暫時無暇他顧，可是我透過她的眼睛可以看見每個人的靈光。愛瑞已經不再隱藏自己的靈光，她的也是金色的，就像艾德里安和莉莎一樣。而西蒙和李德的靈光差不多，原有的靈光顏色之外都圍了一圈黑色，他們是影吻者，都是被愛瑞從死神手裡搶救回來的。

莉莎沒有再問，只是癱倒在艾德里安的懷中。他們兩個之間沒有曖昧的情愫，只是恰好可以互相彌補身邊沒有朋友的缺憾。

「你怎麼會來？」她問道。

「妳在開玩笑嗎？我怎麼能不來？妳們兩個使用精神能力的時候，就像有一團火焰在燃燒，我在校園裡的每個角落都能感覺得到。」他看了看四周。「老天，我有很多問題。」

「我們兩個都有。」莉莎喃喃地說。

我要走了。我對莉莎說。對於要離開他們我似乎有點難受。

我想念妳。妳什麼時候回來？

馬上。

謝謝，謝謝妳一直在我身邊。

永遠都在。我想我的身體也露出了微笑。哦，莉莎，告訴艾德里安，我為他驕傲。

學院的教室漸漸消失了，我再次坐回到半個地球之外的床上。

艾比關切地看著我，馬克也面露關心，但是他的眼中只有歐克桑娜。歐克桑娜現在躺在我身旁，她看上去有一點像愛瑞，臉色蒼白，滿頭是汗。

馬克用力抓住她的手，心中的恐懼漸漸消失。「妳還好嗎？」

她微笑著說：「有點累，會好起來的。」

我想要擁抱她。「謝謝，」我喘著氣說，「眞是太謝謝妳了。」

「很高興我能幫上忙。」歐克桑娜說，「不過我希望永遠不必再做這種事了，這……太奇怪了。我不知道在這裡面我究竟扮演著什麼角色。」

「我也是。」整件事眞的是太奇怪了，有時歐克桑娜好像確實在那裡，和莉莎、其他人並肩戰鬥，可是另外的時候，我又感覺到歐克桑娜是和我在一起。我打了個寒噤，太多個人的意識糾纏在一起了。

「下次，妳一定要在她身邊，」歐克桑娜說，「在現實世界裡。」

我低頭看看自己的雙手，不知道該有甚麼感覺。那銀色的戒指閃著光，我將它摘下來，交給歐克桑娜。

「這個戒指救了我。妳是創造它的人，它也能治好妳嗎？」

她將戒指拿在手裡看了一會兒，又把它還給了我。「不，正如我說過的，我自己就可以復原，因爲我可以很快治好我自己。」

這是眞的。過去，我曾經見過莉莎恢復得多麼快，這是擁有精神能力的關係。我瞪著戒指，突然想起了一件事，那是在坐那對老夫婦的車去新西伯利亞時，瞬間閃過的一個念頭，當時我的意識斷斷續續、迷迷糊糊的。

「歐克桑娜……有一個血族摸過這枚戒指，有那麼一會兒，當他拿著戒指的時候，就好像……呃，他還是血族，這毫無疑問，可是當他拿著它的時候，在情感上似乎又變回原來的那個自己了。」

歐克桑娜沒有馬上回答，她抬頭看了看馬克，他們彼此凝視了很長一段時間，馬克咬著嘴唇，搖了搖頭。

「別說，」他說，「那不過是個童話而已。」

「什麼？」我大聲問道。我看了看馬克，又看了看歐克桑娜。「如果你們知道有關這件事、關於血族這種情況的事，一定要告訴我！」

馬克高聲用俄語說了一串話，他的語氣透出警告，但歐克桑娜的決心看起來也很堅定。

「我們不能擅自隱瞞消息。」她回應道，說完轉身看著我，表情十分凝重。「馬克對妳說過，我們很久以前碰見過一個莫里吧……就是那個精神能力者？」

我點點頭。「對。」

「他曾經講過許多事，大部分我們都不相信是眞的。但是他曾經講過一個……嗯，他說他成功地將一個血族救了回來。」

艾比到目前爲止都一直保持著沉默，這時他咳嗽了一下。「這只是個傳說。」

「什麼？」我的整個世界都亂了。「怎麼辦到的？」

「我不知道。他從來不認眞講，細節每次都不一樣，他的想法不停在變，我想大概有一半都是他自己的想像。」歐克桑娜解釋道。

「他是個瘋子，」馬克說，「那些故事都是假的。別對一個瘋子的幻想太過認眞，也別鑽牛角尖，別讓這個故事成爲妳下一個『自衛隊式』的任務。妳必須要回到妳的靈件身邊。」

我吞了一口唾沫，所有的感覺都在胃裡攪做一團。

這是眞的嗎？精神能力者眞的可以將血族救回來？理論上說……呃，如果精神能力者可以用他們的治癒能力，將人從死神手裡帶回來，那麼爲什麼不死之族就不行呢？而迪米特里……迪米特里拿著戒指的時候，確實很不一樣了。是因爲受了精神能力的影響，觸動了某一部分原來的他？那時，我以爲是因爲提起了他的家人才讓他有了改變……

「我必須找這個人談談。」我喃喃地說。

我不知道為什麼要這麼做。不管是不是童話，都已經太晚了，我已經完成了任務——我殺死了迪米特里。現在，再沒有什麼能將他帶回來了，不管是奇跡還是精神能力。我的心跳加速，感覺幾乎無法呼吸。我在回憶中看見他掉下去、掉下去……永遠地掉下去，胸口插著一根銀樁。

他會說他愛我嗎？這個問題我可能要問自己一輩子了。

痛苦和悲傷填滿了我，但與此同時，我也有種解脫的感覺。我將迪米特里從惡魔的國度釋放了出來，我替他帶來了平靜，將他送往幸福的天國。也許他和梅森一起在天堂裡的某個地方，練習守護者的動作。我做完了這件正確的事，再沒有遺憾。

在我陷入自我情緒中的時候，歐克桑娜解答了我最後的問題：「馬克沒有開玩笑。這個男人是個瘋子，如果他還活著的話。我們最後一次見他，他已經沒辦法說話，也不能使用自己的魔法了。他藏匿了起來，沒有人知道他在哪，除了他的哥哥。」

「夠了。」馬克警告她。

艾比這時著了急，他湊過來，和往常一樣機靈。「這個男的叫什麼？」

馬克猶豫了一下後，說道：「羅伯特・德魯。」

這個人我不認識，這讓我意識到這一切是多麼渺茫。這個人已經失蹤了，而且將血族救活這件事，很可能完全是他自己的想像。迪米特里已經不在了，我這部分的生命已經終結，我需要回到莉莎的身邊去……這時，我發現艾比陷入了沉思。

「你認識他？」我問。

「不認識。妳呢？」

「不認識。」我仔細看了一下艾比的表情。「你看起來好像知道什麼，茲米。」

「我聽過他的事。」艾比澄清道，「他是一個皇室私生子。他的父親有一個情人，之後生下了羅伯特。羅伯特的父親其實一直將他視爲家族的一員，他和他同父異母的哥哥一起長大，兩個人感情非常好，但是這件事很少有人知道。」可是，艾比當然知道。「德魯是羅伯特母親的姓。」

這不奇怪，德魯不是皇室的姓氏。「他父親姓什麼？」

「達什科夫。特蘭頓・達什科夫。」

「這個人，」我對他說，「我認識。」

我認識特蘭頓・達什科夫，是多年以前，陪莉莎和她的家人參加皇室假日派對時的事。特蘭頓那時已經老態龍鍾，雖然和善，但是已經在瀕死邊緣。莫里一般的壽命是一百年左右，但是他又多活了二十年，按照他們的標準來說，已經是人瑞了。根本沒有任何跡象或是緋聞，說他曾經有過一個私生子，只知道他有一個合法的嫡生子。這個兒子曾經和我跳過舞，殷勤周到地對待一個像我這樣低等的拜爾女孩。

「特蘭頓是維克多・達什科夫的父親。」我說，「你的意思是說，羅伯特・德魯是維克多・達什科夫同父異母的弟弟。」

艾比點點頭，仍然緊緊地盯著我看。正如我所知道的，艾比他知道所有事情，似乎也知道我和維克多的過節。

歐克桑娜皺著眉頭。「維克多・達什科夫是個很有身分的人，不是嗎？」他們住在西伯利亞的鄉下，已經遠離了莫里的政治中心，不知道曾經有可能成爲國王的人，現在已成了階下囚。

我開始狂笑，不是因爲覺得歐克桑娜的話可笑，而是覺得這一切都太不可思議了。歇斯底里是我唯一能將這些瘋狂的感覺宣洩出來的方式。

「什麼事這麼好笑？」馬克好像被嚇壞了。

「沒什麼。」我說，知道如果自己不停下來，接下來可能就會開始哭了。「就是這樣，壓根就沒什麼可笑的。」

這是我人生中多麼美妙的轉捩點啊！這個世界上唯一知道怎麼救活血族的人，居然是我偉大的、還活著的敵人維克多・達什科夫的同胞兄弟，而唯一知道羅伯特在什麼地方的人，就是維克多。維克多知道很多有關精神能力的事，現在我終於知道他是從哪裡聽來的了。

但是這些根本不重要，這些全都不再重要了。如果不是我之前幹的好事，維克多可能會願意幫我救回血族；而迪米特里也被我親手殺死了。他走了，被我知道的唯一辦法救贖了。我曾經在他和莉莎之間被迫做出選擇，而我選擇了他，可現在沒有這個問題了，我只能選擇莉莎。莉莎是眞實的，是活生生的，迪米特里已經成爲了過去。

我茫然地盯著牆壁盯了許久，然後抬起頭，勇敢地直視艾比的眼睛。

「好吧，大叔。」我說，「打包送我回家吧！」

29

飛機在天上飛了差不多三十個小時。

從西伯利亞的中部飛到蒙大拿的中部一點都不簡單。我先從新西伯利亞飛到莫斯科，然後從莫斯科轉機到阿姆斯特丹，然後是西雅圖，最後才到米蘇拉，一共搭乘了四個航班，經過了五個機場，還在跑道上跑了很久。

這令人精疲力竭，可是當我拿著護照重新踏上美國的國土時，覺得有一種奇怪的感情滿滿地在心裡……那是喜悅和放鬆。在我離開俄羅斯的時候，曾經想過艾比也許會和我一起飛回來，親自完成這個艱鉅的任務，然後將我轉交給雇用他的人。

「妳現在是真的要回去了，對吧？」他在機場問我，「妳是要回學院去吧？不會再半途留下來，玩失蹤了吧？」

我笑了。「不會，我要回聖弗拉米爾學院去。」

「妳會留在那兒嗎？」他追問道。他此刻的表情已經沒有在拜亞時那麼危險了，但我還是能看見他的眼中閃過一絲嚴厲。

我的笑容收了起來。「我不知道以後會怎麼樣，那裡已經沒有我的位置了。」

「蘿絲——」

我舉起一隻手，不讓他繼續說下去，對自己的決心如此堅定感到訝異。「夠了，回學校以後的事不用你操心。你說你是受人之命要把我送回去，那之後的事情就不在你的職責範圍內了。」

至少，我希望不在。不管想找我的人誰，他肯定是學院的某個人。我馬上就要回去了，他們贏了，艾比的使命完成了。

雖然他勝利了，可似乎並不樂意放我走。他抬頭看了一眼班機時刻板，嘆了一口氣。「妳該入關了，不然就要趕不上飛機了。」

我點點頭。「謝謝你……」具體要謝什麼呢？他的說明？「做的這一切。」

我轉身要走，他搭上我的肩膀。「妳就穿這樣回去嗎？」

我的大部分衣服都在俄羅斯時被穿壞了，後來有另外一個煉金術士替我找來了鞋子、牛仔褲和毛衣，可是，我直到要回美國之前才把它們換上。「眞的不需要別的了。」我對他說。

艾比揚起了一邊眉毛，轉身看著自己的其中一名守護者，微微向我一指。

這個守護者立刻脫下自己的大衣，把它遞了過來。他雖然很瘦，可是這件大衣對我來說還是太大了。

「不，我不用──」

「拿著。」艾比命令道。

我接了過來，然後令我更加驚訝的是，艾比摘下了繫在自己脖子上的圍巾。這條圍巾也很不錯，純羊毛，有著絢爛的色彩，比起在蒙大拿，似乎更適合在加勒比海配戴。我本來也想要拒絕，可是看著他的表情，又把話吞了回去。我將圍巾繫在脖子上，謝過了他，想著不知道還能不能再見到他。我沒有問，因爲有預感他不會回答我。

三十個小時之後，當飛機終於在米蘇拉降落時，我非常確定自己再也不想坐飛機了，最起碼五年之內不要。也許是十年。

我沒有行李，所以輕輕鬆鬆地出了機場。艾比已經提前告訴了學院飛機的抵達時間，可是我不知道他們會派誰來接機。奧伯黛，學院守護者的負責人，似乎是很好的人選；也許是我媽媽。我從來不知道她的具體行蹤，突然間，我非常、非常想見她。她也是合理的人選。

當看見在機場出口等著我的人是艾德里安的時候，我大吃一驚。

我露出一絲微笑，走到他面前，張開雙臂給了他一個大大的擁抱。我們兩個都嚇了一跳。「我這輩子從來沒有像這次這樣，覺得見到你這麼高興。」

他用力抱了抱我，鬆開了手，讚美地看著我。「夢裡的感覺永遠和眞實世界裡的不一樣，小拜爾。妳看上去不錯。」

我已經擺脫了血族的陰影，歐克桑娜在我拒絕的情況下，還是繼續爲我治療，可是她從來沒有問我脖子上的傷是怎麼回事。我也不想讓別人知道這些。

「你看起來……」我仔細地打量著他。他一如既往地穿得很好看，一件中長款的大衣配上一條綠圍巾，和他的眼睛非常相配。他栗色的頭髮還是像原來那樣，亂得很有型，可是他的臉——啊，好吧，就如我之前見到的，西蒙確實打了他幾下，艾德里安有一隻眼睛腫了起來，周圍有一圈瘀青。可是，想到他做過的一切……呃，這點瑕疵也算不上什麼。「帥呆了。」

「騙子。」他說。

「爲什麼不讓莉莎幫妳治療好？」

「這是光榮的負傷，能讓我看起來更有男人味。來吧，車子在等著妳呢。」

「爲什麼會派你來？」我們走向停車場的時候我問道，「你現在是清醒的，對吧？」

艾德里安毫不矯飾地說道：「哦，學校對妳已經沒有監管責任了，因爲妳已經退學了，所以他們沒有義務來接妳，而妳其他的朋友也不能擅自離開學院……可我呢？我是一抹自由的靈魂，四處飄浮，所以我借了台車，然後妳就看見我啦。」

他的話令我覺得五味雜陳。我既被他不怕麻煩來接我而感動，但是也因爲聽見他說學校對我沒有了義務而難過。經歷了這麼多，我多少將聖弗拉米爾學院當做了我的家……可是，嚴格說來，它已經不再是了。我只是那裡的一個訪客。

我們上路之後，艾德里安告訴我學院裡後來發生的事。在經歷了那一場驚心動魄的靈力較量之後，我幾乎沒辦法再潛進莉莎的意識。歐克桑娜雖然治好了我的身體，可是在精神上，我還是頗爲焦慮和悲傷。儘管我完成了此行的目的，可是迪米特里的樣子卻在我心裡越烙越深。

「妳說愛瑞和西蒙、李德兩個人都有心電感應的事，後來證實了是對的。」艾德里安說，「從我們收集的情報看來，西蒙好像在幾年前的一場戰鬥裡犧牲了，當時愛瑞就在現場。後來人們都說他能活過來是一個奇跡，但是沒有人猜到眞相。」

「她將她的能力在你們面前隱藏了起來。」我思索著，「李德是在那之後才死的嗎？」

「哦，這就是最奇怪的事。」艾德里安皺著眉頭說，「沒有人能準確說出他究竟是什麼時候死的。我是說，他是皇室，這輩子應該都是衣食無憂的，對吧？可是從我們調查到的來看——雖然收穫的東西並不多，因爲大部分都已經被摧毀得差不多了——好像是愛瑞有意識地殺了他，然後又把他救了回來。」

「就像她對莉莎做的事一樣。」我想起了西蒙當時說的話。「愛瑞想殺了她，再把她救回來，這樣就可以和她也有心電感應了。可是這麼多人，爲什麼偏偏是莉莎呢？」

「妳問我的想法嗎？因爲莉莎是精神能力者。如今精神能力已經不再是個祕密了，愛瑞一定早就聽說了我和莉莎的事。我猜，愛瑞以爲和莉莎有了心電感應之後，可以增強她自己的力量，就像她從另外兩個人身上汲取了很多力量是一樣的。」艾德里安搖了搖頭，「我說感應到精神能力滿學院都是，並不是誇大其詞，愛瑞的能力令她能同時催眠許多人，藉以僞裝自己的靈光，誰知道還有什麼……哦，這太可怕了。」

我盯著前方寬闊的公路，腦子裡想著愛瑞這麼做的後果。「所以這就是爲什麼李德那麼令人討厭的原因，也能說明他爲什麼一直都很生氣，好像隨時要找人打架一樣。他和西蒙都吸收了愛瑞使用精神能力後的副作用，就像我和莉莎一樣。」

「對，可是妳和他們一點都不一樣。那些症狀在西蒙身上表現得還不是特別明顯——他控制情緒的能力比較強——可是他們兩個全都處於崩潰的邊緣了。現在呢？他們完全崩潰了，三個人都是。」

我想起西蒙空洞的眼神和愛瑞的尖叫，不禁打了個寒顫。「你說的完全崩潰是指……」

「就是說他們全都瘋了，那三個人要在精神病院裡度過餘生了。」

「就因爲你……我們做的那些事？」我嚇傻了。

「有一部分原因吧！」他同意我的說法，「愛瑞集中了全部的力量來對付我們，當我們將這些力量傳遞回去的時候，某些……嗯，我想應該是這些力量超過了他們所能夠負擔的程度。老實說，想到李德和西蒙現在的樣子，這齣戲應該就此落幕了，對愛瑞來說也是一樣。」

「馬克說的對。」我喃喃地說。

「誰？」

「我見到的另一個影吻者。他對我說過一件事，說我和莉莎某一天也許可以彼此治好身上的負面情緒，這需要精神能力者和影吻者小心地平衡兩個人之間的力量。我雖然還不是很明白，不過我猜愛瑞他們三個人沒辦法控制好這種循環圈的平衡。我不認爲多和幾個人產生心電感應就能沒事。」

「哈，」艾德里安沒有再說別的，默默地沉思著，最後，他爆出一陣大笑。「老天，我眞不敢相信，妳居然找到了另外的精神能力者和影吻者。這簡直就是大海撈針，可是妳總能碰上這種事，我幾乎要等不及聽妳講其他的事了。」

我轉過頭，將頭靠在車窗上。「其實眞的不好玩。」

學院的高層沒有一個人知道我在愛瑞事件中扮演的角色，所以，當我們回來後也沒有人來找我問話。他們現在仍然在做後續的調查，問了艾德里安和莉莎很多問題。精神能力仍然是一種新鮮事物，沒有人知道該怎麼評價發生的這一切。愛瑞和她的兩個靈伴被送走接受治療，她的父親已經暫時調走，不在這裡任職了。

艾德里將我以他的訪客的名義帶進學院，和所有的訪客一樣，我也拿到了一張清單，上面列出了我住在這裡時，能做和不能做的事。我幾乎連看都沒看一眼。

「我該走了。」我安頓好之後立刻對他說。

他給了我一個心照不宣的微笑。「我猜到了。」

「謝謝你……來接我，很抱歉我丟下你——」

他拂去了我的擔憂。「妳沒有丟下我，妳回來了，這就值得了。我耐心等了這麼久——我還可以再等一等。」

我看著他的眼睛一會兒，驚覺自己居然感到一絲暖意突然在心中升起，但是我克制著自己，只是飛快地對他笑了笑，然後向校園的另一頭走去。

在我走去莉莎宿舍的這一路上，接收到了無數好奇的眼光。現在剛剛下課，路上到處都是來來往往的學生，可是只要我一出現，所有的喧囂都靜了下來，人們皆停下了腳步和交談，這令我想起我和莉莎逃跑後第一次回到這裡時的情形。當時我們正走進餐廳，也得到了和現在同等程度的注視。

也許這只是我自己的想像，可是這次的情況比上次要糟得多。那些目光裡更多的是震驚，我感受到的沉默氣氛也更加凝重。上一次，我想人們認爲我們逃跑只是因爲淘氣，可是這一次，沒有人知道我爲什麼離開。自從學院被襲擊之後，我就成了英雄，只是這個英雄突然就退休消失了。我猜，跟莉莎住同一棟宿舍的人可能會以爲他們見到了鬼。

無視流言蜚語和別人的目光，對我來說是件駕輕就熟的事，我穿過這些旁觀者，連頭都沒有回，大步地往前走。

我沿著走道向莉莎的房間走去的時候，閉上了眼睛。這似乎有點傻，可我想給自己一個驚喜，我希望張開眼睛的時候，只看見她一個人，在不知情的狀況下看她是如何反應的。我敲了敲門。

艾德里安說，在夢裡見到我和眞的見到我，是完全不能相提並論的。同樣的感覺在莉莎身上也一樣，在她的意識裡和眞的看見她一點都不一樣。門開了，站在我面前的好像是個幻影，是天堂的使者下凡。我從來沒有離開她這麼久過，直到現在我仍有點不敢相信，怕這一切只是我想像出來的。

她摀住了嘴，張大眼睛吃驚地看著我。我猜她可能也有同樣的感覺，因爲她甚至沒有收到我要回學院的通知，她只知道我會「很快」回來。毫無疑問，我對她來說也很不眞實。

這樣的重逢……就像我從一個待了五星期的地洞裡鑽出來，突然重見陽光一樣。迪米特里變成血族時，我覺得自己好像失去了一部分的靈魂，可是當我離開莉莎，另外一部分也不見了。

現在，親眼看見她……我開始在想，也許我的靈魂可以修復，也許我可以繼續向前走了。雖然我現在的靈魂還沒有百分之百地恢復完整，可是她的存在塡補了我失去的一部分。我覺得又變回了自己，這種感覺眞是恍如隔世。

疑問和不解默默地在我們之間流動。除了我們一起合力打敗了愛瑞，我離開學院後，仍然有很多事情沒有解決。這是自我踏進學院後第一次感到害怕，害怕莉莎會拒絕見我，或者是因爲我之前做的事情大叫。

可是，她一把撲上來抱住了我。「我知道，」她說道，同時開始啜泣，「我就知道妳會回來。」

「當然，」我枕著她的肩膀小聲說，「我說過我會回來。」我最好的朋友，我又找回了自己最好的朋友。如果有了她，我一定可以從西伯利亞的陰影裡走出來，可以繼續自己的生活。

「對不起，」她說，「我爲之前做的事情道歉。」

我驚訝地結束了這個擁抱，走進房間關上門。「道歉？妳爲什麼要道歉？」我來的路上雖然很高興能馬上見到她，可是也擔心她仍然會氣我的出走。如果我還在，愛瑞那些亂七八糟的事就不會發生，這件事全怪我。

她坐在床上，眼眶濕潤了。「爲我說過的話……就是妳離開的時候。我沒有權利說那些話，也沒有權利控制妳，最過分的是……」她伸手想要擦掉潰堤的淚水。「最過分的是我對妳說不會救活迪米特里。我是說，我知道那其實沒有用，可是我仍然應該——」

「不，不！」我跪在她面前，抓住她的雙手，在這一刻仍然感到害怕。「看著我，妳不需要爲任何事道歉。我也說了不該說的話，人生氣的時候都會說些氣話的，我們兩個也不例外。至於說要救活他……」我嘆了口氣，「妳拒絕我是對的，哪怕這是在我們發現他變成血族之前，也沒有關係。妳不能和兩人以上的人同時產生心電感應，這就是愛瑞失敗的原因。」

好吧，其實這只是愛瑞失敗的部分原因。對能力的盲目濫用，也是很大的原因。

莉莎稍微平靜了下來。「妳是怎麼做到的，蘿絲？妳怎麼能在我最需要的關鍵時候出現呢？妳是怎麼知道的？」

「我當時和另外一個精神能力者在一起。我在西伯利亞遇見她，她可以透過潛進別人的意識和他交流，隨便什麼人都行，不僅僅是和她有心電感應的人，其實就是像愛瑞那樣。歐克桑娜在我潛進妳意識裡之後，也潛進了我的，這整個過程眞的非常奇怪。」我盡可能簡單說明。

「又一種我不會的能力。」莉莎沮喪地說。

我笑了起來。「嘿，我可從來沒見過有任何一個精神能力者，能像妳一樣揮出那麼漂亮的一拳。這簡直就是一次充滿詩意的戰鬥，莉茲。」

她呻吟起來，可是我感覺到她在聽見我喊她暱稱的時候非常高興。「我希望再也不要做這種事了，我不想成爲一個戰士。蘿絲，妳才是應該在前方拚搏的人，而我則應該在後方等著，默默地爲妳禱告，然後幫妳進行戰後的療傷。」她舉起雙手看了看。「啊，絕不。我眞的再也不想揮拳揍人什麼的了。」

「可是至少妳知道妳有這個能力，如果妳哪天想要練習……」

「不！」她大笑起來，「我現在和艾德里安有很多事情都要練習，特別是在妳告訴了我精神能力有越來越多的用法之後。」

「好吧，也許各司其職是最好的。」

她又嚴肅起來。「上帝，希望如此。蘿絲……愛瑞在的時候，我做了那麼多蠢事。」

透過心電感應，我感覺到她心裡最後悔的事是關於——克里斯蒂安。她的心仍然爲他而疼痛，不知流了多少眼淚。在迪米特里離開我之後，我知道失去所愛之人的滋味，我對自己發誓，一定要爲她做點什麼。可是，現在時機還不成熟，我和她需要先恢復我們的友誼。

「可妳又沒辦法控制，」我指出事實，「她的催眠術太強了，尤其是她還讓妳喝酒，減低妳的抵抗力。」

「對，可是別人又不知道，就算知道了也不能理解。」

「他們會忘掉的，」我說，「人們一向如此。」

我知道她擔心自己的聲譽，可是我懷疑這些是否能夠造成眞正惡劣的後果，只除了克里斯蒂安那件事除外。我和艾德里安分析過愛瑞的目的，在回想了西蒙說莉莎可能因爲不幸的意外而死這句話之後，好像有了點眉目。

愛瑞希望在旁人面前造成莉莎情緒反常的假象，因爲她似乎不確定是否能夠救活莉莎。如果莉莎眞的死了，也沒有人會做過多調查，只會認爲在過了幾星期瘋狂、醉生夢死、酒後發瘋的日子後，莉莎終於失去了控制，偶然從窗戶失足跌了下去，雖然是場悲劇，但是並不失爲一個眞實合理的解釋。

「精神能力最後只帶來痛苦。」莉莎說，「所有人都想打妳的主意，非精神能力者如維克多，而精神能力者如愛瑞。我發誓，如果我不停止幻想還會有愛瑞那樣的人來害我，一定得繼續回去吃藥治療。爲什麼她想殺的是我，而不是艾德里安？爲什麼我永遠是別人的目標？」

我不禁微微一笑，和這個嚴峻的話題非常不搭。「因爲她希望妳成爲她的手下，卻希望艾德里安成爲她的男朋友。她可能只是想找一個能夠幫她提升社會地位的人，所以才沒有冒險爲了製造心電感應而殺了他。也許還有別的原因，誰知道呢？也許她慢慢地也會拿他當成試驗品。老實說，如果她將妳視作威脅，我一點也不奇怪，她肯定希望自己收服另外一個女性精神能力者。面對事實吧，莉茲，我們可以花好幾小時來研究愛瑞・樂澤的想法。」

「對，對，」她從床上滑下來，在我旁邊坐下來。「可是妳知道嗎？我覺得不管什麼時候，我們都能聊好幾個小時。妳才進來十分鐘，可是就像……呃，就像妳從來沒有離開過。」

「沒錯。」我同意道。在迪米特里變成血族之前，和他在一起總是感覺自然又合理；和莉莎在一起也總感覺這樣，雖然這是兩種完全不同的感覺。但在我爲迪米特里傷心的時候，我幾乎忘了和她在一起是什麼感覺。他們其實是我的左膀右臂。

莉莎似乎猜到了我在想什麼，說道：「我剛才說的話是認眞的，我對說過的話感到很抱歉，就是我沒有權利指揮妳的生活那番話。我確實沒有，如果妳決定留下來保護我，妳一定要是自願的狀態。我希望妳明白，妳可以自己選擇要過什麼樣的生活。」

「和『自願』沒什麼關係，我一直都願意保護妳。現在也是如此。」我嘆了一口氣。「只是……我只是有事情必須要去處理而已。我必須先找回自己——很抱歉沒有考慮到妳的感受。」

我還有很多事需要道歉，可是我突然明白了：對自己最在乎的人來說，只要能彼此原諒，繼續一起前進，那就夠了。

莉莎猶豫著要不要問下一個問題，我已經猜到她會問什麼了。「那麼……究竟發生了什麼事？妳……妳找到他了？」

起初，我覺得自己不會願意談這些，可是後來意識到我必須這麼做。之前我和莉莎都搞錯了某些事。原來的她會覺得問我這些是理所當然的，可原來的我會覺得我肯定不會和她說實話，不久以後還會因此而恨她。可是如果我們要重拾友情，原諒彼此，就不應該重蹈過去的覆轍。

「我眞的找到他了。」我最後說道。

我開始講述我的故事，告訴她發生過的每件事，比如我的旅行、貝里科夫一家、煉金術士、歐克桑娜和馬克及未經認證幫的人。當然，還有迪米特里。就像之前莉莎開玩笑時說的那樣，我們聊了好幾個小時。我毫無保留地坦露心聲，而她則沒有發出評論，只是靜靜地聽著。她的表情始終帶著同情，當講述到故事的尾聲時，我開始啜泣，那晚在橋上經受過的所有愛恨痛苦，統統爆發了出來。

回到新西伯利亞之後，我沒有告訴任何人我和迪米特里曾待在哪裡，也不敢告訴別人我曾經成為一個血族的吸血妓女，總是一筆帶過，希望如果我不說，也許這一切就都不是眞的。

現在，和莉莎在一起，我必須接受所有的現實，面對自己眞正的感情：我殺了自己心愛的男人。

一陣敲門聲將我們從兩人世界裡叫喚出來。我看了一眼鐘錶，驚訝地發現居然已經快到熄燈時間了。我想著自己會不會被扔出去，但當莉莎開門之後——我幾乎不敢抬起目光看去——等候在門外的宿舍管理員，卻帶來了完全出乎我意料的消息。

「奧伯黛想見妳。」那個女人對我說，「她猜妳可能在這裡。」

我和莉莎對視了一眼。「什麼時候？現在嗎？」我問。

女人聳了聳肩。「從她說話的語氣來判斷嗎？對，我想應該是現在，或者盡快。」說完，她關上了門。奧伯黛是學院守護者的隊長，她開了口，人們就要遵從。

「我很想知道她找妳有什麼事。」莉莎問。

我站起來，不想離開。「我想，什麼事都有可能。我去見她，然後就回訪客宿舍了。不過肯定睡不著，我都不知道自己現在是在哪個時區了。」

莉莎擁抱了我，我們差點不願分開。「祝妳好運。」

我轉動門把的時候，突然想起了某件事，連忙褪下手上的銀戒指，將它遞給麗莎。

「這枚戒指是妳——噢！」她用手握住它，變得興高采烈。

「妳能感應到裡面的魔法嗎？」我問。

「可以……雖然很弱，但確實在裡面。」她將戒指在燈光下舉起，看著它。如果我此刻離開了她可能都不會發現，因爲我有種預感，她可能會研究這枚戒指研究一晚上。「眞奇怪，我幾乎可以立刻感受到她是怎麼做到的。」

「馬克說，我們要學會他們治癒彼此的方法，可能需要很長一段時間……不過也許妳可以在我們等候的這段時間裡，先研究看看要怎麼製造符咒的辦法？」

她碧綠色的眼睛仍然看著戒指。「好……我覺得我可以辦到。」

我微笑著，看著興奮的她，想要打開門，可是她抓住了我的手臂。「嘿，蘿絲……我知道我明天還能見到妳，可是……」

「可是什麼？」

「我只想說，在經歷了這些事之後……嗯，我不希望我們再經歷這種分別了。我是說，我知道我們不可能每分每秒都在一起，而且這樣聽起來也很噁心，可是我們之間能有心電感應是有原因的。我們注定要照顧彼此，永遠守護對方。」

她的話令我不禁感到一絲害怕，好像我們在一起是因爲這股力量，而不是因爲我們自己。「會的。」

「不，我是說……妳總是守護著我。每次只要我一有危險，妳就會衝出來救我，別再這樣了。」

「妳不希望我再救妳了？」

「我不是這個意思！我也想守護妳，蘿絲。如果我連打架都可以做到，就沒什麼事能難得倒我。雖然那眞的非常痛。」她挫敗地喘了口氣。「上帝，我沒有別的意思。聽著，重點是，如果妳又想要獨自上路，記得帶著我，別再丟下我。」

「莉茲——」

「我是認眞的。」她耀眼美麗的臉龐，因爲決心和找到目標而漲紅。「不管妳要對付誰，我都會守護妳。不要自己一個人去，妳發誓，如果妳想再次離開，一定會帶著我。我們一起走。」

我開始努力抑制心裡升起的幾千種恐懼。我怎麼能拿她的生命冒險呢？可是看著她，我知道她說的對。雖然不知道是好事還是壞事，但我們之間有心電感應是無法抹滅的事實。莉莎的確和我靈魂的某一片緊緊連接在一起，比起分離，我們並肩戰鬥的力量會變得比較強大。

「好吧。」我說著，和她擊掌。「我發誓，下次我再想要做可能會喪命的蠢事時，一定會帶著妳。」

30

奧伯黛在行政大樓守護者部的第一間辦公室等著我。奧伯黛隊長的職責就是照顧我們這個年紀、爲數不多的女性學生，她只有五十出頭，是我見過最嚴厲的女性，淺棕色的頭髮中摻雜了幾絲灰髮，在戶外長年累月的工作曬黑了她的皮膚。

「歡迎回來，蘿絲。」她已經站在門口等我了。她肯定不會給我一個擁抱，一舉一動都帶著公事公辦的味道。可事實上，她直接喊我的名字，就表明了她準備寬待我的態度，而且我還發現她眼中閃過一絲放心和高興。「我們進去談。」

我從來沒有來過這裡，通常我和守護者打交道的地方都是在會議室。不出我所料，這間辦公室非常乾淨，所有的東西都按照軍事標準，擺放得井井有條。我們面對面地在她辦公桌前坐下來後，我鼓起勇氣，準備面對即將開始的審訊。

「蘿絲，」她說著，將身子往前傾，「我開門見山地說吧，我不會對妳訓話，或者要求妳解釋。老實說，因爲妳已經不再是我的學生了，我沒有權利問妳，或者要求妳解釋。」

這些話艾德里安也說過。「妳可以訓話，」我對她說，「我一直很尊敬妳，也希望聽聽妳想說什麼。」

她臉上露出一絲詭異的笑容。「好吧，妳聽好了，事情全被妳搞砸了。」

「哇哦，妳說的開門見山是眞的。」

「動機並不重要，妳不應該離開，也不應該退學。妳的學業和訓練也是很有價值的，不管妳心裡是怎麼想的，妳的自作聰明毀了自己的前途。」

我幾乎要笑出聲來。「妳想聽實話嗎？我已經不知道自己還有沒有前途了。」

「所以這就是妳必須先畢業的理由。」

「可我已經退學了。」

她幾乎是用吼的說道：「那就再辦理入學！」

「我——什麼？怎麼做？」

「塡份申請書，和世界上其他要上學的人一樣。」

老實說，我眞的沒有想過回來後該怎麼做，當時只想到要和莉莎相聚，確認她好不好。我知道我不可能再成爲她的指定守護者了，可是當我們重聚之後，我發現沒有人可以阻擋兩個朋友之間的重聚。我可以成爲那種所謂的雇傭守護者，比如艾比身邊的那兩個，同時，我也可以以訪客的身分留在學院裡，就像艾德里安一樣。

可是……重新入學？

「我……我已經落後了一個月的課程，也可能不只。」我已經搞亂了時間。現在是五月的第一個星期，而我離開的時候是三月底，我生日的那天。經過多久了？五個星期還是快要六個星期了？

「妳曾經落後了兩年的課程，但仍然追上來了，我對妳有信心。就算妳趕不上，留級一年，明年再畢業也總比畢不了業強。」

我試著想像了一下自己重新回歸這個世界的情景。我眞的才離開了一個多月嗎？上課……日復一日的訓練……我這麼簡單就能回來了？我眞的還能適應這種生活嗎？在見過了迪米特里一家的生活，見過了迪米特里又失去他之後——再一次。

他會說他愛我嗎？

「我不知道該怎麼回答，」我對奧伯黛說，「我需要好好考慮一下。」

「好吧，可妳要盡快作出決定，妳越早回來上課越好。」

「他們眞的會同意嗎？」這也是我不太確定的因素之一。

「我同意。」她說，「我絕不可能讓妳這樣的人才跑走。現在樂澤已經離職了……哦，這裡眞是一團亂。塡個申請表不會有人找我麻煩的。」她笑中的譏諷變得比較明顯。「如果他們眞的要找我們麻煩，我相信肯定會有個貴人在身後幫妳掃平一切麻煩。」

「貴人？」我淡淡地說，「那個貴人戴著招搖的圍巾和金項鏈嗎？」

她聳了聳肩。「我不認識，連名字都不知道，只知道如果不讓妳回來，他威脅要大幅度縮減給學院的捐款——前提是妳想回來的話。」

好極了，交易和匿名人士。我非常確信我認識這個貴人。「給我點時間想一想，我會盡快作出決定，我發誓。」

她皺著眉頭，若有所思地想了想，然後用力點了下頭。「好吧。」

我們兩個一起站起來，她領著我走到大樓出口。

我轉頭看著她，「嘿，如果我眞的能畢業……妳說我還有機會成爲正式分派給莉莎的守護者嗎？我知道他們已經替她找了幾個候選人，如果我也要參加評選的話……呃，有點丟臉。」

我們站在大樓的門口，奧伯黛一手扠著腰，說道：「我不知道，但可以嘗試一下。現在的情況比較複雜。」

「對，我知道。」我難過地說，又想起了塔蒂安娜那種喜歡插手一切的性格。

「不過，正如我說的，我們要盡己所能。我剛才是不是說，妳可以留級，明年再畢業？我相信妳不會的。好吧，也許妳的數學和自然學科需要加強，但是那不在我能控制的範圍內。即使如此，妳仍然是這些實習生裡最出色的，我會盡可能地幫助妳的。」

「好的，」我說，知道她已經讓了一步。「謝謝妳。」

我剛要走出去，她又叫住了我。「蘿絲？」

我扶著門，回頭看了她一眼。「什麼？」

奧伯黛的神色變得溫柔……這種神情我從來沒有見到過。「我很遺憾，爲發生的所有事。我們一點忙都幫不上。」

我看著她的眼睛，突然明白她已經知道了我和迪米特里的事。我不知道她是怎麼知道的，也許她是在那次偷襲之後聽說的，也許她早就猜到了。不過，她的表情沒有責備，只有發自內心的遺憾和悲傷。我微微點了點頭，以示感謝，然後走了出去。

第二天，我看見了克里斯蒂安，可是我們只簡短地聊了幾句。他正在去見一起進行訓練的同伴的路上，而且已經快要遲到了。但他還是擁抱了我，表示很高興看見我回來。這顯示出我們現在的關係有多麼親近，我們第一次見面的時候，可是火藥味十足。

「一直以來，」他說，「莉莎和艾德里安都很擔心妳，可並不是只有他們兩個會這麼做。而且妳知道，必須有人讓艾德里安明白自己的位置，我沒辦法一直那麼做。」

「謝謝，這麼說雖然會讓我想死，可我也很想念你。在俄羅斯，沒有一個人冷嘲熱諷的本領能比得過你。」我語氣中的揶揄漸漸消失。「既然你剛才提起了莉莎——」

「別，別！」他舉起雙手表示拒絕，臉色也變得冷漠。「我知道妳想說什麼。」

「克里斯蒂安！她愛你。你知道發生那些事不是她的錯——」

「我知道，」他打斷了我，「可這不代表我不會受傷。蘿絲，我知道妳的性格就是這樣，會勇於對我說一些其他人都不敢說的，可是拜託……這次不要，我需要時間來好好把事情理清。」

我不得不把還沒說的一大串話吞回去。莉莎昨天曾經提到過克里斯蒂安，他們兩個之間的事是她最後悔的一件，也許也是她痛恨愛瑞最重要的原因。莉莎想要接近他，讓兩人慢慢復合，可是克里斯蒂安一直與她保持著距離。沒錯，他說的對，我沒有立場去參與他們的事，雖然我確實很希望他們能夠和好。

所以我決定尊重他的意見，點了點頭說道：「好吧，暫時可以。」

我最後的話令他露出一點笑意。「謝啦。聽著，我必須走了，如果妳什麼時候想要給這些小鬼露一手，讓他們見識一下什麼叫古典的格鬥，隨時過來。吉兒如果看見妳，恐怕會暈過去。」

我答應了他的要求，放他走了，知道自己最好還是先別插手。可是別以爲我會就這樣放過他。

我約了艾德里安和莉莎一起吃飯，地點約在宿舍裡的休息廳。見到克里斯蒂安耽擱了一會兒，已經遲到了，因此我匆匆忙忙穿過大廳，沒有注意察看周圍。

「總是這麼來去匆匆的，」一個聲音響起，「眞不知道什麼人才能讓妳停下來。」

我愣了一下，轉過身，張大了眼睛。「媽媽……」

她正背靠著牆站著，雙手環胸，一頭紅褐色捲髮仍然一如既往的亂。她那張原本和奧伯黛一樣陰晴不定的臉龐，此刻充滿了輕鬆和——愛，再沒有怒火，沒有譴責。我這輩子從來沒有見過她這麼高興。我瞬間就被她摟在懷裡，她將我的頭按在胸口，雖然她比我還矮。

「蘿絲，蘿絲，」她對著我的頭髮說，「別再這麼做了，拜託。」

我推開她，看著她的臉，驚訝地看見她淚流滿面。我曾經看見她在得知學院被襲擊的時候噙著淚水，但是從來、從來沒有看見她眞的哭出來過，因爲她肯定不會當著我的面哭。她這樣讓我也很想哭，我不知所措地拿著艾比的圍巾，打算擦乾她的眼淚。

「不會了，不會了。沒事了，別哭。」我覺得我們兩個的角色奇怪地互換了。「對不起，我不會再這麼做了。我很想念妳。」

這是眞的。我愛歐琳娜・貝里科夫，我認爲她人很好、善良，和她相處的日子讓我因迪米特里受傷的心得到了慰藉，而且她一直按照她的方式來餵飽我。如果還有來生，她肯定會成爲我的婆婆，可是這輩子，我只能將她看成一個善良的乾媽。

她畢竟不是我的親生母親，珍妮・海瑟薇才是。此刻和她一同站在這裡，我也很高興，確切地說是特別、特別高興，高興我是她的女兒。她並不完美，可是正如我已經領悟到的，沒有人是完美的。不過，她肯定是優秀、勇敢、厲害並且富有同情心的，我認爲有時候她比我想的還要瞭解我。如果我能有她的一半，此生就値得了。

「我很擔心妳，」她平靜下來後對我說，「妳去了哪裡？我是說，我知道妳去了俄羅斯……可是爲什麼？」

「我以爲……」我吞了口唾沫，彷彿又看見迪米特里的胸口插著我的銀樁。「呃，因爲我有件事必須要去處理，我以爲憑我的本事可以辦得到。」但是現在我不這麼想了，眞的。雖然我已經完成了自己的目標，可我現在才意識到有多少人在我身邊，並且愛著我。如果我當初開口求他們幫忙，也許事情就不會是現在這樣了呢？也許整件事會容易得多。

「我有很多問題。」她提醒我。

她的語氣變得嚴厲，我因而笑了起來。現在，她又變回我認識的那個珍妮・海瑟薇了。我愛這樣的她。她盯著我的臉，然後是我的脖子，然後我看見她愣了一下。我突然很害怕，不知道歐克桑娜是不是忘了幫我治療好脖子上的咬傷了。一想到她看見了這個，知道我在西伯利亞的時候這麼輕浮，我的心跳差點停止。

可是，她只是伸手摸了摸那條羊毛圍巾上耀眼的顏色，臉上露出既好奇又有點驚訝的表情。

「這……這是亞伯拉罕的圍巾……是他的傳家寶……」

「不是，這條圍巾是一個叫艾比的黑幫老大的……」當我說出這個名字的時候，馬上頓住了。艾比。亞伯拉罕。同時聽到這兩個名字，我才驚覺它們的發音有多麼相像。艾比……艾比是英語艾伯拉罕的簡稱。艾伯拉罕，亞伯拉罕，只在開頭的一個字有些微的區別。艾伯拉罕在美國是一個很常見的名字，而且我以前只聽見過一次亞伯拉罕這個名字，還是塔蒂安娜女王以嘲弄的語氣說出來的，她當時說這個人和我媽媽曾經有過一段風流往事……

「媽媽，」我不敢相信地說，「妳認識艾比。」

她仍然撫摸著圍巾，看著它的眼中充滿了愛意，但不是對我的那種愛。「是的，蘿絲，我認識他。」

「拜託，不要告訴我……」哦，天哪，爲什麼我不能是羅伯特・德魯這樣的皇室私生子？甚至是一個郵差的女兒？「拜託妳不要告訴我，艾比就是我爸爸……」

她沒有說，但是答案已經全都寫在她臉上了。她夢幻般的表情，顯示出正在回憶過去的某個時刻和某個地方，而那些毫無疑問地和我的出生有關係。啊哈。

「哦，上帝啊。」我說，「我是茲米的女兒。小茲米，甚至是小母蛇。」

這句話喚回了她的注意力，她抬頭看著我。「妳到底在說什麼？」

「沒什麼，」我說。

我已經嚇傻了，盡量想將這個新的資訊融入我的認知。我試圖在腦海中拼湊出那張狡猾、留著山羊鬍的臉龐，想要追溯一下家族基因。所有人都說我美麗的外表很像我媽媽年輕的時候……但是我的膚色，黑色的頭髮和眼睛的顏色……對，和艾比一模一樣。我很早就知道我父親是土耳其人，而那就是艾比神祕口音的來源，一個雖然不是俄語，但我聽起來仍然很奇怪的外國口音。亞伯拉罕肯定是艾伯拉罕的土耳其發音。

「怎麼會？」我問，「妳怎麼會愛上一個這樣的人？」

她好像覺得受到了侮辱。「亞伯拉罕是一個很棒的男人，妳對他的瞭解又沒有我深。」

「顯然如此，」我猶豫著說，「媽媽……妳肯定知道艾比究竟是靠什麼謀生的。」

「他是個商人。他認識很多人，而且和他們有生意往來，所以他才有了現在的聲望和地位。」

「可是那都是些什麼生意呢？我聽說都是非法的，不是……哦，上帝，拜託告訴我，他不是在做販賣吸血妓女之類的生意。」

「什麼？」她被嚇壞了，「不，當然不是。」

「可他在做違法的事。」

「誰說的？從來沒有確實的證據證明他做了違法的事。」

「我發誓，妳的話怎麼聽都像是在開玩笑。」我從來不認爲她會爲一個罪犯辯護，可我更清楚愛會使另一個人變得瘋狂。

「如果他願意告訴妳，就會告訴妳的。這件事到此爲止，蘿絲。再說，妳自己也有祕密。你們兩個有很多共同點。」

「妳在開玩笑嗎？他又自大又愛挖苦人，還喜歡威嚇別人，而且——哦。」好吧，也許被她說中了。

她露出一絲不易察覺的笑容。「我從來沒想過，你們居然會以這種方式相見，而且老實說，我也從來沒想過你們兩個會遇見。我們都認爲，他最好不要出現在妳的生活中。」

一個新的想法跳出來。「是妳，對不對？是妳雇用他來找我的。」

「什麼？妳走了之後我是聯絡過他……可我絕對沒有雇用他。」

「那是誰？」我想著，「他說他是爲某個人工作的。」

她那充慢愛意、幸福的微笑變得有些苦澀。「蘿絲，亞伯拉罕・馬祖爾是不會爲任何人工作的，他不是那種能夠用錢雇用到的人。」

「可是他說……等一下，爲什麼他要跟蹤我？妳是說他撒謊？」

「哦，」她承認了，「這又不是第一次。如果他確實跟蹤了妳，肯定不是因爲有人要他這麼做，或是花錢請他這麼做。他這麼做是出於自願，他想要找到妳，確認妳是否安全，他動員了所有的力量去找尋妳。」

我又回想了一下和艾比相處的一切。陰險、譏諷、嘲弄……可是當我被血族攻擊的時候，他在大半夜開著車來救我，堅持一定要我回學院，安全地回去，還很慷慨地將傳家寶送給我，因爲他覺得我回去的這一路上可能會覺得冷。他是個很棒的男人。我媽媽這麼說。

我想，他也不是個太糟糕的父親。

「蘿絲，妳在這兒。怎麼這麼久？」我和我媽媽一起轉身，看見莉莎走進大廳。她看見我後眼睛直發光。「妳們兩個一起來吧！餐點都快冷掉了。妳肯定不會相信艾德里安帶了什麼吃的來。」

我和我媽媽飛快地對視了一下，沒有再說話。之後要說的話還多著呢！但是可以先放到一旁。

我不知道艾德里安是怎麼安排的，當我們走進休息廳，發現裡面擺了一桌子的中國菜。學院裡幾乎從不做中國菜，就算偶爾會做，味道也永遠都……不太對。可是這一桌確實是道地的中國菜，擺滿了一盤盤糖醋雞丁和芙蓉蛋之類的餐點，我還在牆角的垃圾桶裡看見了某個飯店的外賣圖案，上面還印著飯店在米蘇拉的詳細地址。

「你是怎麼辦到的？」我問道。不只這樣，這些菜還是熱的。

「這妳不用管，蘿絲。」艾德里安說著，往自己的盤子裡添了一勺肉丁炒飯，好像很得意。「吃光了就行。等奧伯黛搞定妳的申請後，我們每天都可以吃中國菜。」

我嚼到一半的嘴巴停了下來。「你是怎麼知道的？」

他只是眨眨眼。「當一個人無所事事，只能一直在校園裡閒逛的時候，偶爾會聽到一些八卦。」

莉莎看了看他，又看了看我。她今天一整天都在上課，我們還沒時間聊天。「怎麼回事？」

「奧伯黛希望我重新入學，然後畢業。」我向她解釋道。

莉莎差點扔掉了手裡的盤子。「趕緊同意啊！」

我媽媽也和她一樣驚訝。「她同意妳這麼做？」

「這個主意就是她提出的。」我說。

「那就趕緊同意啊！」我媽媽大喊。

「妳知道，」艾德里安竊笑道，「我其實還挺喜歡我們兩個一起開車去兜風的。」

「不管怎樣，」我不甘示弱地反擊回去，「你又不會讓我開車。」

「別吵了，」我媽媽立刻又變回了原本的她，不再因為她女兒的出走而傷心，也不會為失去愛人而愁悶。「妳必須認眞看待這件事，妳的前途堪慮。」她揚揚下巴指了指莉莎，「她的未來也一樣。完成在這裡的學業，成爲守護者——」

「好吧。」我說。

「好吧?」她不太明白。

我笑了起來。「好吧,我同意。」

「妳同意……我的說法?」

我想我媽媽可能永遠都不認爲會有這種事發生。這麼一說,其實我也沒有想過。

「對,我會參加考試,畢業,然後盡我所能地成爲社會上令人尊敬的一員。雖然沒有一件事是有意思的。」我揶揄道。

雖然我表面說得輕鬆,可是在心裡,我知道自己必須這麼做。我必須回到那些愛我的人的行列之中,我需要新的目標,不然永遠都無法超越迪米特里。我也永遠不會忘記他的臉,忘記他的聲音。

身邊的莉莎倒吸了一口氣,鼓起掌來,她的開心也感染了我。艾德里安沒有表露他的感受,但是我能看出他還是很高興我能留下來。我媽媽仍然沒有從震驚中回過神來,我猜她已經習慣了那個不講理的我。雖然我經常是那樣沒錯。

「妳眞的要留下來了?」她問。

「仁慈的上帝啊!」我哈哈大笑,「我到底要說多少遍才行?對,我要回學校了。」

「復學?」她反應很快,「上滿兩個半月?」

「難道我說的不是這個意思嗎?」

她的表情又變得嚴厲,很像一個母親。「我想確定妳不會再偷偷地一大早清早起床,然後跑出去。不管發生什麼事,妳都會一直留在這裡直到完成學業?直到妳畢業爲止?妳發誓?」

我看著她的眼睛,驚訝於她的堅持。「好,好,我發誓。」

「好極了,」她說,「妳會高興自己選了這條路的。」她講的話非常像守護者會說出來的。雖然她的語氣很嚴肅，可是看著她的眼睛，我在裡頭發現了愛和愉悅。

我們吃過飯，將盤子收拾好，等著宿舍的服務人員來收。在我將盤子裡的剩菜倒進垃圾桶的時候，我發現艾德里安站在我旁邊。

「這種事情很適合妳。」他說，「很性感，眞的，令我產生了各種幻想，幻想妳繫著圍裙在我家裡進進出出。」

「哦，艾德里安，我多麼想念你啊！」我翻了個白眼，「我猜你不願意來幫忙，對吧？」

「對，我吃光所有東西就已經是在幫忙清理了。」他停了一下，「還有，不客氣。」

我大笑起來。「你知道嗎？當我答應我媽媽留下來的時候，你沒出聲說話眞是太好了，不然我可能會作出另一種決定。」

「我猜妳不敢不聽她的話，妳媽媽看起來是那種總是可以達成目的的人。」他瞥了一眼站在房間那頭聊天的莉莎和我媽媽，壓低嗓門道：「她肯定是一家之主，事實上，我應該去求她幫我點忙。」

「讓她破例同意你抽煙？」

「約她女兒出去。」

我差點扔掉手裡的盤子。「你約我約了好幾萬次了。」

「其實沒有。我提過很多不合時宜的建議，而且經常遭到赤裸裸的拒絕，可是我從來沒有開口要求妳和我進行一次眞正的約會。而且，如果我的記性沒出錯的話，妳確實說過，要是我同意妳刷爆我的信用卡，就給我一個公平的競爭機會。」

「我沒有刷爆它。」我反唇相譏。

我看著他，想起我曾經說過的話。我說如果能活著回來，就會給他一個機會。當時，爲了拿到錢，我什麼話都說得出來，可是現在，我看待艾德里安的眼光不同了。我沒有想像過要嫁給他，也沒有眞的認爲他是能夠成爲可靠男友的人，我甚至不知道自己是不是想要男朋友。可是對我和其他人來說，在經過了這一場混亂之後，他確實是一個很好的朋友，他善良又沉著，而且不可否認……雖然他臉上帶著一個黑眼圈，還是非常的養眼。

雖然並不是特別重要，但莉莎已經從他嘴裡弄清楚，他對愛瑞的迷戀是因爲催眠術的關係。他喜歡她，但是並沒有到神魂顚倒的地步，可是愛瑞的力量將這一點放大，超過了他的眞實感覺。反正他是這麼說的。如果我是個男生，這些事發生在我身上，可能也會說我是因爲魔法的力量才變心的。

但是從他現在望著我的眼神來看，實在很難相信，有人能在短短的一個月內取代我在他心目中的位置。

「給我一份提案書，」我最後說，「一條一條列出爲什麼你是一個値得考慮的候選人。」

他笑了幾聲，然後盯著我。「妳說眞的？聽起來好像作業一樣。這也是我不上大學的原因之一。」

我打了個響指。「快去，伊瓦什科夫，我希望看見你交一份漂亮的作業上來。」

我本來以爲他會開個玩笑，或者直接跳過不提，沒想到他卻說：「好。」

「好？」此刻我覺得自己很像剛才的我媽，就是她聽見我同意她的說法的時候。

「對，我這就回房間，然後開始擬我的提案書。」

我看見他把手伸向放在一邊的外衣，懷疑地看著他。我從來沒見過他遇到要用功時，反應這麼痛快過。哦，不，我這是讓自己陷入了一種什麼樣的境地啊？

他突然停下來，改將手伸進衣服口袋裡，露出一個欠扁的笑容。「事實上，我已經在練習寫小詩給妳了，差點忘了。」
他拿出一張折起來的紙，在空中揮了揮。「妳得買一支手機，我可不想再當妳的祕書了。」
「那是什麼？」
「有個外國人之前打電話給我……說我的號碼在他手機的通話記錄裡。」艾德里安又看了一眼莉莎和我媽媽，她們還在不停地聊。「他說他有事情要告訴妳，而且不希望我告訴別人，他要我記下來，然後再讀給他聽。妳知道，妳是唯一一個讓我願意這麼做的人。我想我在寫約會提案書的時候，這點也應該加上去。」
「你打算把它給我了嗎？」
他眨眨眼，將紙條遞給我，同時還用手肘頂了我一下，隨後就向莉莎和我媽媽道別了。
我不知道他是不是眞的跑回房間去寫約會提案書了，隨即就將大部分注意力都放在這張紙條上。我知道是誰打電話給他，在新西伯利亞的時候，我曾經借用艾比的電話打給艾德里安，後來又對艾比說過是艾德里安資助了我這趟旅行。很顯然，我爸爸肯定認爲艾德里安是一個値得信賴的人。啊，叫他爸爸這種感覺一點都不眞實。可我還是很納悶，爲什麼不能讓我媽媽替他轉達？
我打開紙條，花了好一會兒才認出艾德里安潦草的字跡。如果他眞的要寫約會提案書，眞希望他可以列印出來。信上說——

帶話給羅伯特的哥哥。他說我能提供給他的東西，不値得他用羅伯特的下落來交換——相信我，那些東西確實很有分量。他說他將在那裡度過餘生，所有事都會被他帶入棺材之中，和他一起死去，雖然他知道妳很想知道。

這肯定不是艾德里安自己編出來的。有點難懂，肯定是因爲艾比不想那麼容易就讓艾德里安猜出來，但是我一看就懂。羅伯特的哥哥就是維克多．達什科夫，艾比可能將自己的想法傳遞進那個可怕、陰森的監獄裡了，因爲維克多就關在裡面（不知怎麼的，我並不驚訝艾比可以做到這點）。艾比肯定是想和維克多做個交易，藉此找到羅伯特的下落，可是被維克多拒絕了。這也不奇怪，維克多是最不願意合作的人，而我也沒有立場責備他，因爲他要在「那裡」，也就是監獄裡關一輩子。對一個要什麼都不能改變自己命運的人來說，還有什麼東西是有價值的呢？

我嘆了口氣，將紙條收好，有些感動艾比會爲我這麼做，雖然是白費功夫。

再一次，那場同樣的爭論浮現在我腦海。

就算維克多說出了羅伯特的下落，又有什麼用呢？我離俄羅斯越遠，越覺得想要將血族救回來的想法十分荒謬。只有眞正的死亡才能夠讓他們解脫，只有死亡……

在我即將重新回憶橋上那一幕之前，我媽媽的聲音將我拯救了出來。她說她要走了，但是答應我之後會再與我談談。她一離開，我和莉莎就坐在休息廳裡，把所有事都說了一遍，隨後才離開，回到我自己的房間，我和她還有很多話想說。在往樓上走去的同時，我不禁想著他們什麼時候才能讓我搬出訪客宿舍，搬回學生宿舍。也許要等奧伯黛辦完那一套繁文縟節了吧！想到我就要回到原來的生活，從這一個月以來發生的這些事情當中脫離，還是覺得不太可能，

「艾德里安給妳的是情書嗎？」莉莎問我。她雖然是在開玩笑，可透過心電感應，我知道她仍然擔心我會爲迪米特里感到難過。

「不是，」我說，「這個我一會兒再和妳解釋。」

在我房門外，一個宿舍的值班人員剛好要敲門。她看見了我，拿出一封厚厚的信。「我送信來給妳，這是今天剛收到的。」

「謝謝。」我說。

我接過來看了看，發現我的名字和聖弗拉米爾學院的地址都是列印出來的，字條上乾乾淨淨。我覺得有點奇怪，因爲我剛剛才回到這裡。信封上沒有回信地址，但是上面蓋的是俄羅斯的郵戳，而且還是用國際快遞連夜寄來的。

「妳知道是誰寄的嗎？」莉莎看見那個女人走了之後問。

「不知道，我在俄羅斯認識了許多人。」有可能是歐琳娜、馬克或者是雪梨。可是……某種我無法解釋的東西令我提高了警覺。

我撕開信封，將手伸進去，碰到了一個帶有金屬質感的冰涼物體。不用拿出來，我都知道這是什麼——這是一根銀樁。

「哦，上帝啊。」我說著，讓銀樁從信封裡滾出來，用手摸著銀樁下面刻的花紋和名言。絕對錯不了，是它。這是我從賈琳娜的地下室裡拿走的那根銀樁，那根我曾經——

「爲什麼有人寄給妳一根銀樁？」莉莎問。

我沒有回答，而是從信封裡掏出了下一樣東西：一張小卡片。上面的筆跡我再熟悉不過了，上面寫著——

妳忘了另外一課：在確定妳的敵人真的死去之前，永遠不要轉身離開。看起來，下次見面的時候，我們要好好複習一下這堂課。不會很久的。

愛妳的D

「哦，」我叫出聲，卡片幾乎從手裡掉下來。「這可不太妙。」

整個世界旋轉著，我閉上了眼睛，深吸一口氣。我曾經回想過上百次從迪米特里手中逃出來的那一晚，總是情不自禁地回憶起我將銀樁刺進他心臟時他的表情，還有他掉進黑漆漆的河裡的那一幕。現在，我突然想起了爭鬥中的一些細節，想起了他在最後一分鐘時的那一閃，阻止了我將銀樁刺進他心臟的這個動作。那時，我覺得自己刺得還不夠深，可是後來看見他的表情變了，然後整個人掉進了河裡。

原來我眞的沒有刺到位，我的本能反應是對的，可是當時一切都發生得太快了。他掉了下去……然後呢？是不是因爲力道不夠，銀樁自己掉了出來？或者他仍有力氣自己把它拔出來？還是，是河流將銀樁給沖了出來？

「一直拿人偶練習，根本一點用都沒有嘛。」我喃喃地說著，想起迪米特里曾經在訓練中，讓我一次又一次地用銀樁刺假人的胸膛，確認可以從肋骨中間刺進去，直抵心臟。

「蘿絲，」莉莎喊。我有種感覺，這不是她第一次喊我的名字了。「怎麼回事？」

這是我人生中最重要的一刺……我卻搞砸了。接下來會怎樣？看起來，下次見面的時候，我們要好好複習一下這堂課。不會很久的。

我不知道該做何反應。是要因爲我沒能令迪米特里的靈魂得到解脫，沒能履行我私下對他承諾過的誓言而懊悔？還是因爲沒有殺死自己最愛的男人而慶幸？一直以來，一直以來都是同一個問題：如果再等久一點的話，他會說他愛我嗎？

我還是沒有答案。我現在心情很亂，想要整理一下情緒，好好分析一下眼前的情況。

首先，我答應我媽媽，接下來的這兩個半月都會很安分，因此在那之前不能有所動作。在此同時，迪米特里仍然以血族的身分消遙在外。只要他還在這個世界自由遊蕩，我就沒有平靜可言。一切還沒有結束。我又看了看卡片，知道就算我不理會他，也不會有平靜的日子過。我知道這張卡片代表的意思。

這一次，迪米特里要來找我了。直覺告訴我，我已經錯過了成爲血族的最好機會，他是來殺我的。我逃出迷宮的時候，他說了什麼？我們兩個人沒有辦法同時存活在這個世界上？

不，其實是有的……

見我沒有立刻回應，莉莎更加擔心了。「妳的表情有點嚇人，在想什麼呢？」

「妳相信傳說嗎？」我抬起頭看著她的眼睛，說話的同時，腦中浮現出馬克一臉不贊同的樣子。

「什麼……什麼樣的傳說？」

「那種妳不會浪費精力去研究的。」

「我不太明白。」她說，「已經完全搞糊塗了。告訴我，到底怎麼回事？我能做什麼？」

兩個半月。我必須在這裡待滿兩個半月，這聽起來和永遠差不多。可是我答應過媽媽我能做到，也不想再草率行事了，特別是在見到銀椿這麼激動的時候。承諾……我可能會被承諾壓垮，我甚至還答應了莉莎某些事。

「妳之前說的是眞的嗎？妳說不管我再做什麼瘋狂的事，都願意和我一起去？不管是什麼事？」

「對。」她的話中沒有不安和猶豫，堅定的綠眸中也沒有絲毫動搖。當然，我不知道她在聽了接下來要做的事情之後，還能不能維持鎭定。

對一個要什麼都不能改變自己命運的人來說，還有什麼東西是有價值的呢？

我之前曾經想過，怎麼樣才能讓維克多．達什科夫願意合作。維克多對艾比說過，沒什麼能夠令他將他弟弟的下落說出來，更不用提說出他弟弟治好血族的事了。維克多是在用生命傳話，對他來說，沒什麼是有誘惑力的。可是，我意識到，只有一件事除外——那就是自由，而只有一種辦法能讓他獲得自由。

我們要去監獄裡把維克多・達什科夫救出來。可我並不打算現在就告訴莉莎。

目前的情況是，我解救迪米特里的計畫失敗了。馬克說過，救回血族只是一個傳說，可我必須抓住這個機會。問題是：在迪米特里來殺我之前，我還有多少時間？我要用多久才能想到一個切實可行的辦法？這才是問題的關鍵。因爲，如果迪米特里出現的時候，我還沒能找到故事裡的龍，也就是維克多，那就慘了。也許羅伯特的整個故事是一個彌天大謊，可如果不是……

呃，時鐘在響了。如果迪米特里在我找到維克多和羅伯特之前找上門，我就不得不再和他打一場了。毫無疑問，若那時我還沒辦法用魔法救回他，就必須眞的殺死他，然後再次失去將我的公主帶回來的機會。該死。

好消息是，通常壓力越大，我的表現就越出色。

（未完待續）

國家圖書館出版品預行編目資料

吸血鬼學院4血之盟 / 蕾夏爾・米德；
初版. -- 高雄市：耕林，民100.09
面 ； 公分. --（魅小說；28）
譯自：Blood Promise
ISBN 978-986-286-110-3（平裝）
874.57　　100015688

吸血鬼學院4血之盟

Blood Promise

作者：Richelle Mead 蕾夏爾・米德
發行人：陳嘉怡
總編輯：陳曉慧
主編：方如菁
譯者：吳雪
責任編輯：高琬禎
文字排版：劉純伶
出版者：耕林出版社有限公司
發行地址：807 高雄市三民區通化街47巷3-1號
電話：07-3130172　　傳眞：07-3130178
讀者服務專線：0800211215
劃撥帳號：42205480 耕林出版社有限公司
網址：www.kingin.com.tw
E-mail：kingin.com@msa.hinet.net
總經銷：宇林文化事業股份有限公司
總經銷電話：07-3130172
總經銷地址：807 高雄市三民區通化街47巷3-1號
物流中心電話：07-3747525　07-3747195
物流中心傳眞：07-3744702
物流中心地址：高雄市仁武區仁心路236之1號A棟

初版：2011年09月
定價：台幣250元

耕林 Just Novel

就是小說